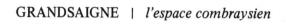

GRANDSAIGNE | *l'espace combraysien*

« la thèsothèque »

— réflexion et recherche universitaires —

n° 10

———

La collection accueille les études et travaux universitaires présentés ès qualités par leurs auteurs. Ceux-ci développent librement, par des méthodes qui leur sont propres, des interprétations qui n'engagent qu'eux-mêmes et sous la forme qu'ils estiment être la mieux appropriée à rendre compte de l'état de leurs recherches.

JEAN DE GRANDSAIGNE

l'espace combraysien

*monde de l'enfance et structure sociale
dans l'œuvre de Proust*

LIBRAIRIE MINARD

1981

IMPRIMÉ EN FRANCE

ISBN 2-85210-010-X

La géographie de Combray, si simple, si innocente, en apparence si purement «poétique», est peut-être un paysage qui a besoin, comme beaucoup d'autres, d'être décrypté.

M. BARDÈCHE
Marcel Proust romancier (I, 269)

SIGLES ET ABRÉVIATIONS

CMP *Cahiers Marcel Proust.*
CSB *Contre Sainte-Beuve.*
   PM *Pastiches et mélanges.*
JS   *Jean Santeuil.*
   PJ *Les Plaisirs et les jours.*
R I, II, III   *À la recherche du temps perdu*, tomes I, II, III.

Toute citation formellement textuelle se présente soit hors texte, en petit caractère romain, soit dans le corps du texte en «*italique*» entre guillemets, les soulignés du texte d'origine étant rendus par l'alternance romain/*italique* ; mais seuls les mots en PETITES CAPITALES y sont soulignés par l'auteur de l'étude (le signe * devant un fragment attestant les petites capitales ou l'italique de l'édition de référence).

À l'intérieur d'un même paragraphe, les séries continues de références à un même texte sont allégées du sigle commun initial et réduites à la seule pagination ; par ailleurs les références consécutives à une même page ne sont pas répétées à l'intérieur de ce paragraphe.

On trouvera en fin de volume dans nos Références bibliographiques les coordonnées des Œuvres de Proust citées et celles des ouvrages et articles de critique proustienne cités en note de manière abrégée. Les références des autres ouvrages ou articles sont données *in extenso* au fur et à mesure dans les notes de chaque chapitre.

4

INTRODUCTION

L A *Recherche du temps perdu* est-elle un roman? Plus de de cinquante ans après la parution de l'œuvre, la question semble encore se poser[1]. La faute, si l'on peut dire, en est d'abord à la vie «exotique» de Proust qui a suffisamment impressionné une certaine critique à tendance «hagiographique»[2] pour que celle-ci continue, même aujourd'hui[3], à faire de cette vie l'un des paramètres essentiels à la lecture de la *Recherche*. La faute en est aussi à ce *je* de la narration qui malgré les dénégations de Proust lui est si bien resté collé à la peau que pour de nombreux critiques, la *Recherche* n'est rien d'autre qu'une *«autobiographie romancée»*[4]. Mais surtout, la faute, si faute il y a, en incombe à ceux des critiques qui — soit à la fois par admiration pour le «génie» de Proust et par mépris de sa vie de mondain oisif, soit par préjugé idéologique, soit par souci théorique — ont cherché à *«séparer définitivement le bon Proust du mauvais, le Proust solitaire et poète du Proust grégaire et romancier»*[5].

1. Voir, en particulier, TADIÉ, *P. roman*, pp. 18 sq..
2. On pourrait sans doute retrouver l'origine de cette tendance à l'hagiographie proustienne dans le numéro de janvier 1923 de la *N.R.F.*, «Hommage à Marcel Proust», et aussi dans les souvenirs et jugements d'amis de Proust tels que F. Gregh, R. Fernandez, P. Morand, L. de Robert, etc. Cette tendance se continuera avec des critiques comme L. P. Abraham, D. W. Alden, G. Brée, H. Bonnet, G. Cattaüi, Cl. Vallée, etc.
3. Dans des ouvrages tels que *Avec Marcel Proust* (A. PLANTEVIGNES), ou *Monsieur Proust* (C. ALBARET), dont les «révélations» sur la vie privée de Proust sont censées, des dizaines d'années après la mort de l'auteur, éclairer son œuvre d'un jour nouveau.
4. LOWERY, *Marcel Proust et Henry James*, p. 89.
5. GIRARD, *Mensonge romantique...*, p. 34.

Au premier Proust, le seul qui doit compter, revient alors ce qui dans l'œuvre est *« pèlerinage ontologique »*[6], *« évocation d'expériences personnelles fondamentales »*[7], *« recherche de lois psychologiques générales »*[8], *« tardive et laborieuse remontée vers les étoiles »*[9]. Au premier Proust revient aussi ce qui fait de la *Recherche* un des plus beaux fleurons de la narratologie[10], une merveilleuse machine à produire des signes[11]. Au second, un Proust qu'il faut bien excuser, demeurent attachés, un peu comme une tare, le snobisme, l'homosexualité, la peinture d'un *« monde périmé, sans noblesse et sans grâce »*[12], la *« pseudo-chronique balzacienne d'une société en voie de décomposition »*[13]. Bref, à ce Proust-là revient la responsabilité de cette *« traversée du désert »*[14] que constituerait le voyage du héros de la *Recherche* à travers la société. Aussi ne faut-il pas s'étonner de voir cette critique ignorer délibérément tout le côté «mondain» de l'œuvre de Proust et ne s'attacher qu'au triangle magique héros-narrateur-narration ; de l'entendre affirmer que la *Recherche* ne dit que *« ce qui arrive à un individu »*[15], ne raconte que l'histoire de *« sa propre rédaction »*[16], n'est animée que par *« un mouvement circulaire qui toujours renvoie [le récit] de l'œuvre à la vocation qu'elle ‹ raconte › et de la vocation à l'œuvre qu'elle suscite, et ainsi sans trêve »*[17].

Mais le *« mauvais Proust [...] grégaire et romancier »*, le Proust de la tentation du monde, ne se laisse pas si facilement écarter. Bien au contraire, il est sans doute celui qui retient le plus l'attention du lecteur, le seul être à qui, en définitive, Proust a confié le destin de son œuvre. Car, pour le lecteur, la *Recherche* est bien un roman qu'il aborde en se rappelant tout ce qu'ont pu lui apprendre ses lectures d'autres romans ; pour lui, la *Recherche* est bien une somme romanesque qu'il lit en y appliquant la même grille qui lui

6. ROUSSET, *Forme et signification*, p. 144.
7. MILLY, *P. style*, p. 56.
8. *Ibid.*
9. FERNANDEZ, *L'Arbre...*, p. 333.
10. Voir GENETTE, *Figures III*.
11. Voir DELEUZE, *Proust et les signes*.
12. PARAF, « L'Univers de Marcel Proust », p. 27.
13. MULLER, *Voix narratives...*, p. 156.
14. ROUSSET, p. 396 in *Entretiens sur Marcel Proust*.
15. PICON, *Lecture...*, p. 85.
16. TADIÉ, *P. roman*, p. 427.
17. GENETTE, *Figures III*, p. 266.

a déjà permis de déchiffrer l'œuvre de Balzac ou de Zola. Pour le lecteur, la *Recherche* est bien *une histoire* qu'il suit passionnément à travers les pages — sans doute en en sautant parfois quelques-unes ! — ; une histoire qui lui réserve à chaque pas «*des surprises de course au trésor*»[18], et à la réalité de laquelle il finit par croire intensément parce qu'elle lui apparaît comme une variation de la sienne. Il se peut que cette histoire soit, comme le veut la critique, celle d'un apprentissage, d'une découverte, d'une vocation ; qu'elle soit aussi celle d'un texte. Mais plus que tout cela, elle demeure l'histoire de ces deux pôles qui, pour tout lecteur, constituent l'univers spécifique du roman : un héros et une société. Car, si, comme le veut B. Poirot-Delpech, «*tout roman digne de ce nom raconte plus ou moins le vacillement et les métamorphoses de consciences libres*»[19], encore faut-il ajouter que ces consciences ne peuvent vivre et affirmer leur liberté que par rapport à la servitude à laquelle prétend les soumettre le monde, la société. Avec G. Lukács, avec L. Goldmann, avec R. Girard, on peut en effet penser que c'est toujours la relation d'un être au monde qui l'entoure que décrit le roman ; que c'est toujours l'histoire d'un destin irrévocablement lié au destin du monde que raconte le roman ; que c'est toujours lorsqu'une œuvre en prose exprime la problématique du héros dans le monde que cette œuvre peut être définie comme un roman. Et dans la *Recherche*, il n'en est pas autrement. Malgré les professions de foi du narrateur, la société a bien valeur ontologique pour le héros de la *Recherche* ; malgré les dénégations de certains critiques, mais de l'aveu même de son auteur, la *Recherche* est bien un roman car son histoire est fondamentalement l'histoire d'un héros *dans* la société, l'histoire d'un héros *et* d'une société.

Mais de quelle société s'agit-il alors ? On a dit, on le répète encore à satiété[20], que l'œuvre de Proust n'a pas de valeur sociologique. Que faire alors du salon d'Odette, du petit clan Verdurin, de la coterie Guermantes ? du *gran finale* mondain qu'est le *Temps retrouvé* ? de ce «kaléidoscope social» que la *Recherche* fait jouer sous nos yeux ? À cela, une certaine critique répondra que la description sociale de la *Recherche* est «*un témoignage unique d'un*

18. POIROT-DELPECH, « Lire, c'est créer », *Le Monde*, 11 nov. 1977.
19. *Ibid.*
20. Voir, par exemple, DELEUZE, *P. signes*, PARAF, « L'Univers de M.P. », MAGNY, *Histoire du roman français...*, pp. 169 sqq.

univers évanoui »[21], « *un tableau de la société française de Mac-Mahon à la première après-guerre* »[22] ; elle répondra encore que l'œuvre de Proust est « *dans les limites d'une génération, une histoire des hommes, la plus vécue* »[23], l'histoire d'une « *classe en évolution* »[24], « *une méditation sur la vie sociale* »[25] ; elle répondra enfin que Proust est « *un mémorialiste* »[26], « *un consciencieux historien* »[27], même si, au bout du compte, il n'a été que « *l'historien des mœurs mondaines* »[28]. Alors la *Recherche* peut être considérée comme « *le meilleur témoignage de la couche sociale à laquelle* [*les hommes de la génération de Proust*] *appartenaient* »[29], comme « *un document social et humain* »[30]. Et les études sur le contenu historique et social de l'œuvre de Proust, sur la «mondanité» de se multiplier! À commencer (ou plutôt à continuer!) par l'étude du problème des «clés» qui, malgré tous les anathèmes, continue encore aujourd'hui à fasciner certains critiques[31] alors qu'il ne reste plus à présent un seul contemporain de Proust, ou si peu. Et n'était-ce pas là justement la seule justification de cet intérêt pour les «clés» que de mieux éclairer, non pas les personnages de la *Recherche*, mais leurs «modèles» à qui de telles identifications apportaient, comme le dit H. Levin, «une gloire transitoire»[32].

Mais que ce soit au niveau des personnages ou au niveau des faits, toutes ces entreprises de repérage socio-historique ne peuvent que se révéler vaines ; Proust n'est ni Balzac, ni Saint-Simon, et n'a jamais voulu l'être. En s'attachant uniquement au contenu de l'œuvre de Proust, on ne peut qu'être déçu par l'étroitesse du

21. PARAF, « L'Univers de M.P. », p. 28.
22. BOLLE, *P. complexe d'Argus*, p. 42.
23. VALLÉE, *La Féerie de M.P.*, p. 396.
24. LOWERY, *M.P. et Henry James*, p. 369.
25. BARDÈCHE, *P. romancier I*, p. 13.
26. LACRETELLE in *Bulletin de la société des amis de Marcel Proust* (*BAMP*), 22, p. 1035.
27. VALLÉE, *La Féerie de M.P.*, p. 396.
28. DONZE, *Le Comique...*, p. 84.
29. LOWERY, *M.P. et Henry James*, p. 368.
30. *Ibid.*
31. Voir, par exemple, TADIÉ, *P. roman*, pp. 61 sq., CATTAÜI, *Marcel Proust*, p. 58., ADAM, « Le Roman de Proust et le problème des clefs », pp. 19–90.
32. [Trad. de] H. LEVIN, *The Gates of Horn* (New York, Oxford University Press, 1963), p. 382.

champ de la vision sociale de cette œuvre, par la vacuité du monde qu'elle décrit ; on ne peut que rejoindre le narrateur dans sa condamnation de la vie de salon.

Mais cette déception et cette condamnation ne tiennent-elles pas à la méthode adoptée pour analyser la société de la *Recherche* ? Ne fait-on pas simplement fausse route en cherchant à établir le plus grand nombre possible de rapprochements entre les éléments de l'œuvre et les données sociologiques de la réalité empirique, de la vie quotidienne de l'époque en laquelle s'inscrit la société de la *Recherche* ? En adoptant une telle méthode, n'est-on pas conduit à enfermer toute une partie de l'œuvre − la plus importante quantitativement − dans une sorte de «ghetto critique»[33] peu satisfaisant ? Faut-il alors, lorsqu'on se penche sur la société de la *Recherche*, se contenter, comme le narrateur, de s'enchanter de la poésie des Germantes et de maudire leur mesquinerie, de se réjouir au spectacle des prétentions ridicules du clan Verdurin, de conclure à la mort d'une société fondée sur un ordre archaïque ? Faut-il, en définitive, renoncer à retrouver dans la *Recherche* la réalité sociale de l'époque à laquelle le roman s'écrit ?

Pourtant, de toutes les créations littéraires, la création romanesque est sans doute celle qui reste le plus intimement liée aux phénomènes sociaux. De tous les genres littéraires, le roman est sans doute le genre qui adhère le plus étroitement à la réalité sociale. Mais la relation entre roman et société n'est pas linéaire et directe. Si le roman est un «miroir», c'est un miroir qui ne reflète pas la réalité telle quelle ; l'image qu'il en donne a subi de profondes distorsions. Aussi n'est-ce pas dans le détail, mais dans l'ensemble qu'il faut chercher la ressemblance ; aussi n'est-ce pas au plan du contenu mais au niveau de la structure qu'il faut se placer pour retrouver la réalité sociale d'une époque donnée dans le monde de l'œuvre.

Cette société de la *Recherche*, c'est d'abord le héros qui la traverse, mais un peu comme un aveugle[34], sans jamais très bien savoir où il en est, où il va, passant d'une sphère sociale à une

33. Il s'agit là surtout de la critique thématique qui ne s'attachant qu'à des aspects particuliers de l'œuvre de Proust ne réussit jamais à dépasser le niveau du contenu.

34. Voir L. Martin-Chauffier cité par BERSANI, p. 56 in *Les Critiques de notre temps et Proust*.

autre au seul gré, semble-t-il, de son désir. Ce protagoniste plein d'ignorance, d'erreurs de jeunesse — mais jeunesse presque éternelle ! —, de naïvetés, d'illusions à perdre[35], n'est pas seul à vivre l'expérience que relate la *Recherche*. Celui qui la raconte, la vit aussi. Ce narrateur qui dit *je*, entreprend de raconter l'expérience sociale qu'il a vécue, la longue marche qui l'a amené à traverser tant de mondes en apparence cloisonnés. Mais à cette marche, il donne un sens ; mais ces mondes, sa vision les embrasse dans leur ensemble et les constitue en une totalité. Car le narrateur *sait* même s'il accepte de feindre l'ignorance, il *voit* même s'il accepte de feindre la cécité, il *dit* même s'il accepte de feindre l'hésitation. « *Source, garant et organisateur du récit* », le narrateur en est aussi « *l'analyste et le commentateur* », « *le styliste* »[36]. Conscience structurante de la réalité, dans la *Recherche*, c'est d'abord l'univers de cette conscience qui nous est donné.

Cet univers, comment nous est-il donné ? Dans son « essence », dans sa « vérité », répond le narrateur fort de la découverte du *Temps retrouvé*. Dans un imaginaire, doit-on plutôt répondre, à partir d'une subjectivité. Car « *l'égocentrisme* » de la *Recherche* dont parle G. Genette[37], n'est pas uniquement « narratif » ; la « signature » du narrateur ne se lit pas uniquement dans le style. C'est dans la mise en ordre des données de la réalité à laquelle le héros est confronté, c'est dans la structuration de l'ensemble, c'est dans la réflexion qui accompagne le récit, que la présence du narrateur se fait sentir. Comme l'affirme J.Y.Tadié, dans la *Recherche*, « *ce n'est pas une vie qui s'est construite, c'est une vision* »[38]. Vision d'un univers qui appartient en propre au narrateur, métamorphose de la réalité : « *le monde auquel l'œuvre emprunte ses images n'est nullement celui au sein duquel elle nous les restitue* »[39].

On sait que pour le narrateur, hier et demain importent plus qu'aujourd'hui. De même peut-on dire que ce que le narrateur attend du contact avec la réalité et ce qu'il en retire, lui importent plus que le contact même avec cette réalité. Aussi est-ce avec raison que J.Pfeiffer peut affirmer que « *l'expérience de la réalité, dans la*

---

35. GENETTE, *Figures III*, p. 214.
36. *Ibid.*, p. 188.
37. *Ibid.*, p. 250.
38. TADIÉ, *P. roman*, p. 33.
39. PFEIFFER, « Proust et le livre », p. 83.

Recherche, *n'est jamais pure, n'est jamais celle de la réalité pour elle-même* »[40] ; et de dire également que cette expérience « *ne se profile jamais que sur un fond d'imaginaire* »[41]. Ce à quoi il faut ajouter que si l'imaginaire précède l'expérience de la réalité, elle la suit également ; *avant* et *après*, dans la *Recherche*, sont deux catégories de l'imaginaire du narrateur. Aussi ne faut-il pas considérer, comme le fait J. Pfeiffer, qu'il y a « *déconversion de l'imaginaire* »[42], c'est-à-dire « *constat douloureux de faillite* »[43] chaque fois que l'imaginaire du narrateur est confronté à la réalité, mais plutôt mouvement dialectique de l'imaginaire conduisant à la création d'un univers spécifique, *l'univers imaginaire du narrateur*, que le contact avec la réalité ne peut finalement entamer.

Cet univers imaginaire est désir unitaire, soif de cohérence, volonté de création. Dans la *Prisonnière*, le héros explique à Albertine comment les grands créateurs du XIXe siècle découvrirent une « *unité réelle* » (*R* III, 161) à leur œuvre en jetant sur elle un regard rétrospectif, un regard « *à la fois d'un étranger et d'un père* » ; il lui explique également comment les ouvrages de ces grands créateurs se superposent les uns aux autres pour ne former finalement plus qu'une seule œuvre (375). De même, en rassemblant les moments épars de sa vie passée, en allant au-delà des enseignements de l'expérience de la réalité, en enfermant son récit dans « *les anneaux nécessaires d'un beau style* » (889), le narrateur s'aperçoit qu'il crée un univers d'art résistant à la dispersion du Temps. Alors, il peut affirmer que « *la vraie vie, la vie enfin découverte et éclaircie, la seule vie par conséquent véritablement vécue, c'est la littérature* » (895). Mais pour le narrateur, la littérature n'est pas la réalité retrouvée, c'est la réalité métamorphosée par l'imaginaire.

Et pourtant, si la littérature part de la vie vécue, elle doit y renvoyer ; elle reste, en effet, indissociable de la réalité, et en particulier de la réalité sociale d'une époque donnée. « *L'éternité des chefs-d'œuvre ne les arrache point au temps* »[44] écrit E. Lévinas ; il faudrait ajouter, à *leur* temps, et les romans sans doute moins que toutes les autres œuvres littéraires. « *Expressions d'une société et témoin d'une infrastructure, les romans n'existent pas comme pures*

40. *Ibid.*, p. 82.
41. *Ibid.*
42. *Ibid.*, p. 81.
43. *Ibid.*, p. 82.
44. LÉVINAS, « L'Autre dans Proust », p. 117.

entités, et il faudrait [...] *situer à chaque moment les romans* [...] *dans la complexité des époques qui les ont de toute façon produits* » [45]. La *Recherche* n'échappe pas à cette loi ; elle peut être soumise à cette analyse. Le narrateur peut bien peupler son univers de mythes imaginaires tirés d'un autre âge et lire la société comme un rêve féodal[46], il ne peut empêcher que par-delà cet univers, dans cet univers même, viennent s'inscrire la réalité sociale du début du xxᵉ siècle français. Et cette réalité, c'est au romancier qu'il appartient de la retrouver.

Le romancier, écrit M. Muller[47], est « *un dieu créateur de monde, doué de liberté, d'omniscience, de toute-puissance* » ; il est « *une conscience idéale, exemptée de tout effort* » ; « *il ne perçoit pas un monde capable de lui opposer des surfaces opaques ; il l'appréhende à la façon d'un concept* », « *le monde n'a pour lui aucun secret* ». Et M. Muller de résumer : « *l'univers lui a été donné, et donné dans sa totalité* ». Cette conception du romancier est également celle de R. Girard pour qui le romancier est un être en qui « *toutes les puissances d'un esprit libéré de ses contra-dictions s'unissent en un même élan créateur* » [48], un être qui « *au moment où il écrit son œuvre, a quitté le monde de la dégra-dation pour retrouver l'authenticité, la transcendance verticale* » [49]. À cet être, G. Lukács et à sa suite L. Goldmann refusent la possibi-lité d'un tel dépassement. Car, disent-ils, la dégradation du monde est universelle et le romancier lui-même y est soumis ; il est produit par ses origines sociales et sa vision du monde ne peut être que celle de la classe à laquelle il appartient. Cependant, on peut penser que si le romancier est fidèle à sa classe, il la trahit aussi ; il en dévoile le projet, il en dénonce les prétentions. Et ce double mouve-ment engendre un espace, *l'espace de l'œuvre*, sur lequel règne le romancier, en lequel vient s'inscrire la réalité de l'époque qui produit l'œuvre ; dans sa cohérence, mais aussi dans sa complexité ; dans son unité, mais aussi dans ses multiples contradictions.

Si, comme l'affirme G. Mouillaud, « *il ne s'agit pas de*

---

45. G. JEAN, *Le Roman* (Paris, Seuil, 1971), p. 57.

46. Voir RICHARD, « La Nuit mérovingienne », pp. 227–38 in *Proust et le monde sensible*.

47. MULLER, *Voix narratives...*, pp. 19, 107, 109.

48. GIRARD, *Mensonge romantique...*, p. 299.

49. L. GOLDMANN, *Pour une sociologie du roman* (Paris, Gallimard, 1964), p. 30.

rapprocher d'une réalité sociologique le contenu anecdotique du roman, mais la structuration du monde et des rapports humains qui lui donne indissolublement sa forme et son sens» [50], il faut donc d'abord chercher à dégager dans l'espace de l'œuvre — en l'occurrence, la *Recherche* — la structure à partir de laquelle s'organise le monde de cette œuvre, et démontrer que cette structure est significative de la vision que le romancier se fait de la réalité sociale de son époque. D'autre part, s'il est vrai, comme le veut M. Zéraffa, qu'il existe bien un rapport de similitude *«entre le signifié pensé et imaginé par l'auteur de l'œuvre (et traduit par un signifiant esthétique), et un signifié «réel» : la «vision du monde» caractérisant l'aspect idéologique d'un moment donné de l'histoire sociale»* [51], il faut également se demander si la structure mise à jour dans l'œuvre est significative de la vision de la classe sociale à laquelle appartient le romancier — c'est-à-dire dans le cas de Proust, la bourgeoisie française du début du XXe siècle. Enfin, si l'on peut considérer, avec L. Goldmann [52], que la forme romanesque apparaît comme *«la transposition sur le plan littéraire de la vie quotidienne dans la société individualiste née de la production pour le marché»*, il reste alors à établir un rapport d'homologie entre la structure à partir de laquelle s'articule la vision du monde de la bourgeoisie et la structure qui rend compte de l'organisation matérielle des moyens de production au début du XXe siècle.

Il semble que la structure qui rend le mieux compte à la fois de la vision du monde du romancier de la *Recherche* et de la vision du monde de la classe sociale à laquelle il appartient, est la structure de groupe. Par *structure de groupe*, il faut entendre *«un système de relations significatives sur lequel les membres du groupe s'appuient pour interpréter leurs rapports avec autrui ainsi que les hommes mêmes qui réalisent ces rapports, autrement dit, qui les personnalisent»* [53]. Ainsi définie, la structure de groupe devient tout ensemble réseau de rapports entre individus et entre

50. G. MOUILLAUD, «Sociologie des romans de Stendhal : premières recherches»», *Revue internationale des sciences sociales* [Paris], vol. XIX (4), 1967, (pp. 630–41) p. 628.
51. ZÉRAFFA, «La Poétique de l'écriture», p. 638.
52. GOLDMANN, *op. cit.*, p. 36.
53. M. WALTZ, «Quelques réflexions méthodologiques suggérées par l'étude de groupes peu complexes : esquisse d'une sociologie de la poésie amoureuse au moyen âge», *Revue internationale des sciences sociales* [Paris], vol. XIX (4), 1967, (pp. 642–57) p. 654.

groupes, donc structure sociale, et représentation de la réalité, donc structure mentale.

On sait que la typologie sociale adoptée par le narrateur de la *Recherche* ne réussit à rendre compte ni de l'organisation, ni de la richesse, ni de la valeur de la description sociale de l'œuvre. En effet, dans l'univers imaginaire du narrateur, la noblesse occupe une place et joue un rôle disproportionnés par rapport aux autres classes ; les différentes classes qui constituent la société restent séparées les unes des autres par une distance qui, jusqu'au *Temps retrouvé*, ne leur permet d'établir entre elles que des rapports d'altérité ; la description sociale reste empreinte d'un irréalisme quasi total.

La structure de groupe à partir de laquelle on analyse et explique ici la société de la *Recherche* présente, au contraire, l'avantage de transformer l'univers cloisonné par la vision sociale du narrateur en une totalité organisée. En effet, cette structure postule l'égalité « objective » entre les groupes, entre des classes qui ne diffèrent plus alors en rien les unes des autres, si ce n'est par le sentiment qu'elles peuvent avoir de leur différence les unes par rapport aux autres ; cette différence est donc toujours fonction de la relation à l'Autre, ce qui place les groupes, non plus en rapport d'altérité, mais de rivalité. Ainsi se crée un mouvement, une « dynamique », qui entraîne tous les groupes vers une finalité qui ne peut être que commune. Si l'on accepte donc de considérer que, dans l'espace de l'œuvre, le groupe a bien fonction structurante, la vision que la *Recherche* nous propose de la société cesse alors d'être « une vision de kaléidoscope », redistribuant dans un ordre toujours aléatoire des groupes que rien finalement ne fait évoluer car le mouvement giratoire qui les entraîne les enferme dans une circularité sociale sans issue ; cette vision devient significative d'une société dominée par le conflit des classes et soumise aux impératifs du Temps.

Cette vision qui s'organise à partir de la structure de groupe, qui admet le caractère essentiellement conflictuel de la société tout en cherchant à maintenir la fiction d'une unité fondamentale, on peut penser que c'est également la vision que la bourgeoisie française du début du XXᵉ siècle se fait du monde dans lequel elle vit.

Il n'est pas indifférent que l'œuvre de Proust s'élabore au moment où apparaît en France une nouvelle science humaine, la

14

sociologie. On sait que c'est, en effet, à peu près à la même époque que la sociologie tend à se constituer en une science indépendante de la psychologie et de l'histoire, et affirme l'existence d'un « phénomène social global » à la fois immanent à l'individu et le transcendant. C'est à une même conception de la société que la bourgeoisie française du début du XXe siècle va faire appel pour se forger une nouvelle vision du monde mieux adaptée à ses besoins. Au XIXe siècle, ce qu'on peut appeler « l'idéologie libéraliste » produite par le système économique hérité de la Révolution, permet à la bourgeoisie d'asseoir son pouvoir et de le justifier, tout en faisant croire aux autres classes qu'elle ne cherche en rien à les dominer. Au début du XXe siècle, cette illusion d'une société pluraliste et égalitaire est dénoncée par le prolétariat, classe qui conteste à la bourgeoisie jusqu'au droit d'exister. C'est pour répondre à ce danger sans précédent que la bourgeoisie va emprunter ses concepts à la sociologie et va chercher à leur donner valeur opératoire. Car s'il existe bien, comme le postule la sociologie, « un phénomène social global », il devient possible d'y « noyer » la spécificité de la classe qui menace le plus la suprématie de la bourgeoisie, c'est-à-dire le prolétariat ; et si, d'autre part, la société est bien un foyer de représentations collectives, il devient aussi possible de proposer et, sous couvert d'humanisme, d'imposer comme seule vision du monde à la société une représentation de la réalité qui favorise les intérêts de la classe dirigeante, c'est-à-dire la bourgeoisie. Et c'est à cette tentative qu'on peut donner le nom d' « idéologie impérialiste ».

Mais ce passage d'une idéologie à une autre ne se fait pas sans résistance et sans à-coups ; jusqu'aux environs de 1914, la bourgeoisie française oscille entre deux pôles. De l'héritage rousseauiste de 1789, la bourgeoisie conserve la nostalgie de l'individu et de sa liberté, même si avec le romantisme cet individualisme a servi à contester les valeurs de la société. Mais la bourgeoisie sait bien que son « libéralisme » ne lui permet plus d'assurer sa survie en tant que classe privilégiée, face à la montée menaçante du prolétariat industriel. De plus, au début du XXe siècle, la bourgeoisie française hésite encore à renoncer à ses professions de foi « égalitaires » et à institutionnaliser sa propre vision du monde comme seule vision de toute la société. Soupirant après un lointain passé unanimiste, celui du moyen âge, héritière de valeurs qu'elle sait dépassées mais qu'elle rêve encore malgré tout de sauver, confrontée à un sombre avenir de lutte des classes, la bourgeoisie française se trouve, pendant un bref instant de son histoire, arrêtée par un dilemme, mise en position de porte-à-faux entre deux idéologies inconciliables mais qu'elle voudrait cependant concilier. Et c'est ce moment de l'évolution de la vision du monde de la bourgeoisie dont la structure de groupe permet de rendre compte.

En effet, cette structure qu'on peut encore définir comme un ensemble de rapports et de cohérences fondés sur l'analogie et la comparaison, conserve à la société son caractère pluraliste tout en l'établissant comme une totalité ; elle maintient la rivalité comme facteur essentiel de la relation sociale tout en assignant un seul et même but à l'ensemble de la société ; elle confirme l'individu dans sa liberté tout en le soumettant à un ordre qui le transcende ; elle favorise le mouvement tout en postulant la circularité. N'est-ce pas là le rêve « social » auquel se laisse aller la bourgeoisie française au début du xxe siècle ? Un rêve qui réconcilierait son désir « libéraliste » et sa vocation « impérialiste », un rêve qui établirait un équilibre harmonieux entre rapports humains et rapports sociaux ? Rêve impossible et auquel la guerre de 1914 va mettre brutalement fin. Alors, la bourgeoisie française devra renoncer à son projet ; elle devra s'avouer ses mensonges ; elle devra admettre ouvertement que seule compte la défense de ses propres intérêts. Et ce faisant, elle ne fera finalement rien d'autre que d'adapter sa vision du monde aux nouveaux rapports de production nés au cours du xixe siècle ; que traduire idéologiquement le passage de l'économie du capitalisme concurrentiel à celle du capitalisme de monopole.

Telle est donc la structure qu'une étude de la *Recherche*, en tant que roman amène à dégager et à partir de laquelle l'œuvre de Proust peut être alors considérée, du point de vue sociologique, non plus comme une vision de kaléidoscope mais comme une totalité organisée[54]. Car, il devient en effet possible, grâce à l'hypothèse

54. Au moment où ces hypothèses de travail étaient formulées, l'ouvrage de P. V. ZIMA, *Le Désir du mythe*, n'avait pas encore paru. Cette parution ne diminue pas la valeur des hypothèses avancées. En effet, sans entrer dans une critique détaillée de l'ouvrage de P. V. Zima, on peut considérer que l'homologie de structures établie par l'auteur entre le « mythe » de l'aristocratie chez Proust et la tentative de rétablissement monarchique de 1875 — un possible retour au « drapeau blanc » — renvoie la *Recherche* à une période dépassée par la bourgeoisie française au moment où s'élabore l'œuvre de Proust. Et comme l'affirme Deleuze, l'œuvre de Proust n'est pas tournée vers le passé mais vers l'avenir tandis

formulée, de montrer que, de la coterie Guermantes à la «race» des domestiques, tous les «mondes» que rencontre le héros dans sa quête s'organisent à partir d'une seule et même structure, la structure de groupe ; de montrer que la vie de ces «mondes», leur ascension, leur échec, leur réussite, est déterminée par le degré de cohérence interne auquel peut atteindre cette structure. Ainsi en est-il jusqu'au salon d'Odette qui, justement, ne réussit pas à «percer», échoue à s'établir en tant que cohérence mondaine, parce que dans son effort de structuration, il hésite perpétuellement entre deux types de relation sociale, entre l'altérité et la rivalité, entre l'admiration réelle et désintéressée des Guermantes et la concurrence éhontée avec le clan Verdurin.

De plus, dans cette même optique, il devient possible de montrer que la société de la *Recherche* n'est pas constituée par la juxtaposition de «mondes» irréductiblement séparés les uns des autres, mais, au contraire, qu'elle s'organise en un ensemble tout entier sous-tendu par la même structure. Car, dans l'espace de l'œuvre, les «mondes» que le narrateur se plaît à hiérarchiser à partir d'un ordre hérité du passé, sont autant de groupes objectivement égaux et vivant en symbiose étroite. S'ils se différencient, s'ils se hiérarchisent, ce n'est que subjectivement, à partir du désir que chacun éprouve pour l'Autre. Dans la *Recherche*, en effet, chaque groupe ne vit qu'en fonction de l'Autre ; chaque groupe est pris dans un mouvement qu'anime seul le désir de rivaliser avec l'Autre, d'être l'Autre ; chaque groupe n'affirme sa «différence» que pour mieux attirer l'attention de l'Autre ; chaque groupe n'affiche son «indifférence» que pour mieux susciter le désir de l'Autre ; chaque groupe, en fin de compte, n'existe que dans et par le regard désirant de l'Autre. Ainsi se rétablit la distance, ainsi réapparaît l'altérité entre les groupes. Mais distance et altérité entièrement subjectives, car elles sont uniquement le fruit d'un désir qui dote l'Autre d'«*une étrangeté foncière*»[55] qu'en réalité il ne possède

que R. Girard a raison d'affirmer que « *le petit monde proustien s'éloigne rapidement de nous. Mais le vaste monde dans lequel nous commençons à vivre lui ressemble un peu plus tous les jours. Le décor est différent, l'échelle est différente, mais la structure reste la même* » (Mensonge romantique..., p. 228). L'homologie ne peut exister qu'avec une structure exprimant l'évolution *à venir*, donc à peine perceptible au moment où s'écrit l'œuvre, de la société et de son idéologie.

55. LÉVINAS, « L'Autre... », p. 121.

pas. Faut-il alors s'étonner qu'une telle société, ainsi structurée par le groupe, connaisse autant le snobisme qui, comme l'amour et surtout l'amour homosexuel auquel il renvoie structurellement, est «*une insatiable curiosité pour l'altérité d'autrui, à la fois vide et inépuisable*»[56] ? Faut-il alors s'étonner que le héros soit à la fois tellement snob et tellement amoureux?

Enfin, toujours à partir de la même hypothèse, il devient possible de montrer que cette société qu'organise la structure de groupe, est soumise à une dynamique, c'est-à-dire à un mouvement dialectique qui a pour but d'assurer sa continuité.

Il semble que certains critiques[57] ont trop facilement suivi le narrateur, non seulement dans sa condamnation de la mondanité, mais également dans ses conclusions «sociologiques» du *Temps retrouvé*. On sait que pour le narrateur qui a découvert la grande dimension du Temps, le vieillissement et la déchéance ne sont pas uniquement le dernier avatar de l'individu mais aussi de la société. La matinée de la princesse de Guermantes vient confirmer sa croyance en lui offrant le spectacle d'un monde dont l'ordre a été entièrement subverti et qui ne lui offre plus qu'une pratique de fausses valeurs. C'est pourquoi la critique a pu parler, à propos de la description sociale de la *Recherche*, «*d'agonie de l'aristocratie*»[58], de «*lente mise au tombeau*»[59], de «*crépuscule des dieux*»[60]; c'est pourquoi cette même critique a pu conclure que la *Recherche* marque la fin d'un monde, la mort d'une civilisation.

Mais s'il ne fait aucun doute que, pour le narrateur, la matinée Guermantes débouche bien sur la mort de la société qu'il a connue et sur la disparition de ses valeurs, on peut penser qu'il n'en est pas de même pour le romancier. Comme l'a bien vu J.Y.Tadié, «*le rassemblement final des personnages au cours de la matinée Guermantes du* Temps retrouvé *est la manifestation la plus éclatante d'une tendance qui s'est marquée tout au long du récit : le passage de la juxtaposition à la rencontre, et de la rencontre à la participation*»[61]. Le terme *juxtaposition* ne semble pas convenir

56. *Ibid.*
57. Voir, en particulier, Bordier, Beauchamp, Wilson, Matoré & Mecz, Lowery, Butor.
58. BUTOR, « Les Sept femmes de Gilbert le Mauvais », p. 41.
59. BATAILLE, « Marcel Proust », p. 4.
60. MATORÉ & MECZ, *Musique...*, p. 257.
61. TADIÉ, *P. roman*, p. 231.

à l'état premier de la société de la *Recherche*, cette société n'ayant jamais été «juxtaposée», sinon en apparence, même lorsque le clan Verdurin en était encore à ses débuts mondains. Mais pour ce qui est du reste, le processus d'évolution décrit par J.Y.Tadié retrace bien la trajectoire des groupes, dans l'espace de l'œuvre. Et on peut même considérer que ce processus ne s'arrête pas à la «participation», mais se continue jusqu'à la «fusion». Car, ce que célèbre la matinée Guermantes – et *c'est* une célébration –, ce n'est pas le triomphe d'un groupe sur l'autre, celui du clan Verdurin sur la coterie Guermantes, ni une sorte de traité d'amitié entre de nouveaux alliés qui conserveraient chacun leur indépendance. Ce que célèbre cette matinée, c'est l'émergence d'une nouvelle entité sociale en laquelle viennent se fondre et s'annihiler les anciennes différences. Bloch y devient Jacques du Rozier, Legrandin comte de Méséglise, Morel homme de qualité, Rachel grande comédienne, mais aussi la duchesse de Guermantes n'est plus qu'un bas-bleu de salon. Quel autre but s'assigne le désir de l'Autre si ce n'est d'être l'Autre, de ne plus former qu'un avec l'Autre? Sans doute le narrateur peut-il croire que ce désir a disparu parce qu'il n'en reconnaît plus l'objet; mais cet objet existe toujours. C'est une nouvelle «figure» de la société vers laquelle se tournera le désir d'une jeune Américaine ou d'un jeune lieutenant (*R* III,927 et 963), nouveaux héros d'une nouvelle quête sociale dans un monde qui, finalement, n'a pas changé.

La société de la *Recherche* ne disparaît donc pas avec le *Temps retrouvé*; elle se restructure tout comme la bourgeoisie française après 1914. Dans un cas comme dans l'autre, c'est toujours la même classe qui cherche à perpétuer son pouvoir en s'adaptant à une situation économique nouvelle. Aux yeux du narrateur, le monde peut bien sembler s'être métamorphosé; pour le romancier ce monde garde toujours les mêmes composantes; simplement les cartes du jeu économique ont changé de mains, les joueurs restant les mêmes. On aurait tort de croire que c'est la baguette d'une fée (fée carabosse!) qui métamorphose la mère Verdurin en princesse de Guermantes, c'est uniquement son argent!

Mais, comme nous l'avons écrit précédemment[62], si le romancier reste fidèle à la vision du monde de la classe à laquelle il appartient, il la trahit aussi. C'est pourquoi on peut considérer

---

62. Voir *supra*, p.12.

que, dans la *Recherche*, le romancier retrouve, derrière la structure de groupe, la structure authentique de la société de son époque. À Balbec, par exemple, où la société du Grand-Hôtel, réunie dans la salle à manger devenue «*un immense et merveilleux aquarium*» (*R* I, 681) se livre en spectacle à «*la population ouvrière de Balbec, les pêcheurs et aussi les familles de petits bourgeois, invisibles dans l'ombre*» et qui s'écrasent «*au vitrage pour apercevoir, lentement balancée dans des remous d'or, la vie luxueuse de ces gens, aussi extraordinaire pour les pauvres que celle des poissons et des mollusques*». C'est bien là une confrontation, encore silencieuse, entre deux classes et qui pousse le romancier à se demander «*si la paroi de verre protégera toujours le destin des bêtes merveilleuses et si les gens obscurs qui regardent avidement dans la nuit ne viendront pas les cueillir dans leur aquarium et les manger*». Vision lucide d'un avenir auquel le romancier croit pourtant pouvoir échapper grâce à l'ubiquité sociale de l'intellectuel! C'est cette même confrontation que le romancier retrouve pendant la guerre lorsqu'il voit devant «*les vitres illuminées*» (*R* III, 735) d'un restaurant parisien, «*un pauvre permissionnaire, échappé pour six jours au risque permanent de la mort, et prêt à repartir pour les tranchées*». Mais alors la vision prophétique ne se renouvelle pas, tant il est vrai que, pour la bourgeoisie, la guerre n'est rien d'autre qu'un moyen d'asservir encore un peu plus le prolétariat en le faisant croire au mythe de la «patrie». Il ne reste plus alors au romancier qu'à s'apitoyer avec bonne conscience sur «*la misère du soldat [...] plus grande que celle du pauvre, plus touchante encore parce qu'elle est plus résignée, plus noble*» et à penser que ce pauvre soldat «*d'un hochement de tête philosophe, sans haine [...] prêt à repartir pour la guerre*» se dit «*en voyant se bousculer les embusqués retenant leurs tables : «On ne dirait pas que c'est la guerre ici»*». Réaction combien rassurante! Grâce à la guerre, le règne de la bourgeoisie est encore arrivé!

*

Le travail qui va suivre se propose d'appliquer uniquement à *Combray*[63], les hypothèses qui viennent d'être formulées. Car le

63. Lorsque Combray est en *italique*, il faut entendre le texte même, c'est-à-dire les deux grandes évocations de l'enfance du héros sur lesquelles s'ouvre la *Recherche* (*R* I, 9–186).

«monde» de l'enfance sur lequel s'ouvre l'œuvre de Proust pose un problème de structure qu'il est indispensable de résoudre si l'on veut faire de la *Recherche* une totalité sociale organisée et donc, du même coup, vérifier le bien-fondé du choix de la structure de groupe comme structure significative de l'œuvre. Sans doute, se limiter à *Combray*, c'est réduire le champ de l'étude engagée, mais ce n'est pas pour autant en réduire la portée. Car si l'on réussit à prouver que dans cette partie la plus irréductible en apparence au monde social de la *Recherche* qu'est *Combray*, les hypothèses avancées ont pleinement valeur opératoire, on peut alors considérer qu'elles garderont cette même valeur pour expliquer et intégrer à l'œuvre la société de la *Recherche*.

Les lectures critiques de *Combray* sont nombreuses : lecture thématique de G. Brée ou de M. Bardèche ; lecture psychologique de G. Picon ; lecture psychanalytique de R. Fernandez ou de J.P. Houston ; lecture sociologique de J. Nathan ou de R. Girard ; lecture poétique de J.Y. Tadié ou de G. Genette. Mais malgré la multiplicité de ces approches critiques, toutes les lectures de *Combray* parviennent plus ou moins à la même conclusion : dans la *Recherche*, Combray, et surtout le Combray de la seconde réminiscence, se présente comme un monde à part.

Monde à part, dit G. Brée, car seule partie de la *Recherche* à annoncer et à résumer l'œuvre tout entière, à en réunir tous les thèmes. « Le monde de Combray est la source de la longue odyssée du narrateur, le noyau qui renferme tous les germes, le point de départ et finalement de retour »[64]. Monde à part, dit G. Picon, car seul moment de l'existence du narrateur à apporter à celui-ci *« la garantie de l'unité de l'âme, la première révélation des essences, des identités archétypales »*[65]. Monde à part, dit R. Fernandez, car seul univers à faire vivre le héros au *« royaume angélique d'avant »*[66]. Monde à part, dit R. Girard, car seul groupe à se constituer en *« un univers clos »*[67], satisfait de son sort et indifférent à celui d'autrui. Monde à part, dit enfin G. Genette, car seul lieu narratif de la *Recherche* à enclore le récit dans une sorte de *« palier itératif »*[68] et à le détacher ainsi du courant de l'histoire.

64. [Trad. de] BRÉE, *The World*..., p. 137.
65. PICON, *Lecture*..., p. 179.
66. FERNANDEZ, *L'Arbre*..., p. 333.
67. GIRARD, *Mensonge romantique*..., p. 197.
68. GENETTE, *Figures III*, p. 179.

Et si dans tous les cas, la critique fait de *Combray* un monde, un texte, à part dans la *Recherche*, c'est parce qu'à ses yeux, comme aux yeux du narrateur lui-même, ce monde dessine la figure du seul «paradis» qu'ait jamais connu le héros dans sa quête et qui, naturellement, ne peut être autre que le «paradis de l'enfance». Les citations abondent — et notre étude ne se fera pas faute de les utiliser[69] — pour montrer que, malgré les quelques ombres que projettent sur l'enfance du héros le «drame» de son coucher, les «*asperges meurtrières et [le] poulet injurié*»[70], la scène de Montjouvain, pour la critique, *Combray* baigne dans une lumière heureuse, dans «*un brouillard transparent et doré de bonheur*»[71]. Les citations abondent pour montrer que ce que la critique veut retrouver dans *Combray*, c'est avant tout le monde «innocent» de l'enfance et faire ainsi de cette enfance le seul véritable archétype de la vie du héros.

Ce «*monde archétype de Combray*»[72] échapperait donc à «*l'emprise du péché*»[73] ; il serait le monde de l'accord, le monde de l'unisson. Mis à part le calvaire quotidien de son coucher, l'enfant qu'est le héros de la *Recherche* vivrait dans «*une intimité bienheureuse*»[74] avec ses parents et avec toute la famille ; mis à part quelques disputes, la famille vivrait fraternellement unie dans les mêmes rites et les mêmes croyances ; mis à part quelques accès de colère, la petite société vivrait paisiblement et dans une sereine ignorance du monde ; mis à part quelques moqueries, toute la ville, enfin, vivrait dans le même respect du train-train sacré de la tante Léonie. Et M. Gutwirth aurait alors raison d'affirmer que *Combray* est bien, après tout, «*le monde de l'enfance heureuse, celle qui baigne tout le roman, jusque dans ses parties sinistres, dans l'enchantement qui découle de la mystérieuse beauté des choses et de la réjouissante inconscience des êtres*»[75]. Alors, dans sa relation au monde, la petite société de Combray ne connaîtrait que ce type de relation que R. Girard appelle la *médiation interne*[76] ; dans sa

---

69. Voir *infra*, p. 194.
70. GUTWIRTH, « La Bible de Combray », p. 417.
71. [Trad. de] BRÉE, *The World...*, p. 149.
72. BUTOR, *Répertoire II*, p. 262.
73. GUTWIRTH, « La Bible... », p. 417.
74. GIRARD, *Mensonge romantique...*, p. 197.
75. GUTWIRTH, « La Bible... », p. 417.
76. GIRARD, *Mensonge romantique...*, pp. 11 sq.

pratique des valeurs, elle échapperait alors à la dégradation. Héros, famille, société, tous adoreraient les mêmes dieux avec la même admiration fervente et désintéressée ; tous affirmeraient leur foi dans les mêmes valeurs ; tous se retrouveraient dans une seule croyance des mêmes mythes.

S'il en est bien ainsi et si l'on admet avec G. Lukács et L. Goldmann qu'il ne peut y avoir roman sans recherche *dégradée* de valeurs authentiques, *Combray* pourrait être alors le début du récit proustien, mais il ne serait pas le début de l'histoire. La recherche problématique du héros ne commencerait qu'après cette ouverture, avec l'identification à l'amour malheureux de Swann, avec les rêveries douloureuses du héros sur les noms de pays. Au paradis de Combray, comme dans tous les paradis, le héros vivrait dans « *un monde immobile, installé dans un éternel printemps, en dehors du temps* »[77], dans « *un monde clos et immuable, défendu contre toute irruption du nouveau et de l'inquiétant* »[78], dans un monde d'où l'itération presque continuelle du récit expulse l'événementiel ; dans un monde dont la structure ne pourrait avoir alors d'autre forme que la circularité.

On ne peut manquer d'être frappé par la différence qui existe entre l'enfance du héros de la *Recherche* et l'enfance du héros de *Jean Santeuil*. Du paradis, on se trouve presque rejeté en enfer ! À l'exception de l'épisode d'Éteuilles, l'enfance de Jean Santeuil se passe, en effet, dans les larmes, les cris de colère, la rébellion ; loin d'être un refuge contre les tourments du monde extérieur, elle retentit déjà de tous les échos de conflits que plus tard le héros retrouvera dans le monde ; loin d'enfermer le héros dans une circularité, elle le place au beau milieu d'un carrefour ouvert à tous les vents romanesques ; loin d'enliser le récit dans sa propre narration, elle en fait le début d'une histoire qui retracera la quête d'un héros dans le monde.

On sait que pour expliquer cette différence, la critique se réfère à la réalité biographique. Œuvre de jeunesse, *Jean Santeuil* serait encore trop proche de la réalité vécue par son auteur. *Jean Santeuil*, dit Ph. Kolb, « *est la matière brute que l'auteur n'a pas pris le temps de polir* »[79] ; *Jean Santeuil*, dit Cl.-Ed. Magny, « *ne*

---

77. BRÉE, *Du temps perdu...*, p. 93.
78. PICON, *Lecture...*, p. 129.
79. KOLB, « Historique du premier roman de Proust », p. 276.

nous apporte guère que de l'anecdotique»[80]. Dans cette première œuvre, Proust n'aurait donc pas réussi à établir la «distance». L'enfance de son héros — comme plus tard sa carrière mondaine — ne serait si heurtée que parce qu'elle reprendrait, presque trait pour trait, l'expérience de l'auteur lui-même. Tout se réduirait donc à une question de contenu.

Sans doute la critique a-t-elle raison de souligner que la «distance» est absente de *Jean Santeuil*. Mais là où elle se trompe, c'est quand elle affirme que ce manque de «distance» entre «*le dessinateur et ses modèles*»[81] résulte d'une trop grande similitude entre la matière de l'œuvre et la vie de l'auteur. Ce n'est pas en s'attachant au contenu mais à la forme qu'on peut espérer résoudre le problème que pose *Jean Santeuil* en tant que roman et dans son rapport avec la *Recherche*. Ce n'est pas pour avoir suivi de trop près le tracé de sa propre vie que Proust a échoué à faire de *Jean Santeuil* un roman, mais pour avoir choisi une forme narrative qui, contrairement à ses intentions, finit par le rendre omniprésent. Car, dans *Jean Santeuil*, le héros a beau être un *il*, son univers n'en appartient pas moins à l'auteur qui ne fait que décrire son propre monde.

Dans la *Recherche*, au contraire, il y a création d'un univers autonome car entre le romancier et le récit apparaît une nouvelle instance narrative, le narrateur. C'est lui qui a vécu l'expérience remémorée, c'est lui qui assure la conduite du récit, c'est lui qui en assume la pleine responsabilité. Dans la *Recherche*, et dans *Combray* en particulier, c'est l'univers de ce narrateur qui nous est donné. «*La nostalgie du Paradis perdu qui plane sur le roman de la maturité est absente du roman de jeunesse*»[82], écrit M. Marc-Lipiansky. Il ne faut pas s'en étonner car cette nostalgie n'est pas le fait du romancier qu'il soit de *Jean Santeuil* ou de la *Recherche*, mais du seul narrateur; et Combray-paradis-de-l'enfance est le produit de son imaginaire, un imaginaire qui en s'affirmant sous la forme du *je* tend à «gommer» les ombres de Combray[83] et à

80. MAGNY, « Finalement... », p. 19.

81. Cl. MAURIAC, « *Jean Santeuil* de Marcel Proust », p. 121.

82. MARC-LIPIANSKY, *La Naissance du monde proustien dans Jean Santeuil*, p. 53.

83. Ne pourrait-on y voir une preuve dans la disparition du thème des « vertus et des vices de Combray », disparition qui, dans la genèse de l'œuvre, correspond justement à l'apparition du *je* dans le récit.

retrouver le passé comme une « *cohérence salutaire* » [84]. Car, comme l'écrit M. Zéraffa, « *recouvré ou simplement entrevu, le passé est cohérence salutaire* ». Et ce passé par excellence, n'est-ce pas toujours le passé qui gît au cœur de l'enfance ?

Aussi, petite madeleine ou pas, le narrateur ne peut-il retrouver d'abord que Combray ; « essence » ou pas, le narrateur ne peut-il retrouver ce passé que comme un âge d'or ; « vérité » ou pas, le narrateur ne peut-il retrouver dans ce passé que la forme d'une circularité. Ainsi se crée, à partir et dans l'imaginaire, cette « *Délos fleurie* » (*R* I, 184) où le narrateur pourra croire avoir vécu son enfance ; ainsi se forment, à partir de et dans l'imaginaire, ces « *gisements profonds* » d'un « *sol mental* » sur lequel le narrateur cherchera à s'appuyer tout au long de sa vie. Ce Combray-là, avec ses dieux toujours épargnés, ses mythes toujours préservés, ses valeurs toujours avouées, la critique a raison d'en faire un monde à part, dans la *Recherche*. Mais peut-être ne s'aperçoit-elle pas suffisamment que ce Combray paradisiaque est un Combray métamorphosé par l'imaginaire, un Combray métaphorisé.

Car, dans la *Recherche*, la métaphore appartient à l'univers imaginaire du narrateur. Ce n'est pas tant hors du temps que la métaphore proustienne place les termes qu'elle enferme dans ses anneaux, mais hors de la réalité, ou plus exactement, c'est une nouvelle réalité que crée la métaphore. En imprégnant d'une qualité commune les deux termes qu'elle réunit, la métaphore n'en dégage pas « l'essence », le référent en quelque sorte idéal, mais, comme dans les tableaux d'Elstir, elle dissout la réalité de chacun de ces termes et leur en fait acquérir une autre. « *À l'inverse de la littérature ordinaire où le « signifié » se confond en principe avec le « référent »* », écrit J. Pfeiffer, « *l'écriture proustienne nous fait assister à une véritable pulvérisation de celui-ci, suscitant par là un « signifié » d'une nature autre, impalpable, inaccessible, irrécupérable selon les lois ordinaires de la réalité* » [85]. La métaphore est donc métamorphose ; dans la *Recherche*, elle fonctionne comme une machine à produire de nouveaux « signifiés », une nouvelle vision du monde. Et cette vision est celle du narrateur, car, comme l'écrit C. Vincenot à propos de toute métaphore, « *la vérité d'une métaphore semble être d'ordre exclusivement*

84. ZÉRAFFA, *Personne et personnage*, p. 182.
85. PFEIFFER, « P. et le livre », p. 80.

psychologique » [86], c'est-à-dire, pour ce qui est de la *Recherche*, que la métaphore renvoie à l'univers imaginaire du narrateur et traduit sa soif de cohérence. Sans doute a-t-on pu dire qu'il y a, chez le narrateur, peur du réel, fuite devant le réel ; mais surtout, il y a chez le narrateur incapacité (où est-ce refus ?) à envisager la réalité comme telle. En créant une réalité autre, la métaphore devient alors pour le narrateur le moyen d'« *homogénéiser l'hétérogène* » [87], de « *retrouver la similitude dans le dissemblable* » [88], d'élaborer un « *univers d'art résistant* » [89], et résistant non pas tellement à la dispersion du Temps qu'à la multiplicité, à la complexité du réel.

Dans *Combray*, c'est à la métaphore médiévale que le narrateur demande d'exprimer la «vérité» de l'univers où il a passé son enfance. Et comme cette étude cherchera à le montrer [90], ce choix du moyen âge — d'un *certain* moyen âge — comme second terme de la métaphore combraysienne, n'est pas arbitraire ; pas plus qu'il n'est un choix métonymique c'est-à-dire amené par la contiguïté spatio-temporelle des termes reliés. Il s'agit avant tout d'un choix déterminé par le degré de cohérence auquel l'imaginaire du narrateur veut faire atteindre l'univers de Combray. C'est parce qu'il y a une homologie de structures entre le Combray paradis de la société et la Commune du moyen âge que *Combray* est «médiévalisé».

Mais, comme l'écrit G. Genette, « *si l'on ne peut nier chez Proust la volonté de cohérence et l'effort de construction, tout aussi indéniable est dans son œuvre la résistance de la matière et la part de l'incontrôlé* » [91]. Mais, peut-on écrire, si dans son univers imaginaire, le narrateur fait triompher l'unité, l'unicité, la métaphore, il ne peut empêcher que, dans l'espace de l'œuvre, le romancier ne vienne inscrire la complexité, les contradictions de l'époque à laquelle s'écrit le texte. Alors, si l'on accepte d'envisager l'œuvre de Proust sous cet angle, Combray cesse d'être «un monde à part» dans la *Recherche* ; d'être ce «monde archétype» d'où est issue et vers lequel tend à retourner la quête du héros ; d'être

---

86. VINCENOT, « Les Procédés littéraires de Marcel Proust et la représentation du monde chez l'enfant », p. 28.
87. MATORÉ & MECZ, *Musique...*, p. 25.
88. WEBER, « Le Madrépore », p. 33.
89. MILLY, *P. style*, p. 91.
90. Voir *infra*, pp. 119sqq.
91. GENETTE, *Figures III*, p. 272.

« *une monade* » [92] gravitant dans le vide social ; d'être une grande parenthèse narrative dans le récit ; d'être enfin, une circularité en laquelle viendraient s'enfermer à la fois le héros et le texte. Combray devient le premier moment d'une histoire qui, déjà, met en scène les deux types de médiation que distingue R. Girard, la première étape d'un voyage tourné non plus vers le passé mais vers un inconnu encore à venir, la première expérience de la dégradation. Alors, *Combray* marque véritablement la naissance du roman et s'inscrit dans l'espace de l'œuvre.

Dans cet espace, la petite société combraysienne n'est plus aussi unanimiste : elle connaît déjà une forme de relation sociale qui asservit le plus déshérité. La petite société n'est plus aussi « autiste » : elle tourne déjà ses regards vers un monde aux abords duquel l'Autre lui apparaît dans tout son attrait détestable. Dans cet espace, les dieux du héros ne sont plus aussi infaillibles et parfaits : leurs œuvres les dénoncent. Les mythes perdent de leur transparence : la parole de ceux qui les avaient créés les remet en question. Les valeurs ne font plus l'objet d'un culte aussi sincère : leur pratique se dégrade en adhésion intéressée. Dans cet espace, le héros n'est déjà plus à l'unisson du monde. Sans doute la rupture peut-elle paraître à peine perceptible, mais elle existe bien et ne pourra plus que s'approfondir. Dans *l'espace combraysien*, s'affirme déjà un héros problématique et s'inscrit déjà une quête qui fait de *toute* la *Recherche* un roman.

92. GIRARD, *Mensonge romantique...*, p. 215.

PREMIÈRE PARTIE

L'UNIVERS IMAGINAIRE DU NARRATEUR

I

DE *JEAN SANTEUIL* À LA *RECHERCHE*

L A jeunesse de Jean Santeuil n'a rien d'édénique. Circonscrite
à un univers étroitement limité et strictement surveillé, elle se
déroule presque tout entière dans les crises et les cris. Le récit
de ces premières années de la vie du héros multiplie, en effet, les
scènes où le jeune Jean s'oppose souvent très violemment à ses
parents. Ces «temps forts» qui donnent à l'enfance de Jean Santeuil
sa sombre tonalité et à son adolescence son rythme tourmenté, ont
toujours une seule et même cause apparente : une incompréhension
tenace et réciproque. Jean voit ses meilleures intentions méconnues,
ses parents leur autorité bafouée. De part et d'autre, quand le ton
monte, on en vient vite à s'accuser d'obstination, d'égoïsme et de
dureté de cœur. Mais les réconciliations apportent toujours l'heureuse preuve du contraire : l'indulgente affection du père, l'amour
qui lie la mère et le fils l'emportent sur toutes les blessures
d'amour-propre qu'ont pu causer des paroles échappées dans la
colère. Les Santeuil ne connaissent pas la rancune ; ils se réconci-
lient aussi vite qu'ils s'étaient opposés et s'en aiment encore plus
qu'avant. Si leurs querelles ont toute l'intensité des feux de paille,
elles en ont aussi la brièveté. Dans *Jean Santeuil*, parents et enfant
ne sont pas séparés par un fossé infranchissable ; *Jean Santeuil* n'est
pas *Vipère au poing*. Et pourtant, a-t-on écrit, la jeunesse de Jean
Santeuil s'inscrit dans un climat de tension presque perpétuel.
Aussi est-on conduit à se demander si ces scènes de dispute qui
jalonnent la première partie de la vie du héros — scènes dont la

31

répétition peut être considérée intentionnelle, la première partie du roman étant celle que Proust a composée le plus soigneusement[1] — ne sont pas suscitées par des motifs plus puissants qu'une simple incompatibilité d'humeur ou un simple manque de psychologie ; on peut se demander si ces scènes ne dépassent de loin les limites du cadre familial où le récit prétend les enfermer.

Tous les jours, aux Champs-Élysées, Jean retrouve Marie Kossichef, la petite fille qu'il aime. Quand les parents Santeuil décident de priver leur fils de ce plaisir — mais en est-ce un que son attente anxieuse et passionnée? —, ils n'ont apparemment en vue que l'intérêt de sa santé.

M. et Mme Santeuil qui depuis plusieurs mois s'inquiétaient de la surexcitation constante où vivait Jean, décidèrent enfin la séparation que la sagesse ardente de Mme Santeuil [...] réclamait depuis longtemps pour rendre la santé et le calme à son fils.   (*JS*, 220)

On pourrait donc croire que les parents Santeuil ne pensent qu'à apaiser la nervosité de Jean ; que s'ils lui interdisent de revoir Marie Kossichef, c'est parce qu'ils craignent que leur fils ne tombe sérieusement malade. Mais en réalité, ce qu'ils redoutent plus que tout, ce qu'ils jugent particulièrement néfaste, c'est l'influence que le milieu auquel appartient la petite fille pourrait avoir sur l'esprit ou sur la conduite de leur fils.

M. et Mme Santeuil n'avaient jamais vu M. et Mme Kossichef, qui, probablement, n'avaient jamais entendu parler d'eux. Mais l'immense fortune et la vie de plaisir de M. et Mme Kossichef, la réputation d'insolence du mari et la légèreté de la femme excitaient dans l'âme honnête des parents de Jean une méfiance aussi profonde que le dédain où les auraient tenus les parents de Marie.   (*JS*, 223)

De même, si plus avant dans le récit, Mme Santeuil décide un jour d'éconduire brutalement le meilleur ami de son fils, Henri de Réveillon, c'est parce qu'elle est persuadée, du moins le dit-elle, qu'elle sauve ainsi son fils de la débauche. Mais sa vertueuse indignation n'est qu'un prétexte! Si Mme Santeuil veut engager «*une action vigoureuse*» (*JS*, 413), si elle se met soudain à «*ouvrir la lutte*», c'est surtout parce que cette vie de débauche supposée

---

1. Voir CLARAC & SANDRE, « Notices, notes et choix de variantes » à *Jean Santeuil*, pp. 980sqq., et également MARC-LIPIANSKY, *La Naissance du monde proustien dans Jean Santeuil*, pp. 11, 38.

conduirait Jean à frayer de trop près avec un « *noble* ». Et un *noble*, se dit Mme Santeuil — répétant en cela la leçon apprise auprès d'un professeur de Jean, ardent républicain — ne peut avoir que tous les vices ; en particulier, celui de corrompre son fils, de s'amuser à le jeter dans les plaisirs « *sans toutefois s'y laisser aller lui-même* ». Comment devant une telle perversité — perversité de classe, bien sûr ! — Mme Santeuil ne se sentirait-elle pas en droit d'abandonner les égards qu'elle prodigue d'habitude aux amis de son fils et de signifier abruptement son congé au jeune Henri de Réveillon.

Quant à Jean, les réactions de ses parents le prennent toujours au dépourvu. Cette soudaine et active antipathie envers celle ou celui qu'il aime lui paraît totalement injustifiée. D'autant plus qu'elle s'exprime toujours au moment même où il ressent avec une toute particulière intensité le lien de tendresse qui l'unit à sa mère ; ou bien, quand il vient enfin, du moins le croit-il, de prendre de sages résolutions. Rien d'étonnant alors que Jean ne soit ulcéré : à chaque fois, il voit ses parents se méprendre sur ses véritables intentions. Mais beaucoup plus étonnant, par contre, qu'il clame son ressentiment sur un ton de colère et d'injure aussi violent. Car Jean en arrive à traiter ses parents de « *canailles* » (*JS*, 224) et d'« *imbéciles* » (416). On peut difficilement croire que s'il en arrive là, c'est uniquement parce qu'il désespère d'être jamais compris par des êtres aussi bornés que ses parents. Non, si Jean en vient ainsi à insulter aussi grossièrement ses parents, c'est parce qu'il se sent humilié, et humilié socialement. « *Jean* », dit Proust, « *sentit une honte inconnue s'emparer de lui à la pensée qu'il aurait à rougir devant Henri, que sa mère l'avait insulté* [...] *et avait insulté Henri* » (415). Vanité touchée, donc, par « *l'inquali- fiable procédé de sa mère vis-à-vis de Réveillon* » (422) ; mais vanité bien plus profondément blessée par la présence d'Augustin, vieux domestique de famille, qui « *feignant de brosser le pardessus de M. Santeuil, écoutait avec intérêt cette scène qui lui montrait assez agréablement que la situation de* « *fils de la maison* » *n'était pas exempte des vicissitudes qui marquent la situation de vieux domestique* » (415). C'est cette présence subalterne qui « *en montrant à Jean que son malheur* [*est*] *public le* [*rend*] *pour lui en quelque sorte irréparable* ». Aussi, lorsque Jean se laisse aller à des rêves de vengeance, il se voit insultant ses parents « *comme il avait été injurié par eux : devant Augustin* » (421). Et quand il décidera finalement de faire acte de contrition, ce sera tout haut, « *de manière à être entendu d'Augustin* » (422).

Qu'il s'agisse des parents Santeuil ou bien de Jean, on voit donc que leurs affrontements renvoient à de tout autres considérations que les considérations personnelles ou morales ouvertement invoquées. Sans doute les parents Santeuil peuvent-ils prétendre que seules les préoccupent la santé et les études de Jean ; celui-ci peut arguer de la force de son amour ou de son amitié. Mais la réalité de leurs disputes est ailleurs. Elle est, comme le note E. L. Duthie[2], dans la référence implicite mais déterminante à deux systèmes de valeurs totalement opposés. Dans l'un :

[...] la femme adultère n'entre jamais, on la chasserait à coups de pierre. On n'y admettra pas le poète, est-il besoin de dire qu'on n'y admettra pas l'acteur [...]. On n'en sort pas, on n'y entre pas en voiture, pas plus qu'on n'y change plusieurs fois de robes, et comme on y dépense peu d'argent. Une dépense, une générosité, une fantaisie, y sont des crimes, y allument la colère. Un mariage d'amour, c'est-à-dire fait par amour, y serait considéré comme une preuve de vice. (*JS*, 877)

Dans l'autre, au contraire, « *les vieilles idées sur la vertu des femmes, sur la bienveillance, les vieux préjugés contre les artistes, contre les journalistes* » (*JS*, 873) ont disparu avec l'idée du vice qui semble bien moins épouvantable que le crime (872).

Entre ces deux systèmes de valeurs, aucun accord ne peut se faire. Sans doute, l'amour peut-il amener les tenants du premier, telle Mme Santeuil, à se laisser corrompre. « *L'amour* », dit Proust dans *Jean Santeuil*, « *est notre grand initiateur, notre grand corrupteur. Il nous assimile, il nous aliène* » (*JS*, 874). Mais il ne peut nous faire renoncer aux principes et aux préjugés qui sont l'armature de toute notre vie. Mme Santeuil a beau être devenue indulgente aux « crimes » qui se commettent journellement dans la société où vit son fils, elle est malgré tout restée la même. Ce ne sont pas les idées nouvelles qui l'ont faite, elles n'ont pu la changer dans son fond. Les idées qui ont nourri Mme Santeuil, ce sont celles qui avaient déjà nourri ses parents ; ce sont celles qui finiront par nourrir la pensée sociale de son fils en son âge mûr. Bien plus tard, dans la *Recherche*, Proust écrira : « *Quand nous avons dépassé un certain âge, l'âme de l'enfant que nous fûmes et l'âme des*

2. DUTHIE, « The Family Circle in Proust's Santeuil », p. 226.

morts dont nous sommes sortis viennent nous jeter à poignée leurs richesses et leurs mauvais sorts » (R III, 79). Et ces morts qui revivent en nous, nous façonnent, non seulement physiquement mais moralement et socialement. Aussi, contrairement à ce qu'affirme Proust dans *Jean Santeuil*, les valeurs qui organisent notre vie, et en particulier notre vie sociale, n'appartiennent pas en propre à notre seule génération. Elles ne meurent pas avec elle. Ce sont les valeurs de tout un groupe social ; valeurs spécifiques et historiquement déterminées.

Dans *Jean Santeuil*, ce groupe correspond à ce que la classification sociologique adoptée par l'œuvre de Proust appelle la *petite bourgeoisie*, seul groupe social dont ce roman fait une analyse détaillée. C'est de ce groupe qu'est issue la famille Santeuil ; c'est à ce groupe que malgré leur titre ronflant appartiennent les Réveillon. Ces nobles ne diffèrent, en effet, en rien des Santeuil ; leurs habitudes, leurs préjugés sont exactement les mêmes. Les uns et les autres vivent dans ce même milieu immobile et fermé qui ne connaît ni le luxe, ni le relâchement des mœurs, milieu qui s'organise essentiellement autour de la famille. Et c'est pourquoi, dans *Jean Santeuil*, le thème de la famille garde toute son importance. C'est sur ce thème que s'ouvre et se referme le roman ; c'est ce thème qui permet à Proust d'aborder ce qui, selon D. Fernandez, doit retenir l'attention de tout écrivain « *tourné vers la psychologie des profondeurs* » : « *une analyse sérieuse des relations entre le jeune garçon et ses parents* »[3]. Dans *Jean Santeuil*, on le sait, cette analyse conduit à une mise en accusation — mais aussi à une ultime réhabilitation — des parents. Aussi a-t-on pu dire que *Jean Santeuil* était une autobiographie romancée. Mais surtout l'œuvre retrouve à travers cette analyse à la fois la structure sociale de l'époque à laquelle elle s'écrit et les rapports que celui que Proust appelle encore « le poète » entretient avec le monde. Ainsi, grâce au thème de la famille, *Jean Santeuil* rejoint-il le domaine du roman car il intègre ces deux éléments que M. Zéraffa considère comme spécifique à ce genre : l'historicité de l'homme et sa socialité[4].

Les scènes de dispute que nous venons d'étudier ne peuvent ni ne doivent donc se réduire à l'habituelle imagerie enfantine propre au roman à tendance autobiographique. Bien plus qu'un

---

3. FERNANDEZ, *L'Arbre...*, p. 308.
4. ZÉRAFFA, *Roman et société*, p. 16.

simple climat de tension familiale, elles épitomisent déjà le climat de tension sociale qui imprégnera le roman dans la suite et dont le héros souffrira tant. En faisant de la famille le premier des lieux où s'exaspèrent les antagonismes sociaux, la jeunesse de Jean Santeuil fait plus que préfigurer le destin social du héros, elle en est la première étape.

De ce premier et dur apprentissage de la réalité sociale, quelques instants de bonheur viennent éclairer la trame. Ce sont les séjours à Éteuilles[5] qui s'offrent au lecteur comme une véritable épiphanie de l'adolescence. Éteuilles, c'est d'abord le temps des vacances passées dans une ville campagnarde où la nature accompagne tous les travaux du jour; c'est le temps des longues promenades au petit matin, des lectures au coin du feu rayonnant, des longs repas copieux. C'est aussi le temps des effusions poétiques qui, précieusement engrangées par la mémoire déjà involontaire, reviendront plus tard illuminer de leur douceur les journées de «*Jean vieilli, n'attendant plus rien de la vie*» (*JS*, 299). Mais plus que tout cela, Éteuilles est le temps de la communauté retrouvée. À Éteuilles, l'enfant vit en symbiose totale et bienheureuse avec le monde qui l'entoure. Même la venue de la nuit tant redoutée par le héros de la *Recherche* ne peut détruire cet accord. Jean, nous dit le roman,

[...] était heureux de savoir qu'il rêvait, que son oncle rêvait et que, à certaines heures, tous les hommes, retenus par une force invincible, dans un lit noir et profond, sous des rideaux qui sentaient la lavande, participaient à une vie mystérieuse où les vieillards étaient aussi peu de chose que les petits enfants ou que les hommes superstitieux des premiers âges.
(*JS*, 285)

À Éteuilles, toute inégalité est donc abolie, non seulement dans le monde du sommeil, mais aussi dans le monde de la veille. Car le père et la mère de Jean dont la présence pèse si lourdement sur sa jeunesse parisienne, reculent à l'horizon de la famille. Ils s'y fondent même et ne sont plus que des «parents» tout aussi débon-

5. Pour nommer le lieu où Jean Santeuil passe ses vacances, nous préférons utiliser le nom fictif d'Éteuilles plutôt que le nom réel d'Illiers. Sans doute, P. Clarac et Y. Sandre peuvent écrire : « *Sous les noms variés que Proust lui donne, la petite ville où Jean vient en vacances est bien Illiers : elle n'est parée d'aucun de ces embellissements qui dans la* Recherche *transfigureront Saint-Hilaire.* » (*op. cit.*, p. 983). Mais vouloir conserver ce nom d'Illiers, n'est-ce pas encore accentuer le caractère autobiographique, déjà suffisamment prononcé, de *Jean Santeuil* ?

naires et indulgents que la myriade d'oncles et de tantes parmi lesquels se dilue leur autorité. Éteuilles offre donc à Jean cette unique occasion de s'identifier pleinement au clan familial et de participer à toutes ses activités. Aussi, dans le récit des séjours à Éteuilles, c'est le *on* qui l'emporte dans le jeu des pronoms. Et ce *on* ne renvoie pas ici à l'indéfini qui n'est finalement personne, mais au *nous* de solidarité ; il est la marque de « l'être avec ».

Mais Éteuilles n'est qu'une halte dans la jeunesse orageuse du héros de *Jean Santeuil*. Les séjours que celui-ci y fait conservent un caractère exceptionnel. Ils s'inscrivent, en effet, dans un espace (la campagne), et dans une durée (les vacances) qui diffèrent radicalement du reste de la vie de Jean. Malgré son imparfait itératif, le paradis d'Éteuilles n'est pas fait pour durer. Il n'est qu'un bref instant de bonheur sans mélange où le jeune garçon vit à l'unisson de la famille, de la ville et de la nature, dans un monde exempt de tout « péché ».

Dans la *Recherche*, au contraire, cet instant s'éternise. Combray étend son ombre tutélaire sur toute l'enfance du héros.

D'où vient que d'une œuvre à l'autre l'éclaircie d'Éteuilles s'étende à tout le bleu du ciel de Combray ? D'où vient que la « sombre enfance » de Jean Santeuil se métamorphose en « *l'éternel printemps* » [7] où baignent les premières années de la vie du héros de la *Recherche* ? D'où vient qu'à un univers éclaté, marqué par tant de violence contestataire, succède un « *univers clos et immuable* » [8], une finitude sécurisante ? D'où vient, enfin, que Jean Santeuil ait à traverser chacune des zones d'ombre qui font de l'enfance cette période capitale de la vie de l'homme, et que par approximations successives il lui faille faire l'apprentissage doulou-reux de la réalité ; alors que le héros de la *Recherche* vit Combray comme une « *cohérence salutaire* » [9], comme un monde où règne le bon ange de la certitude, celui qui apporte la réponse à toutes les questions ?

On sait que dans les quelques phrases que B. de Fallois a

6. À l'encontre de Combray, le « drame » du coucher que M. Gutwirth considère comme le premier « péché » du héros n'est pas associé aux séjours de Jean à Éteuilles. Dans *Jean Santeuil*, cet épisode a lieu à un tout autre moment de la vie de l'enfant (voir *JS*, p. 204 sq.).

7. BRÉE, *Du temps perdu...*, p. 93.

8. PICON, *Lecture...*, p. 229.

9. ZÉRAFFA, *Personne et personnage...*, p. 182.

placées en épigraphe à *Jean Santeuil*[10], Proust s'interroge sur la véritable nature de sa première œuvre. «*Puis-je*», écrit-il, «*appeler ce livre un roman?*» Hésitation qui dans l'esprit de Proust, encore tourné vers la poésie, n'était sans doute pas de pure forme mais qui, au lecteur, semble superflue. Car, même inachevé et fragmentaire, *Jean Santeuil* est bien un roman. Non pas tant parce qu'il emprunte au domaine romanesque l'un de ses thèmes les plus traditionnel : l'histoire d'une vie ; mais parce qu'il fait appel à des procédés narratifs spécifiques au roman et dont l'un − le recours à un auteur fictif − était déjà passablement éculé au temps où Proust écrivait *Jean Santeuil*. *Jean Santeuil* se présente, en effet, comme le-manuscrit-trouvé-dans-une-bouteille ! comme l'œuvre d'un certain B., œuvre qu'un narrateur − dont nous ne saurons presque rien − décide de publier après la mort de B.. Procédé détestable et d'ailleurs peu convaincant mais que Proust devait alors juger nécessaire pour mieux marquer la distance qui le séparait de son récit, la biographie de Jean. À ce premier effort de distanciation s'en ajoute un autre. Comme le remarque G. Genette[11], B. ne raconte pas *oralement* sa propre histoire ; il *écrit* celle d'une tierce personne, un *il* dont il donne l'histoire comme un roman.

En choisissant des procédés romanesques aussi éprouvés, Proust veut affirmer, au moment où il écrit *Jean Santeuil*, l'impersonnalité de l'auteur par rapport à son œuvre. Mais il aboutit, en fait, au résultat contraire. Dans *Jean Santeuil*, ce qui frappe avant tout le lecteur, c'est le caractère autobiographique du roman. Comme l'ont remarqué de nombreux critiques, le *il* de *Jean Santeuil* est beaucoup plus proche de Marcel Proust que ne l'est le *je* de la *Recherche*. Ainsi, malgré la multiplication des instances productrices ou supposées telles du récit, celui-ci ne renvoie finalement qu'à l'auteur lui-même, à l'instance qui cherchait le plus à se démarquer. C'est à cette présence insistante de l'auteur qu'au nom de son autonomie romanesque, le héros va s'opposer ; c'est de cet affrontement que naît le monde éclaté de *Jean Santeuil*, monde déchiré par les tendances contradictoires de l'autobiographie et du roman. Ce n'est donc pas parce que Proust était encore trop proche de la réalité que *Jean Santeuil* est un échec en tant que roman. C'est parce que Proust, dans cette première œuvre, a voulu concilier

10. *Jean Santeuil*, édition établie par B. de Fallois, p. 31.
11. GENETTE, *Figures III*, p. 247.

l'inconciliable : le besoin de «se dire» et le souci d'impersonnalité. Entre un *je* qui brûle de raconter son histoire et un *il* à qui ce *je* veut faire endosser la paternité, Proust a voulu trouver un impossible moyen terme. Pour avoir refusé de dire *je*, Proust a aussi refusé de laisser la parole à son héros. Celui-ci ne peut affirmer son indépendance ; il ne peut assumer pleinement sa relation au monde. Et c'est pourquoi, dans *Jean Santeuil*, il n'y a pas véritablement d'univers romanesque. Le monde de *Jean Santeuil* n'appartient pas à son héros.

Dans la *Recherche*, au contraire, «*il y a un monsieur qui* [...] *dit je*»[12] mais qui n'est pas l'auteur. Ce monsieur, c'est le narrateur. C'est à lui qu'il revient de raconter l'histoire car c'est lui qui l'a vécue. C'est lui qui en a découvert le sens. Dans la *Recherche*, l'auteur délègue donc ses fonctions narratives au narrateur ; ou plus exactement, le narrateur s'empare de ces fonctions[13]. Il s'émancipe, en effet, de la tutelle de l'auteur ; il assume pleinement la responsabilité du récit ; il en est le premier principe unificateur. C'est son univers qui nous est donné ; c'est à partir de de lui que cet univers s'organise et se structure. Univers autonome, donc, et univers consistant ; c'est parce qu'il y a création d'un tel univers que la *Recherche* est vraiment un roman.

Entre *Jean Santeuil* et la *Recherche*, il y a donc une différence essentielle, non de fond, mais de forme. Et c'est parce qu'on passe d'une structure narrative à une autre que l'on passe aussi d'un monde éclaté, à un univers cohérent. La jeunesse tourmentée de Jean Santeuil n'est pas le reflet d'une crise de croissance existentielle, mais d'une crise de croissance formelle de l'auteur. Pour Proust, le *il* de *Jean Santeuil* est un «*purgatoire*»[14] narratif. Il lui faudra comprendre que le *je* peut être impersonnel pour pouvoir créer un univers purement romanesque, et pour commencer, l'univers combraysien.

12. Lettre de Proust, citée par PIERRE-QUINT, p. 39 in *Proust et la stratégie littéraire*.
13. GENETTE, *Figures III*, pp. 261 sqq.
14. TADIÉ, *P. roman*, p. 22.

II

DIVERSITÉ ET UNITÉ DE COMBRAY

Comme le clocher de Saint-Hilaire résume la petite ville, la représente, parle d'elle et pour elle aux lointains, *Combray* annonce et irradie toute la *Recherche*. Frontispice de l'œuvre, il en est aussi le microcosme ; il introduit tous les thèmes, il indique toutes les directions que le héros empruntera plus tard dans sa quête. Mais l'univers combraysien n'est pas un absolu monolithique. Il ne reste pas immobile à l'orée de l'œuvre. Tout comme le clocher de l'église que le passant surprend dans chacune de ses promenades « *à un moment inconnu de sa révolution* » (*R* I, 66), cet univers multiplie ses perspectives. La *Recherche* l'inscrit dans la diversité.

Cette diversité de l'univers combraysien, c'est d'abord le héros qui aide à l'établir, en la vivant lui-même. À cinq reprises, avant la destruction finale, le héros fait, en effet, l'expérience d'un Combray différent. D'abord, comme on le sait, dans son enfance. La *Recherche* s'ouvre sur deux grandes évocations enfantines de Combray. La première est l'évocation d'un Combray nocturne, figé dans une immobilité spatio-temporelle que rien ne viendra jamais altérer, « *comme si Combray n'avait consisté qu'en deux étages reliés par un mince escalier et comme s'il n'y avait jamais été que sept heures du soir* » (*R* I, 44). C'est dans ce décor unique que se joue douloureusement ce qui, pour le narrateur, deviendra le « drame » de son coucher. C'est à partir de ce drame que s'élabore un schéma psychologique dont le héros ne parviendra pas à se libérer, même lorsqu'il aura atteint l'âge d'homme[1]. Aussi, malgré son peu de consistance, ce Combray crépusculaire et immobile ne quitte jamais le champ perceptif du héros[2] alors que le Combray de la seconde évocation s'en éloigne de plus en plus au point d'en être totalement oblitéré jusqu'au moment «miraculeux» où il ressuscite grâce à la mémoire involontaire.

Ce Combray-là est un Combray de pleine lumière, un Combray diurne, qui semble séparé du premier par une cloison étanche. C'est cet univers qui avec ses promenades, ses après-midi de lecture, ses rencontres imprévues, marque les limites géographiques, spirituelles et affectives de l'enfance du héros. Et si ce Combray s'efface peu à peu de la conscience claire du héros à mesure que celui-ci s'enfonce dans sa recherche, il réapparaît dans l'œuvre, mais métamorphosé.

À Venise, dira le narrateur, «*[je] goûtais des impressions analogues à celles que j'avais si souvent ressenties autrefois à Combray, mais transposées selon un mode entièrement différent et plus riche*» (R III, 623). Par un phénomène comparable à celui de l'osmose, les deux villes se métamorphosent donc l'une l'autre. Comme l'indique J. Y. Tadié[3], Venise s'imprègne de la réalité de Combray qui, à son tour, se pare rétrospectivement de la beauté poétique de Venise. Vues l'une dans l'autre et l'une par l'autre, les deux villes réunissent sur un seul plan «*les impressions familières de la vie*» (626), celles que le héros goûtait à Combray, et les impressions de l'Art, celles que lui font découvrir Venise. Et cette résurrection de Combray frappe d'autant plus le héros qu'il retrouve à Venise les personnages mêmes qui se profilaient déjà à l'horizon de son enfance : Mme Sazerat, la marquise de Villeparisis (voir 630sq.), et surtout sa mère qui reprend alors dans son cœur la place qu'elle occupait à Combray, c'est-à-dire la première[4].

À cette métamorphose de Combray sur laquelle le narrateur

1. Voir ZÉRAFFA, «Thèmes psychologiques et structures romanesques dans l'œuvre de Marcel Proust», p. 195.

2. Voir J. P. HOUSTON, «Literature and Psychology : the Case of Proust», pp. 3–13.

3. TADIÉ, *P. roman*, p. 282.

4. R III, 646. On peut considérer comme significatif le fait que ce «retour» de la mère a lieu dans un endroit tel que le baptistère de San-Marco dont on sait que les mosaïques retracent l'enfance du Christ.

lui-même attire notre attention, s'en ajoute une autre qui, à première vue peut ne pas paraître aussi évidente. C'est celle qui fait baigner Doncières dans la «lumière» de Combray.

Paradoxalement, en partant pour Doncières (*R* II, 68 sq.), le héros veut à la fois s'éloigner de la duchesse de Guermantes et s'en rapprocher. Il quitte en effet Paris, il renonce à poursuivre la duchesse de ses assiduités muettes. Mais il n'en va pas pour autant à Doncières pour oublier. Bien au contraire, il y va pour avancer ses affaires auprès de la duchesse ; pour obtenir de son neveu Saint-Loup l'introduction qui lui permettra de parler à la tante et de franchir le seuil enchanté de l'hôtel de Guermantes. De ce côté-là, le séjour du héros à Doncières se solde par un échec. Le héros ne reviendra pas avec l'introduction tant désirée, mais avec un bien plus grand trésor. Car à Doncières, il aura retrouvé le bonheur de Combray, la même quiétude bienheureuse, la même intimité avec les êtres et les choses. «*Cette atmosphère de tranquillité, de vigilance et de gaîté [qu'entretiennent] mille volontés réglées et sans inquiétude, mille esprits insouciants*» que le héros découvre «*dans cette grande communauté qu'est la caserne*» (78), est bien, en effet, l'atmosphère même qui enveloppait Combray.

À Doncières, les affectueuses attentions de Saint-Loup et l'esprit de camaraderie virile des jeunes officiers sont en tous points semblables à la sollicitude maternelle et à la chaleur du clan familial de Combray. À Doncières, comme à Combray, les repas ont la même abondance et la même richesse. Ils sont pour les convives l'occasion de participer, de communier aux mêmes sentiments de chaude et mystérieuse fraternité. Mais plus encore, pour la première fois, à Doncières, le héros peut échapper à l'angoisse obsédante des lieux nouveaux. La chambre de Saint-Loup à la caserne, la chambre si accueillante de l'Hôtel de Flandre, offrent au héros non seulement un refuge «*contre toute irruption du nouveau et de l'inquiétant*»[5], mais elles le font vivre dans un véritable état d'euphorie. Et la longue parenthèse que le narrateur croit nécessaire d'ouvrir alors pour nous parler de la béatitude du sourd passant sa vie «*sur une Terre presque édénique*» (*R* II, 77), cette parenthèse est surtout destinée à souligner cet état. G. Picon a donc raison d'affirmer[6] que le bonheur des jours de Doncières

---

5. PICON, *Lecture...*, p. 129.
6. *Ibid.*

provient de la même source que le bonheur qui irrigue les journées de Combray.

Ce bonheur de Combray, il semble que le héros vieillissant ne soit plus capable de le ressaisir, même lorsqu'il retourne à Combray. Car, avant de disparaître dans l'apocalypse de la guerre, Combray rentre encore une fois dans le champ existentiel du héros (*R* III, 691 sq.). Mais ce n'est plus qu'un Combray sans âme. Non pas, comme on a pu le dire, un Combray «démythifié» par un regard prétendument objectif — car il n'y a pas de «mythe» de Combray[7] — mais un Combray vidé de son essence. Ce Combray «revisité» n'a plus qu'une fonction utilitaire. Il apporte «*une vérification au moins provisoire à certaines idées que j'avais eues*», dit le narrateur, «*d'abord du côté de Guermantes, et une vérification aussi à d'autres idées que j'avais eues du côté de Méséglise*» (691). Il éclaire le héros, mais malheureusement après coup, sur certains aspects demeurés jusque-là obscurs de sa mondanité et de sa sexualité passées. À la déception qui accompagne inévitablement ces découvertes, cette dernière rencontre avec Combray en ajoute une autre, bien plus profonde, car elle touche à un domaine qui conservait encore tout son prestige aux yeux du héros : la littérature. On sait que les quelques pages du soi-disant journal inédit des Goncourt que le héros lit la veille de son départ de chez Gilberte, tout en le confirmant dans «*son absence de dispositions pour les lettres*» (709), le font douter de la littérature, et donc de l'Art, comme ultime moyen d'atteindre aux essences. Ce séjour «à côté de Combray», conduit donc à l'impasse. Il fait vraiment passer le héros «à côté» de Combray et de toutes les vérités qu'enfant il avait cru y pressentir.

Ces multiples «vues» qui jalonnent l'itinéraire du héros ne sont pas les seules à établir Combray dans la diversité. La *Recherche* en offre d'autres, celles par exemple que dessine à travers l'œuvre la vie de certains personnages.

Lorsque Françoise porte vers Combray son regard de vieille femme fatiguée, elle garde incrustée dans sa pupille l'image de la Terre promise. «*Ah! Combray, Combray, [...] Ah! Combray, quand est-ce que je te reverrai, pauvre terre! Quand est-ce que je pourrai*

---

7. ZIMA, *Le Désir du mythe*, p. 240, écrit : «*Combray reste pour le lecteur une ville mythique, le Combray de la lanterne magique.*» Or, toute cette étude tend à prouver qu'il n'y a de «mythe» de Combray que dans l'univers imaginaire du narrateur.

passer toute la sainte journée sous tes aubépines et nos pauvres lilas en écoutant les pinsons et la Vivonne. » (R II, 17-8). Mais ce Combray intemporel après lequel soupire Françoise n'est qu'un Combray de rêve. Le Combray que vit vraiment la vieille domestique, où qu'elle soit, est bien circonscrit dans le temps. C'est le Combray contemporain de Saint-André-des-Champs. Et comme le porche de cette église actualise le moyen âge, Françoise actualise *« un passé français »* (I, 29) très ancien et très noble dont elle tire maladroitement les articles d'un « code » auquel elle se soumet entièrement. Ce Combray-là, son unique référence, s'armorie alors de toute une imagerie médiévale. Grâce à Françoise, Combray redevient pour le lecteur la petite ville familière au peuple sculpté au porche de Saint-André-des-Champs.

C'est aussi à Combray que renvoie finalement la mère du héros. Tous ses actes sont, en effet, inspirés par une éthique qui prend sa source à Combray. Mais alors que la grand-tante jugera toujours le monde à la seule aune bourgeoise de Combray, la mère du héros en vient peu à peu à se débarrasser de ce dogmatisme sous l'influence édifiante et libératrice de sa propre mère ; tandis que l'amour maternel, tout comme Mme Santeuil, l'amène à adopter une vue plus contingente de la société.

Les *« jolies bourgeoises pieuses et sèches »* (R I, 82) de Combray sont loin d'atteindre à cette sérénité. Elles ont toutes, au contraire, cette même agressivité qui naît d'un respect aveugle des préjugés. Si bien que sous les traits divers de Mme Sazerat, de la grand-tante ou des amies de la mère *« plus ou moins de Combray »* (III, 675), elles restent toujours pareilles à elles-mêmes et finalement interchangeables. Seules les guident dans leurs jugements, les préjugés de leur classe. Aussi considèrent-elles avec une méfiance instinctive toute cette partie de la société avec laquelle elles ne peuvent avoir aucun contact (avec laquelle elles croient avoir librement décidé de n'avoir aucun contact !). À ce monde, elles refusent toute intégrité morale et sociale. Ainsi, lorsque Gilberte épouse Saint-Loup, les bourgeoises de Combray ne sont nullement éblouies par ce mariage. Bien au contraire, il n'est à leurs yeux que l'union d'une jeune fille appartenant à une famille tarée, la famille Swann, avec *« un monsieur Dupont ou Durand quelconque »* (676) qui se fait appeler le marquis de Saint-Loup. Ce sont ces bourgeoises *« enrôlées [...] dans les milices de réserve de l'Injustice »* (I, 82) et dans l'armée d'active de l'injustice sociale, qui élaborent et distillent la «sociologie» de Combray. Et l'influence de ce Combray bourgeois et dogmatique est telle qu'à l'exception de la grand-mère – et peut-être aussi de sa fille, à sa suite – elle réussit à déformer la vision sociale de tous ceux qui, à un moment ou à un autre, ont vécu à l'ombre de Combray.

Du Combray angoissé de l'enfance au Combray triomphant de la bourgeoisie, héros et personnages vivent donc chacun une réalité si différente qu'on serait tenté de conclure au pluralisme de l'univers combraysien. À vouloir trop multiplier ses perspectives, Combray n'offrirait plus alors de lui-même que l'image d'un monde morcelé, tout comme le «*beau matin écarlate et versatile*» (*R* I, 655) que le héros cherche à saisir du train qui le conduit à Balbec se morcèle en «*fragments intermittents et opposites*» en s'encadrant alternativement dans les fenêtres du compartiment. La diversité de Combray aboutirait alors à la disparité ; chacun des fragments ne renverrait plus qu'à la subjectivité de sa seule instance focalisatrice. Et les multiples «vues» de Combray resteraient donc toujours contiguës les unes aux autres. Jamais le lecteur n'obtiendrait ce que le héros, en opposant son propre mouvement de va-et-vient à celui du train, obtient de son beau matin : «*une vue totale et un tableau continu*». Tout au plus le lecteur réussirait-il, par un même mouvement à travers le texte, à mettre bout à bout les diverses «vues» de Combray et à les organiser en une «contiguïté juxtaposante». Mais il ne pourrait jamais les réunir en un ensemble ; jamais il ne pourrait créer une continuité de Combray.

Mais l'univers combraysien, comme la *Recherche*, on le sait, possède un principe unificateur : le narrateur. Instance productrice d'un récit dont il est également le protagoniste, le narrateur en est aussi l'instance focalisatrice. C'est à travers lui que tout est vu ; c'est à partir de lui que tout se groupe et s'organise et, en particulier, les perspectives en apparence hétérogènes de Combray. G. Deleuze a raison d'affirmer que «*la seule unité possible, c'est dans le narrateur qu'il faut la chercher, dans son comportement d'araignée qui tisse sa toile*»[8]. C'est donc grâce au seul narrateur qu'on peut passer de la contiguïté à la continuité. Comme le montre G. Poulet, «*la juxtaposition proustienne n'est* [...] *pas une simple collection de «vues» ou de «scènes» hétérogènes, telles*

8. *CMP* (7), 1975 ; intervention de G. DELEUZE, p. 98.

qu'on en trouve trop souvent sous la forme d'une pluralité de
tableaux disparates, aux murs de certains musées. C'est, au
contraire, une multiplicité unifiée par la présence active d'un même
acteur et d'un même auteur»[9]. La diversité combraysienne n'exclut
pas l'unité ; la multiplicité n'empêche pas Combray de se structurer
en une totalité. Au contraire, ce sont toutes les «vues»
de Combray, mais chacune investie par le narrateur et soumise au
seul mouvement de sa narration, qui finissent par dessiner la figure
idéale de l'univers combraysien. Celui-ci peut bien être à la fois
divers et un ; il n'en garde pas moins toute sa cohérence.

Cette cohérence, comme l'affirme le chapitre précédent,
est cohérence «salutaire». En effet, l'univers combraysien est non
seulement refuge, mais certitude ; il est non seulement protection,
mais explication. Il propose une réalité et les «connaissances
absolues» − sinon fausses ! − nécessaires à faire croire aveuglément
à cette réalité. «*C'est parce que je croyais aux choses, aux êtres*»,
dira le narrateur en parlant de Combray, et de ses côtés, «*que les*
choses, les êtres qu'ils m'ont fait connaître sont les seuls que je
prenne encore au sérieux et qui me donnent encore de la joie»
(*R* I, 184). Monde connu, monde protégé de l'inconnu, l'univers
combraysien est donc bien «une finitude sécurisante»[10]. Faut-il
alors s'étonner que lorsque le narrateur retrouve cet univers dans
sa «vérité», grâce au miracle de l'analogie, il y découvre la forme
d'une circularité ?

9. POULET, *L'Espace proustien*, p. 128.
10. Voir *supra*, p. 36.

III

CIRCULARITÉ DE COMBRAY

LA topographie de Combray est une première image de sa structure. Les restes de remparts qui cernent çà et là la petite ville dessinent autour d'elle la forme d'un cercle parfait, figure doublement symbolique des frontières de Combray. Figure doublement symbolique, écrivons-nous, car ce cercle parfait, est, en effet, à la fois limite et séparation ; il définit l'espace géographique à l'intérieur duquel s'organisent les activités des habitants ; il rejette hors de ce lieu privilégié tous ceux qui n'appartiennent pas à la communauté géographique ainsi créée. Les remparts de Combray jouent donc topographiquement le rôle qui, socialement, était le leur au moyen âge : enclore et protéger. C'est pourquoi Combray se présente au voyageur comme « *une petite ville dans un tableau de primitif* » (*R* I, 48), petite ville qui vit et qui s'abrite à l'intérieur de sa circularité. Car Combray, tout comme la cité médiévale, n'est pas sans avoir d'ennemis ; avant-poste de la Chrétienté, seul signe de présence civilisée dans la plaine, Combray n'en gravite pas pour autant dans un monde inhabité. Le lointain Méséglise, l'obscur Roussainville, l'incompréhensible Montjouvain, l'entourent de leur présence inquiétante et insolite et cherchent à attirer l'attention de ses habitants. Aussi la petite ville s'emploie-t-elle non seulement à réduire et à neutraliser ces rivales, mais les effacer de son horizon. Dans l'immensité de la plaine, « *à dix lieues à la ronde* », Combray peut alors se croire seul à exister il peut ériger son église et son clocher en point de repère unique.

On sait que c'est à l'église de Saint-Hilaire et à son clocher qu'il appartient d'exprimer la réalité de la ville. En intégrant le temps à son espace, Saint-Hilaire se présente, en effet, à la fois comme un raccourci de l'histoire de Combray et comme une preuve tangible de son antiquité[1]. Mais ce n'est pas uniquement le passé de Combray que l'église inscrit dans ses pierres. C'est aussi le présent terre à terre de ses habitants. Créée par l'homme, Saint-Hilaire a été également créée pour l'homme. Devenue œuvre d'art en traversant les siècles, l'église n'en a pas pour autant perdu sa valeur d'usage ; elle est demeurée tout aussi humaine que ses fidèles, avec son abside à l'aspect grognon et renfermé, son vieux porche usé, son clocher à l'air naturel et distingué. Livre d'Heures du passé et miroir du présent, l'église illustre donc, dans sa matérialité, à la fois les hauts-faits de Combray, ses traditions, ses particularismes et sa vie quotidienne. Plus encore, elle en exprime la pérennité. Car bien qu'humanisée par sa constante familiarité avec le peuple de Combray, l'église conserve une individualité si tranchée qu'on ne peut la confondre avec aucun autre bâtiment de Combray, même lorsque ceux-ci lui sont mitoyens. Elle en reste toujours séparée par un « *abîme* » (*R* I, 63). Abîme si profond que rien ne peut le combler, non pas tant parce que l'église, à la différence de la pharmacie de M. Rapin ou la maison de Mme Loiseau, ses voisines, unit dans ses pierres le passé au présent. Mais parce qu'elle est marquée d'un signe qui la fait échapper aux vicissitudes du temps : le signe du sacré. L'église, maison de Dieu, peut seule donner à Combray le sentiment de l'éternité, le sentiment de son éternité.

Inscrire Combray dans le temps, l'inscrire hors du temps, est pour l'église une fonction sans doute plus prestigieuse que d'inscrire Combray dans l'espace. Mais cette fonction topographique, pour prosaïque qu'elle soit, est tout aussi importante car elle contribue à la structuration de l'univers combraysien. Située au centre de la ville, la dominant de toute la hauteur de son clocher, c'est l'église, et uniquement l'église, qui peut donner son sens à la circularité géographique de Combray. C'est le clocher qui donne « *à tous les points de vue de la ville, leur figure, leur couronnement, leur consécration* » (*R* I, 64). C'est donc bien l'église qui assure à Combray sa première cohérence. Cohérence qui, à ce niveau, fait de l'univers combraysien une circularité topographique défensive

---

1. Voir KING, *Proust*, p. 75.

centrée sur l'église et son clocher. Image matérielle d'une structure qui, selon R. Girard, se retrouve au niveau de l'univers familial de Combray puisque « *l'enfant vit à l'ombre des parents et des idoles familiales dans la même intimité bienheureuse que le village médiéval à l'ombre de son clocher* »[2].

À l'encontre du personnage balzacien, on sait que le personnage proustien ne se présente pas d'emblée au lecteur. C'est, au contraire, par une série d'instantanés qui surprennent son «être» dans ses apparitions successives et contradictoires[3], qu'il se laisse — ou ne se laisse pas — cerner. Or, comme on l'a souvent remarqué[4], dans la *Recherche*, le personnage familial échappe à ce mode d'appréhension. Les parents du héros, sa grand-mère, ses oncles et ses tantes, tous nous sont «donnés» dans leur totalité dès le début de l'œuvre comme ils furent «donnés» au héros à sa naissance. Sauf à de rares exceptions[5], ces personnages ne sont jamais «vus» à distance, ils ne sont jamais «saisis» dans leur étrangeté et leur complexité. Au lecteur, comme à l'enfant qu'est le héros de Combray, ils n'offrent jamais qu'un seul côté de leur être, parfaitement circonscrit et presque sans aucune épaisseur. Dans *Combray*, les astres qui brillent au firmament sont des astres immobiles.

«Connus», et donc «prévus», depuis toujours par le héros, ces personnages le sont aussi les uns des autres ; ou du moins, ils doivent accepter de l'être. Car la famille déteste l'imprévu ; chacun doit, au contraire, répondre à ce qu'on attend de lui. Et c'est pour n'avoir pas su, ou n'avoir pas voulu, respecter cette loi fondamentale de la communauté que l'oncle Adolphe sera ostracisé.

Malgré de nombreuses brouilles, c'est finalement avec une indulgence souriante que la famille considère l'existence de riche libertin de l'oncle Adolphe. Simplement, pour éviter d'être mêlé

2. GIRARD, *Mensonge romantique...*, p. 197.
3. Voir BLANCHOT, *Le Livre à venir*, p. 34.
4. Voir, par exemple, TADIÉ, *P. roman*, p. 72, et PICON, *Lecture...*, p. 56.
5. La grand-mère, en particulier. Une première fois lorsque le héros revenu précipitamment de Doncières, découvre dans le salon « *sur le canapé, sous la lampe, rouge, lourde et vulgaire, malade, rêvassant, promenant au-dessus d'un livre des yeux un peu fous, une vieille femme accablée* » (*R* II, 141) qu'il ne reconnaît pas. Et également lorsque la grand-mère meurt (324 sqq.).

à cette vie un peu trop libre, on ne rend visite au vieil oncle qu'à jours fixes afin de ne pas risquer de rencontrer ses amies trop légères. Or, il se fait qu'un «*jour autre que celui qui était réservé aux visites*» (*R* I, 75) de la famille, l'oncle Adolphe accepte de recevoir son neveu, rompant ainsi avec la tradition. Et c'est ce manquement à l'usage familial qui, selon nous, est la cause principale de la disgrâce de l'oncle Adolphe. Sans doute la famille reproche-t-elle à son parent d'avoir exposé un enfant à la promiscuité d'une femme peu recommandable, la « dame en rose » ; mais surtout, elle lui reproche d'avoir enfreint une règle établie d'un commun accord et de ce fait sacrée. Pourquoi le narrateur insisterait-il tant sur les habitudes d'ordre et de vie méticuleusement réglée de l'oncle Adolphe, si ce n'était pour mieux montrer que le soudain laxisme du vieil oncle constitue une véritable trahison aux yeux de la famille ? Rien ne pouvait le laisser prévoir, rien ne peut le justifier. La sanction de Combray sera à la mesure du «crime» : pour n'avoir pas su se cantonner dans son rôle — ou plus exactement, pour avoir voulu mêler deux rôles bien distincts, celui du vieux célibataire à femmes et celui d'oncle-gâteau — l'oncle Adolphe deviendra «interdit de séjour» à Combray. Sa faute est de celles que la famille ne peut absoudre ; elle a été trompée dans son attente.

Si notre analyse est exacte, l'épisode de l'oncle Adolphe n'est plus alors uniquement une «cheville» littéraire, d'ailleurs assez mal présentée selon Bardèche[6], destinée à associer Odette à la vie du héros dès *Combray* ; cet épisode devient, au contraire, partie intégrante de la narration et sert à démontrer que dans l'univers familial, le personnage doit l'emporter sur la personne, chacun doit s'en tenir fidèlement au rôle qui lui a été imparti. Ce qui ne veut d'ailleurs pas dire que les rôles ne peuvent être complexes et variés. Pour autant que son attente soit toujours comblée, la famille admet, en effet, la bizarrerie et même l'excentricité. Ainsi la conduite de la grand-mère ne l'étonne guère ; non seulement, la famille la tolère mais en vient même à la considérer comme naturelle. Les jours de pluie, par exemple, la tante Léonie n'a pas à chercher longtemps pour savoir qui est allé faire un tour de jardin.

Françoise revenait :
— C'est Mme Amédée (ma grand'mère) qui a dit qu'elle allait faire

6. BARDÈCHE, *P. romancier I*, p. 256.

52

un tour. Ça pleut pourtant fort.

— Cela ne me surprend point, disait ma tante en levant les yeux au ciel. J'ai toujours dit qu'elle n'avait point l'esprit fait comme tout le monde. J'aime mieux que ce soit elle que moi qui soit dehors en ce moment.

— Mme Amédée, c'est toujours l'extrême des autres, disait Françoise avec douceur, se réservant pour le moment où elle serait seule avec les autres domestiques de dire qu'elle croyait ma grand'mère un peu «piquée».   (*R* I, 102)

La répétition de telles scènes, comme la répétition des anecdotes toujours les mêmes du grand-père sur «*M. Swann, le père*» (*R* I, 15), tend à figer le personnage familial, à en faire presque un stéréotype. À chacune de ses apparitions, un premier geste ou une première réplique permet de le reconnaître, de le définir, un peu comme les personnages de certains opéras dont l'entrée en scène s'accompagne d'un motif musical, toujours le même, et qui sert à les identifier. Ainsi, lors de la conversation précédant le dîner auquel est invité Swann, chacun résume son personnage en une seule phrase.

«Pensez à le remercier intelligiblement de son vin, vous savez qu'il est délicieux et la caisse est énorme», recommanda mon grand-père à ses deux belles-sœurs. «Ne commencez pas à chuchoter, dit ma grand-tante. Comme c'est confortable d'arriver dans une maison où tout le monde parle bas! — Ah! Voilà M. Swann. Nous allons lui demander s'il croit qu'il fera beau demain», dit mon père. Ma mère pensait qu'un mot d'elle effacerait toute la peine que dans notre famille on avait pu faire à Swann depuis son mariage. [...] «Voyons, monsieur Swann, lui dit-elle, parlez-moi un peu de votre fille ; je suis sûre qu'elle a déjà le goût des belles œuvres comme son papa».   (*R* I, 23-4)

Même les passes d'armes auxquelles le grand-père et ses deux belles-sœurs semblent se livrer spontanément ne sont finalement qu'une seule et même occasion, pour chacun des protagonistes, de s'affirmer dans son rôle. Les situations peuvent varier, les rôles restent, en effet, toujours pareils : le grand-père joue le vieux monsieur bourru ; les deux vieilles filles les esprits éthérés. Aussi, loin de les séparer, ces «disputes» servent à mieux les unir. Chacun sait trop bien que son rôle est complémentaire de tous les autres. Dans l'univers familial de *Combray*, le rôle choisi ou assigné doit être respecté. C'est à ce prix — prix que l'oncle Adolphe refuse mal-encontreusement de payer — que la famille peut se constituer en cohérence.

Parler de famille « désunie », comme le fait M. Muller[7], nous semble donc une erreur. Dans *Combray*, la multiplicité des opinions ne conduit pas à la discorde ou à l'incompréhension ; elle renforce, au contraire, l'unité familiale. Car quelles que soient les opinions émises, aussi divergentes qu'elles puissent paraître, elles s'organisent toutes, en fait, autour d'un certain nombre de croyances fondamentales. Et c'est l'ensemble de ces croyances qui constitue la vision du monde de Combray, vision que le chapitre suivant se propose d'étudier[8]. Aussi nous contenterons-nous ici de n'en donner qu'un seul exemple. Les idées que chacun des membres de la famille a sur l'Art semblent diverger profondément ; en réalité, elles renvoient toutes à une seule et même conception de l'Art. Le grand-père peut bien se passionner pour les à-côtés de l'Histoire ; les deux vieilles filles peuvent n'accepter comme objet esthétique que celui dont la portée est didactique et moralisatrice ; la grand-mère peut bien croire avec ferveur à « *l'influence bienfaisante* » (*R* I, 64) des œuvres de génie. Tous s'accordent finalement pour valoriser les mêmes éléments et pour considérer ces éléments comme des réalités immédiatement accessibles. Pour tous, en effet, « *les mérites esthétiques* [*sont*] *comme des objets matériels qu'un œil ouvert ne peut faire autrement que de percevoir, sans avoir eu besoin d'en mûrir lentement les équivalents dans son propre cœur* » (146).

Dans *Combray*, si le personnage familial peut affirmer son individualité, ce n'est donc que dans les limites d'un cadre strictement défini ; si ses rapports avec ses semblables peuvent être multiples et variés, ils ne peuvent donc être spontanés. Dans l'univers combraysien, le personnage familial est perçu en tant que tel, c'est-à-dire en fonction de son appartenance à un ensemble ; et comme la partie, il doit se soumettre au tout. C'est grâce à cette soumission que d'entité génétique, la famille devient entité sociale.

Si l'on accepte notre explication, le pluralisme familial qui règne dans l'univers combraysien devient alors compréhensible.

De nombreux critiques à tendance biographique se sont souvent demandé pourquoi, dans *Combray*, la famille du héros ressemblait si peu à celle de Marcel Proust ; pourquoi, à l'encontre

---

7. MULLER, *Voix narratives...*, p. 27.
8. Voir *infra*, pp. 71–89.

54

de *Jean Santeuil* où, à l'exception de l'épisode d'Éteuilles, la structure familiale est si fortement accusée et personnalisée, *Combray* élargissait le champ de la famille à toute une parenté ; pourquoi, enfin, dans la *Recherche*, les parents du héros perdaient leur position privilégiée. On connaît les réponses que la psychanalyse apporte à ces questions[9]. Mais il nous semble possible de proposer ici une autre réponse qui, sans nous obliger à sortir de l'œuvre, fonde le pluralisme familial sur les nécessités structurelles de *Combray*.

La cohérence de l'univers familial combraysien, avons-nous écrit plus haut, est fonction d'une juste répartition des statuts et des rôles. Conférer aux parents du héros une place à part dans cet univers, ce serait créer un pôle d'attraction si puissant que l'enfant ne pourrait jamais s'en détacher, ce serait introduire un facteur de déséquilibre risquant de remettre en cause la cohérence de la famille. Intégrer les parents au plus grand ensemble familial possible, c'est, au contraire, écarter ce danger. Car, en multipliant le nombre des parents qui exercent de fait sur l'enfant des fonctions d'autorité, *Combray* retire une partie de leur individualité notionnelle à ceux des parents, en l'occurrence le père et la mère, à qui ces fonctions reviennent de droit. De plus, en répartissant ces fonctions entre différents personnages, les entités paternelle et maternelle se dédoublent et deviennent alors en quelque sorte interchangeables. Au grand-père, tout autant qu'au père, revient l'exercice de la puissance paternelle, exercice auquel il donne d'ailleurs le même caractère d'arbitraire et d'absurdité que le père ; à la grand-mère, tout autant qu'à la mère, appartient le soin d'élever l'enfant, de se préoccuper de son éducation intellectuelle et morale. Le pluralisme familial force donc les parents du héros à «se fondre» dans la masse, à renoncer à la primauté. Ainsi la cohérence de la communauté familiale en est-elle accrue d'autant.

Sans doute ce pluralisme familial augmente-t-il démesurément la distance qui sépare l'enfant de ses parents. R. Girard y voit un facteur positif d'unité car toute possibilité de rivalité entre l'enfant et ses parents est ainsi écartée. «*Les dieux de Combray*», écrit-il, «*sont séparés des mortels par une distance spirituelle infranchissable, une distance qui interdit toute concurrence métaphysique*»[10].

---

9. Voir, en particulier, FERNANDEZ, *L'Arbre...*, pp. 308 sqq.
10. GIRARD, *Mensonge romantique...*, p. 203.

Pour D. Fernandez[11], au contraire, cette distance et cette absence de rivalité doivent être déplorées car elles empêchent le héros de s'engager dans une quête problématique des parents, et le condamnent ainsi à une puérilité forcée. Il est évident que le pluralisme familial de *Combray* rend impossible la répétition de scènes qui, pour Jean Santeuil, étaient l'occasion de contester ses parents, et en les contestant de les découvrir. Mais on peut, par contre, douter que ce pluralisme enferme le héros dans une puérilité forcée.

Dans la *Recherche*, les scènes où l'enfant unique qu'est le héros — enfant unique qui n'est d'ailleurs ni tellement choyé, ni tellement gâté — s'exprime et se conduit avec « l'innocente spontanéité » de l'enfance, sont extrêmement rares. *Combray* n'en propose qu'une, la scène de l'adieu aux aubépines (*R* I, 145). C'est, en effet, la seule fois où le héros fait preuve de puérilité et devient l'enfant qu'il est supposé être. Revêtu de ses plus beaux atours, il adresse un adieu désespéré à ses « *pauvres petites aubépines* ». « *Ô mes pauvres petites aubépines* », s'écrie-t-il, « *[...] ce n'est pas vous qui voudriez me faire du chagrin, me forcer à partir. Vous, vous ne m'avez jamais fait de la peine ! Aussi je vous aimerai toujours.* » Le désespoir et les lamentations de l'enfant peuvent être poétiques mais ils sont bien moins puérils que dans la scène initiale reprise ici. Dans ce premier texte, c'est le petit frère du héros, âgé de cinq ans et demi, qui étreint passionnément un chevreau sur lequel il verse des pleurs et à qui il adresse des paroles qui, elles, rendent un son véritablement enfantin. « *Mon petit chevreau [...] tu vas être malheureux sans ton petit maître, tu ne me verras plus jamais, jamais [...] personne ne sera bon pour toi, ne te caressera comme moi ! Tu te laissais pourtant bien faire ; mon petit enfant, mon petit chéri* »[12].

Partout ailleurs jeune et vieux à la fois, le héros semble perpétuellement osciller entre différents âges. L. Martin-Chauffier a raison de se demander « *quel peut être l'âge de ce garçon qui, dans la même saison, joue avec Gilberte aux Champs-Élysées et essaie d'écrire une étude pour la* Revue des Deux-Mondes, *qui séduit Bergotte et ne sort pas sans bonne, pleure dans son lit, quand sa mère ne vient pas l'embrasser et offre ses meubles à la*

---

11. FERNANDEZ, *L'Arbre...*, p. 309.
12. *Contre Sainte-Beuve*, édité par B. de Fallois, p. 349.

patronne d'une maison de passe où il est familier »[13]. Pour Martin-Chauffier, cette ambiguïté quant à l'âge du héros est fonction de la technique narrative utilisée par Proust : la vie du héros, dit-il, n'a de sens que par rapport au narrateur qui l'a vécue et qui *sait* que cette vie a un sens. Le héros, lui, vit sans jamais vraiment savoir où il en est, ce qu'il est. « [...] *l'amoureux de Gilberte ou d'Albertine, l'ami de Bergotte, d'Elstir, de Saint-Loup, de Charlus, le familier des Guermantes, le petit-fils, le fils. Celui-là n'a pas plus d'importance, de réalité, d'âge que ces biens qu'il convoite, possède et perd* ».

Notre étude permet d'apporter une autre réponse, ou du moins les éléments d'une autre réponse, à ce problème de l'âge du héros. Et ici, encore, c'est à la notion de cohérence qu'il faut faire appel pour fonder une explication convaincante. On peut remarquer que chaque fois que le héros est laissé à lui-même, chaque fois que ses actes n'engagent que lui, il se conduit en enfant. Ainsi en est-il, par exemple, du «drame» de son coucher où il s'abandonne à ses impulsions puériles et où il est traité comme un enfant par Françoise et son père. Ou bien encore, lors de sa première rencontre avec Gilberte. Mais chaque fois que ses actes risquent de mettre en danger la cohérence de cette communauté, alors il lui faut se vieillir. L'épisode de la visite à l'oncle Adolphe fournit une preuve *a contrario* de cette affirmation. C'est, en effet, pour s'être laissé aller à sa spontanéité que le héros cause une crise majeure qui conduira à une réorganisation de l'univers familial de *Combray*. La répétition de telles occurrences ne pourrait qu'être fatale à la cohérence familiale. Aussi, pour l'éviter, la famille va-t-elle forcer le héros à adopter un comportement «raisonnable» ; c'est-à-dire qu'elle va l'obliger non seulement à contrôler les mouvements de sa sensibilité, mais à se conduire en adulte. Lorsque par taquinerie, la grand-tante fait boire du cognac au grand-père, la famille tout entière « *s'amuse du spectacle des vaines prières de [la] grand'mère et de sa faiblesse, vaincue d'avance, essayant inutilement d'ôter [au] grand-père le verre de liqueur* » (*R* I, 12). À l'enfant, ce spectacle fait horreur ; mais désireux de participer aux rites de la communauté, il se force à copier ses aînés. « *Déjà homme par la lâcheté, je faisais ce que nous faisons tous* », écrit le narrateur, « *une fois que nous*

---

13. L. Martin-Chauffier, cité par BERSANI, pp. 60-1 in *Les Critiques de notre temps et Proust*.

sommes grands, quand il y a devant nous des souffrances et des injustices : je ne voulais pas les voir. » À Combray, le héros rachète cette conduite qui lui fait honte en allant sangloter sur les malheurs de sa grand-mère dans la « *petite pièce sentant l'iris* ». Plus tard, dans le monde, ayant appris à mieux contrôler sa sensibilité, il assistera sans réaction apparente à « l'exécution » de Charlus par la terrible Mme Verdurin (III, 316 sq.). Fait significatif, ce sera le souvenir de la scène du « verre de cognac » qui lui reviendra alors à à la mémoire.

Mais tout sacrifice mérite récompense! En acceptant d'abandonner le meilleur de son être, le héros gagne en retour le droit de participer pleinement aux manifestations par lesquelles la famille célèbre son unité. Ces manifestations ont lieu le plus souvent dans la salle à manger, pièce qui, dans la symbolique de l'espace proustien, renvoie au sacré. Dans *Jean Santeuil* et encore plus nettement dans la « Préface » aux *Propos de Peintre* de Jacques-Émile Blanche (*CSB*, 570 sq.), la salle à manger acquiert une « *mysticité* » (573) de chapelle, mysticité suggérée par la lumière irisée des porte-couteaux de cristal, des carafes et des compotiers. « *Dans la pénombre de la salle à manger, l'arc-en-ciel de ces porte-couteaux projetait sur les murs des ocellures de paon qui me semblaient aussi merveilleuses que les vitraux [...] de la cathédrale de Reims* », écrit Proust de la salle à manger de la maison de son oncle à Auteuil. Dans *Combray*, cependant, c'est plus le repas que la pièce où il a lieu qui est sacralisé. Par son rituel, le déjeuner à Combray s'apparente, en effet, à un office divin. Autour de la table surchargée des offrandes culinaires de Françoise, comme un autel des Rogations, les convives participent avec une même ferveur religieuse à des rites qui culminent dans une « communion » générale mais sous la seule espèce d'une crème au chocolat « *fugitive et légère* » (*R* I, 71), chef-d'œuvre de Françoise offert à tous mais plus particulièrement au « Père ». Ces repas où s'inscrit l'univers alimentaire si savoureux de Combray [14] sont pour tous une occasion renouvelée de se découvrir frères, d'affirmer sa foi en l'unité de la famille. Mais à cette unité, il manque encore le ferment le plus sûr, ce ferment qui fera prendre à la communauté familiale conscience de son existence au monde, ce ferment qui soude indissolublement le groupe, et qui est le danger.

14. Voir RICHARD, « Proust et l'objet alimentaire ».

Mais ce danger, d'où pourrait-il venir? Tolérer l'ennemi à l'intérieur de ses murs, ce serait encourager une subversion fatale. Avant de pourchasser les hérétiques, l'Église combraysienne doit d'abord réduire à l'obéissance ou au silence ses schismatiques; car elle ne peut naturellement les expulser tous comme l'oncle Adolphe. La grand-mère, par exemple, est trop fermement établie dans la famille pour être exilée. Mais ses beaux sentiments, ses belles actions désintéressées pourraient avoir un effet délétère. Aussi la rend-on inoffensive en l'enfermant dans le rôle de l'éternelle contestataire, quitte à lui rappeler sans ménagements les bornes de ce rôle quand le besoin s'en fait par trop sentir. «*Naturellement, toi*», lui dira la grand-tante, «*du moment qu'il s'agit d'être d'un autre avis que* nous» (*R* I, 22); tandis que le père prendra encore moins de gants pour traiter sa belle-mère de «folle» quand il apprend qu'elle veut offrir Rousseau et Musset à son fils de dix ans.

Legrandin, Swann et Vinteuil ne sont pas tout à fait «de Combray». Les deux premiers vivent à Paris et ne viennent à Combray qu'en villégiature; le troisième s'en tient géographiquement et socialement quelque peu à l'écart. Mais tous trois appartiennent quand même à l'univers familier de Combray. Trop de souvenirs communs, trop «*d'heures oisives passées ensemble*» (*R* I, 19) les relient à la famille. Couper les ponts avec ces gens connus depuis toujours est impossible; mais feindre d'ignorer leurs écarts de conduite, l'est également. On s'arrêtera donc à un moyen terme : les fautes seront relevées et sanctionnées, mais les coupables, eux, seront épargnés.

Malgré toutes les précautions dont il s'entoure, Legrandin finit par se trahir. Son snobisme éclate au beau milieu de la place de l'Église, au centre même de Combray (*R* I, 119 sq.). La famille n'y verrait finalement pas grand mal si cette faiblesse de Legrandin ne remettait implicitement en cause l'ensemble des certitudes sociales sur lesquelles sa communauté est fondée. Nous verrons plus avant que la réaction de chacun des membres de la famille est fonction de sa relation au monde extérieur[15]. Il suffit donc d'indiquer ici que ces réactions varient : depuis celles de la grand-mère et de la mère, toutes deux insensibles aux distinctions sociales et qui s'amusent de voir Legrandin surpris «*en flagrant délit*» (129)

15. Voir *infra*, pp. 137–51.

de snobisme ; jusqu'à la réaction du père dont la susceptibilité est beaucoup plus aiguë et qui profite de toutes les occasions pour se venger du dédain social où le tient Legrandin.

Swann, lui, est plus prudent ou plus malin que Legrandin! Il récuse les signes de sa vie mondaine. Aussi ceux-ci peuvent-ils bien se multiplier, la famille reste résolument incrédule. Le Swann mondain, dînant chez des princesses, ami du comte de Paris, est trop incompatible avec le *« Swann rempli de loisir, parfumé par l'odeur du grand marronnier, des paniers de framboises et d'un brin d'estragon »* (R I,20) que des années de bon voisinage ont façonné. C'est sur ces données, et sur les données encore plus infaillibles de l'hérédité, que la famille se fonde pour enfermer Swann dans un cadre social immuable. Les éléments qui composent ce cadre ont été soigneusement répertoriés au cours des années ; ils ne font nulle mention des relations que Swann pourrait entretenir avec les grands de ce monde.

M. Swann, le père, était agent de change ; le fils Swann se trouvait donc faire partie pour toute sa vie d'une caste où les fortunes, comme dans une catégorie de contribuables, variaient entre tel et tel revenu. On savait quelles avaient été les fréquentations de son père, on savait donc quelles étaient les siennes, avec quelles personnes il était en situation de frayer.   (R I, 16)

Libre à Swann, s'il en a envie, de s'offrir de petits «à-côtés» sociaux, mais ceux-ci ne peuvent être très reluisants! À preuve, dit la famille, son mariage désastreux. En épousant *« une femme de la pire société, une cocotte »* (20), Swann confirme Combray dans cette idée que s'il fréquente un autre milieu que le sien, ce n'est pas le monde, mais le demi-monde. S'il se déclasse, ce n'est donc pas par le haut mais par le bas! Mais sur ce point, encore, Swann est d'une telle discrétion que la famille peut feindre d'en ignorer les implications. Car ce mariage, tout comme la vie mondaine de Swann, s'il était accepté, obligerait la famille à remettre en question l'idée *« un peu hindoue »* (16) qu'elle se fait de la société, divisée en castes imperméables les unes aux autres. Tout déclassement social en portant atteinte à ce dogme combraysien de la stratification de la société, représente un danger. Ce danger, Swann et la famille l'écartent d'un commun accord ; ils repoussent dans l'ombre toute la partie mondaine et demi-mondaine d'une existence qu'on peut alors prétendre connaître parfaitement.

C'est d'être, à ses propres yeux, la victime d'un déclassement social qui «tue» littéralement Vinteuil. Car lorsqu'il considère sa déchéance, il la mesure à l'aune sociale de Combray.

> Quand M. Vinteuil songeait à sa fille et à lui-même du point de vue du monde, du point de vue de leur réputation, quand il cherchait à se situer avec elle au rang qu'ils occupaient dans l'estime générale, alors ce jugement d'ordre social, il le portait exactement comme l'eût fait l'habitant de Combray qui lui eût été le plus hostile, il se voyait avec sa fille dans le dernier bas-fond.   (R I, 148)

Et pourtant, Vinteuil n'a jamais failli socialement. Son «péché», c'est d'être le père d'une fille dont le lesbianisme s'affirme triomphalement sur toutes les routes de Combray. Le domaine de la sexualité étant le seul que Combray s'interdit d'aborder directement, c'est par le biais du social que Vinteuil et sa fille sont condamnés.

Qu'il s'agisse du snobisme de Legrandin, des fréquentations hétéroclites de Swann, de la déchéance de Vinteuil, c'est toujours la cohérence de l'univers familial qui est visée ; cohérence qui, cette fois, n'est plus fonction du degré de structuration interne de la famille, mais du degré de structuration que la famille impose au monde extérieur. Cette cohérence, si Legrandin, Swann et Vinteuil ne réussissent finalement pas à l'ébranler, ce n'est pas tant parce que leurs écarts de la norme sociale sont sans gravité, mais parce que pour les juger, ils se réfèrent eux-mêmes à cette norme transgressée. Tous, en effet, se reconnaissent coupable, tous demandent l'aman social ! Sinon, comment expliquer leur honte, le soin qu'ils mettent à se cacher, à brouiller les pistes ? Mais ce faisant, ils tendent involontairement à la famille des verges pour les fustiger, les verges du ridicule. Legrandin forcé d' « *édifier toute une éthique de paysage et une géographie céleste de la basse Normandie* » (R I, 132) ; Swann se rabaissant lui-même en faisant rire de lui (17) ; Vinteuil poursuivi par les quolibets du Dr Percepied (147). Aucun n'est de taille, ou n'est prêt, à lutter avec la famille ; aucun ne peut donc mettre véritablement en danger l'unité familiale.

Et pourtant, cette unité, la famille brûle de la mettre à l'épreuve ; elle brûle de faire face à l'ennemi, un ennemi qui, cette fois, ne pourra venir que de l'extérieur puisque celui de l'intérieur s'est récusé. L'occasion est offerte le samedi. On sait que le samedi, le déjeuner est avancé d'une heure à Combray pour permettre à Françoise de se rendre au marché de Roussainville. Dans la vie «tranquille» de la petite société «fermée» de Combray, le retour de «*ce samedi asymétrique*» (*R* I, 110) apporte le seul imprévu. Il donne à la fin de la semaine une physionomie «*particulière, indulgente et assez sympathique*», sans pour autant trop bouleverser les habitudes familiales. Si ce samedi asymétrique est un accident, c'est un accident que la famille a incorporé à son terrain. Il n'introduit finalement dans l'uniformité des jours «*qu'une sorte d'uniformité secondaire*». Cependant, il donne à chacun l'occasion d'exprimer tout haut les sentiments de solidarité qui restent latents les autres jours de la semaine.

Dès le matin, avant d'être habillés, sans raison, pour le plaisir d'éprouver la force de la solidarité, on se disait les uns aux autres avec bonne humeur, avec cordialité, avec patriotisme : «Il n'y a pas de temps à perdre, n'oublions pas que c'est samedi». (*R* I, 110)

On s'amuse entre soi de la spécificité du samedi. Elle devient «*le thème favori des conversations, des plaisanteries, des récits exagérés à plaisir*» (*R* I, 110). Mais ce qui donne au samedi sa véritable dimension, c'est la présence du «barbare», c'est-à-dire du visiteur qui ignore le particularisme familial du samedi et qui tombe en plein milieu du déjeuner. L'étonnement de ce «barbare» déconcerté confirme agréablement la famille dans sa différence. Et bien que présentée dans sa forme singulative, l'irruption de l'étranger amuse tellement la famille que le récit de cet événement devient itératif. Répété, enjolivé, rallongé par Françoise qui s'en fait le hérault, il est intégré pour toujours à la «geste» familiale. Ce samedi mémorable, face à la menace extérieure, la famille a glorieusement éprouvé son unité !

Mais ce n'était finalement qu'une menace «pour rire». Le «barbare» anonyme n'était pas vraiment dangereux. Son ignorance du rite sabbathique et le patriotisme convaincu de la famille le plaçaient trop en position d'infériorité. Ridiculisé par le père, il ne doit son salut qu'à la fuite ! – et la famille de triompher !

Parfois, cependant, l'ennemi ne se montre pas aussi accommodant ; il arrive qu'il cherche à inverser les rôles. Alors, c'est lui qui attaque et c'est la famille qui se retrouve assiégée. Ainsi, lorsque le soir «*le double tintement timide, ovale et doré de la clochette pour les étrangers*» (*R* I, 14) résonne à l'improviste, c'est alors l'inconnu que ce tintement annonce qui possède l'avantage de la surprise ! La famille, elle, est plongée dans l'incertitude quant à l'identité de l'étranger. La grand-tante rassemble à la hâte ses

62

troupes dispersées ; une conversation générale à voix haute leur donne un semblant d'unité. On peut alors attendre avec un peu plus de confiance le retour de l'éclaireur qui, fait symptomatique, est toujours la grand-mère. Trop heureuse de «s'immoler» au salut de la famille, elle s'est portée volontaire ! Mais elle reviendra saine et sauve et l'ennemi sera finalement identifié en la personne d'un inoffensif voisin de campagne, M. Swann. Cependant, l'alerte a été chaude ! «*Nous restions tous suspendus aux nouvelles que ma grand'mère allait nous apporter de l'ennemi, comme si on eût pu hésiter entre un grand nombre possible d'assaillants et bientôt mon grand-père disait : «Je reconnais la voix de Swann».*» Encore une fois, il ne s'agissait donc que d'un jeu ! Toutes les suppositions familiales étaient donc gratuites ! La famille sait parfaitement qui vient lui rendre visite. Simplement, elle s'amuse à multiplier les hypothèses pour donner plus de réalité au simulacre de danger qu'elle met en scène. Avec un frisson de plaisir bon marché, la famille profite de la visite de Swann pour s'offrir le luxe d'éprouver son unité ; mais c'est à la manière des grandes manœuvres de l'armée qui «simulent» la guerre, en toute sécurité !

Cependant, il faudra bien qu'un jour, toute équivoque écartée, cette unité soit *réellement* mise à l'épreuve ; il faudra bien qu'un jour les fondements mêmes de l'ordre familial soient *réellement* attaqués. Dans *Combray*, cette tâche périlleuse et ingrate va revenir à Bloch.

À première vue, la présence de Bloch à Combray demeure inexplicable. S'il est, en effet, un personnage totalement étranger à l'univers combraysien, c'est bien lui. Tout l'en sépare, depuis sa race jusqu'à ses idées : il est juif et vit dans un monde d'absurdités prétentieuses. Et qui plus est, il s'en fait gloire ! Car, à la différence de Swann ou du «barbare», Bloch clame son indignité et ses péchés. Dans *Combray*, il est vraiment «l'irréductible», celui qu'on ne peut ni ignorer, ni récupérer, ni neutraliser. Comment se fait-il alors qu'il nous soit «donné» comme un personnage familier ? Car, dans *Combray*, Bloch est présenté simplement grâce à une association de pensées du héros. Celui-ci, on le sait, lisant Bergotte est tout naturellement amené à parler du camarade de classe qui lui a fait découvrir l'œuvre de cet écrivain. Cette justification ne semble pas satisfaisante. Stylistiquement maladroite, elle réduit Bloch à un rôle qui ne s'accorde pas avec la réalité. Dans *Combray*, pas plus que l'oncle Adolphe, Bloch n'est une simple « utilité », destinée à présenter Bergotte. Au contraire, le personnage de Bloch est indispensable à la structuration de l'univers familial. Non pas tant parce que la famille le rejette, mais parce que Bloch lui-même refuse de se soumettre à la loi, parce qu'il s'affirme obstinément et irréductiblement étranger. Avec Bloch, la famille est enfin confrontée à cet ennemi « absolu » à la fois recherché et redouté ; elle va devoir lutter pour sa survie et, ce faisant, elle dévoilera la véritable nature de son unité.

La famille n'apprécie guère la propension du héros à choisir ses amis en dehors de sa race et de son milieu. Mais, du moins, ces jeunes gens ont « la décence » de reconnaître leur double infériorité. Savamment « cuisinés » par le grand-père à l'humeur guerrière, ils finissent tous, en effet, par « avouer » non seulement leur juiverie mais aussi « *ce qu'il y avait quelquefois de fâcheux dans leur famille* » (*R* I, 91). Bloch, au contraire, s'avance à visage découvert ; il ne cherche en rien à cacher sa « tare » originelle ; il se sert de son nom comme d'un drapeau, au mépris de tous les usages de la guerre, du moins tels que les entend le grand-père ! Et non content de dénier le choix des armes à l'adversaire, Bloch porte le fer dans le camp même de celui-ci. Il ridiculise les croyances et les préjugés familiaux les plus sacrés avec une témérité que rien ne peut arrêter. Passe encore de contester la supériorité du père ! Il ne fait qu'agacer celui-ci en réduisant à un futile relevé de « *contingences physiques* » (92) le champ d'observation de la science, la météorologie, sur lequel cette supériorité est fondée. Passe aussi, avec peut-être moins de facilité, les larmes et les sanglots trop facilement versés ! Ils déplaisent pourtant à la grand-mère, sans doute parce qu'ils parodient les élans souvent exagérés de sa propre sensibilité. Passe enfin, mais au prix « du mécontentement général », l'impolitesse de l'invité qui se permet d'arriver pour déjeuner, sale et crotté, avec une grande heure de retard, et qui ne pense pas un instant à se faire excuser. Bien que tout cela soit difficilement acceptable, la famille pourrait encore pardonner ses péchés au juif téméraire ! Non ! Ce qui va entraîner la perte de Bloch, du moins s'il faut en croire le narrateur, c'est son incursion dans un domaine que la famille, on le sait, refuse même de nommer : la sexualité. Sexualité de la femme en général, d'abord, que Bloch fait découvrir au héros émerveillé en lui affirmant que « *toutes les femmes ne* [*pensent*] *qu'à l'amour* » (93), et donc à faire l'amour ; mais surtout, sexualité particulière et honteuse de la grand-tante du héros qui, selon Bloch, aurait monnayé son corps dans sa jeunesse. Ce genre de «vérité», le narrateur nous dit qu'à Combray il ne pouvait encore l'accepter. Où alors, il lui aurait fallu non seulement soupçonner l'intégrité morale d'une de ses parentes mais aussi de toute sa famille qui aurait couvert de tels égarements. La cohérence de son univers en aurait été irrémédiablement minée. Aussi, refusant d'être «déniaisé», le héros trahit son allié. Il rejoint le camp adverse auquel il rapporte les paroles de Bloch, lui offrant ainsi le moyen de se débarrasser définitivement de l'ennemi.

On l'aurait [*Bloch*] encore reçu à Combray, si après ce dîner, comme il venait de m'apprendre [...] que toutes les femmes ne pensaient qu'à l'amour et qu'il n'y en a pas dont on ne pût vaincre les résistances, il ne m'avait assuré avoir entendu dire de la façon la plus certaine que ma grand'tante avait eu une jeunesse orageuse et avait été publiquement entretenue. Je ne pus me retenir de répéter ces propos à mes parents, on le mit à la porte quand il revint et quand je l'abordai ensuite dans la rue, il fut extrêmement froid pour moi.   (*R* I, 93)

Il faut déjà[16] noter ici ce curieux penchant du héros qui le pousse à trahir ceux qui guident ses premiers pas dans un domaine où jusqu'ici il ne s'est aventuré qu'en solitaire. Sans doute, dans le cas de la visite à l'oncle Adolphe, le héros peut-il plaider l'irresponsabilité. Mais dans le cas de Bloch, peut-il vraiment arguer d'une vertueuse indignation? Et le mal étant fait, pourquoi encore l'aggraver? Avec l'oncle Adolphe aussi bien qu'avec Bloch puisque rencontrant le premier, il s'en détourne comme pour mieux le convaincre que la brouille familiale est définitive; tandis qu'il aborde, au contraire, le second comme pour mieux lui rappeler l'humiliation subie. Quelle que soit la réponse qu'on peut apporter à cette question, du point de vue envisagé ici, celui de la cohérence de l'univers familial, on peut affirmer que l'enfant se fait, sans doute inconsciemment, l'instrument de ses parents. Car, à travers les «gaffes» de leur fils, ceux-ci peuvent, en effet, faire comprendre à l'ennemi que toute réconciliation est impossible.

On peut s'étonner du rigorisme des parents. Alors qu'ils s'accommodent parfaitement de l'homosexualité de Mlle Vinteuil, ils condamnent violemment l'influence, pourtant bien moins pernicieuse, que des gens comme l'oncle Adolphe et Bloch peuvent

16. Voir *infra*, p. 144.

avoir sur la sexualité de leur enfant. C'est que cette prétendue rigueur morale n'est qu'un prétexte. En réalité, ce que les parents ne peuvent tolérer aux côtés de l'enfant, c'est la présence de «modèles» autres que ceux que la famille lui propose. Car en rivalisant avec les «dieux» familiaux, l'oncle Adolphe et Bloch menacent — et cette fois-ci de manière radicale — la cohérence de l'univers familial, et c'est pourquoi les parents s'acharnent tant sur eux.

La «proximité» de l'oncle Adolphe et surtout de Bloch font d'eux des «modèles» bien plus attirants pour le héros que les «divinités» de Combray. Celles-ci, pour citer à nouveau R. Girard, restent séparées du héros par *«une distance spirituelle infranchissable »* [17] qui ne laisse place qu'à une imitation servile. Jamais le héros ne pourra, en effet, se rapprocher suffisamment de ces divinités pour pouvoir espérer les connaître, encore moins pour pouvoir espérer s'y identifier. L'oncle Adolphe, lui, est au contraire un «modèle» bien plus accessible ; un «modèle» dans la familiarité duquel le héros pourrait vivre ; un «modèle» avec lequel il pourrait même entrer en rivalité. Car il ne faut pas s'y tromper. Si la narration nous fournit tant de renseignements sur les habitudes et les manies du vieil oncle — depuis son ancienne profession jusqu'à la «mécanique» de ses journées et à son mobilier — ce n'est pas uniquement pour donner plus de relief à la scène de la visite, ni pour mieux éclairer les rapports du vieux célibataire avec la «dame en rose». C'est surtout pour ramener le personnage de l'oncle Adolphe au niveau du quotidien, au niveau donc de l'intelligible, alors que le père du héros reste toujours au niveau de l'imprévisible. Ainsi, en l'oncle Adolphe, le héros pourrait retrouver cette figure du père qui, non seulement dans *Combray* mais dans toute la *Recherche*, fait si curieusement défaut. Détenteur de ce double «savoir» tant convoité par le héros — celui des actrices et celui des femmes — l'oncle Adolphe pourrait être, d'abord, un intercesseur et, ensuite, un rival idéal pour son neveu. On comprend mieux alors que bien des années plus tard Morel puisse encore le proposer comme «modèle» au héros alors que le père a depuis longtemps disparu de la vie de son fils sans y laisser la moindre trace. Mais pas plus que dans *Combray*, le héros ne se saisira de l'occasion.

Cette occasion de s'identifier à un «modèle», Bloch va la fournir au héros tout au long de la *Recherche*, malgré le congé

17. GIRARD, *Mensonge romantique...*, p. 203.

définitif que les parents lui auront signifié dès Combray. Bloch, c'est, au départ, l'habituel camarade de classe qu'on admire, dont on envie les connaissances, dont on s'entraîne à copier les tics. Mais pour le héros, c'est un personnage avec lequel il présente d'étranges ressemblances. Comme le héros, Bloch se laisse aller aux élans incontrôlés de sa sensibilité ; comme lui, il manque de volonté ; comme lui, il transgresse spontanément les « *règles de la morale bourgeoise* » (*R* I, 93). Ces inquiétantes similarités, les parents du héros ne sont pas long à les percevoir. Et c'est pourquoi ils veulent écarter Bloch car, comme dira le narrateur :

Ils auraient préféré pour moi à Bloch des compagnons qui ne me donne-raient pas plus qu'il n'est convenu d'accorder à ses amis, selon les règles de la morale bourgeoise ; qui ne m'enverraient pas inopinément une corbeille de fruits parce qu'ils auraient pensé à moi avec tendresse, mais qui, n'étant pas capables de faire pencher en ma faveur la juste balance des devoirs et des exigences de l'amitié sur un simple mouvement de leur imagination et de leur sensibilité, ne la fausseraient pas davantage à mon préjudice. (*R* I, 93)

Ce n'est donc pas finalement l'énormité des « révélations » de Bloch sur la vie scandaleuse de la grand-tante qui pousse les parents à débarrasser leur fils de cet ami encombrant ; mais la crainte de le voir adopter Bloch comme « modèle » privilégié. Car entre le héros et Bloch, la différence n'est que quantitative. Le second présente simplement un état plus avancé des tendances que les parents s'emploient avec ténacité à extirper chez le premier. Dans *Combray*, comme dans le reste de la *Recherche*, Bloch est bien ce « *jumeau indésirable* » dont parle M. Gutwirth[18], cette réincarnation du frère que Proust aura mis tant de temps à écarter de son œuvre.

C'est sans doute à la psychanalyse — et plus particulièrement à la psychobiographie — qu'il appartiendrait d'amener au jour les motivations qui poussèrent Proust à noyer dans la masse des per-sonnages familiaux, ou à supprimer de son œuvre, les figures du père et du frère, féminisant ainsi d'autant l'univers familial de *Combray*. C'est aussi à cette forme de critique littéraire qu'il re-viendrait d'expliciter l'ambiguïté d'une démarche qui, par le biais de l'oncle Adolphe et de Bloch, tend à redonner consistance à ces figures tout en cherchant en même temps à les maintenir constam-

---

18. GUTWIRTH, « Le Narrateur et son double », p. 926.

ment à distance. Mais il semble que la perspective adoptée dans ce chapitre permet, sans sortir de l'œuvre, de justifier, et la présence, et le rôle de l'oncle Adolphe et de Bloch dans *Combray*. Si notre démonstration est exacte, il apparaît, en effet, que ces deux personnages participent nécessairement à la structuration de l'univers familial. En s'érigeant en «modèles» rivaux, en opposant leur univers à l'univers de la famille, ils obligent cette dernière à la fois à renforcer son organisation relationnelle et à prendre conscience de la valeur significative des rôles et des rapports à partir dequels elle se fonde. Ils agissent donc tant au plan de la structure sociale qu'au plan de la représentation mentale que la famille se fait d'elle-même. Et leur action porte l'univers familial de *Combray* à son plus haut degré de cohérence interne.

Cohérence topographique, l'univers combraysien est donc aussi cohérence familiale. À la circularité de la petite ville correspond la circularité de la petite société familiale. À l'intérieur des limites que cette circularité lui assigne, chaque membre de la famille connaît son rôle et celui de tous les autres ; chacun cherche à renforcer, en soi et chez tous les autres, le sentiment d'appartenance à une communauté ; chacun sait qu'il participe, avec tous les autres, à la structuration d'un ensemble significatif. À cet ensemble, le pluralisme familial assure un équilibre en multipliant le nombre des parents exerçant des fonctions d'autorité, et en offrant à l'enfant qu'est le héros le moyen de rejoindre ses aînés. Sûre de son unité, la famille peut alors la célébrer pour son propre plaisir et pour le plaisir de la manifester aux yeux des étrangers ; étrangers avec lesquels elle s'amuse à engager des combats imaginaires jusqu'au jour où l'un d'eux la provoque réellement. De paisible, la petite société combraysienne se fait alors guerrière ; de limite, sa circularité devient séparation ; de démocratique, son ordre se fait tyrannique. Ainsi se forge au feu de la menace extérieure la cohérence interne de l'univers familial de Combray. Cet univers où chacun est connu, où chacun est protégé de l'inconnu, est donc bien retrouvé par le narrateur comme une «cohérence salutaire». D'abord parce qu'il est régi par un ordre qui fait vivre ceux qui s'y soumettent dans la répétition, le rituel, le non-événementiel des peuples heureux ; mais aussi parce qu'il impose un ordre au monde, parce qu'il en propose une explication. Combray, avons-nous écrit précédemment, est non seulement protection mais explication; il est, en effet, «*une vision commune à tous les membres de la famille*»[19], c'est-à-dire une vision du monde.

19. GIRARD, *Mensonge romantique...*, p. 197.

IV

L'OBJECTIVISME COMBRAYSIEN

L'UNIVERS combraysien n'est ni le royaume du solipsisme, ni le royaume du « *mensonge organique* »[1] qui falsifie inconsciemment la perception de la réalité. À Combray, les choses et les êtres sont bien perçus dans leur réalité ; ils sont observés avec la plus grande curiosité ; les signes qu'ils émettent sont longuement commentés et déchiffrés. Le père du héros devant son baromètre et la tante Léonie derrière sa vitre en font suffisamment la preuve : c'est avec une même attention passionnée que l'un et l'autre se penchent sur la réalité et s'emploient à en interpréter les signes. Et pourtant, il semble que parfois Combray ne réussit même pas à percevoir la réalité : malgré le nombre imposant de démentis qui lui sont infligés, Eulalie continue inlassablement à appeler Mme Sazerat « *Mme Sazerin* » (R I, 10) ; des pans entiers de la conversation échappent aux deux vieilles filles bien que tous les moyens soient utilisés pour solliciter leur attention. Ou bien encore, la réalité n'est que difficilement perçue : pendant plusieurs années, la mère du héros ne *voit* pas qu'une de ses nièces met du rouge aux lèvres. Parfois aussi, c'est le sens à donner aux signes qui n'est découvert qu'à grand peine : la famille hésite longtemps à « reconnaître » les signes du snobisme dans la conduite de Legrandin. Parfois enfin, bien que le sens à donner aux signes ait été parfaitement dégagé, il est purement et simplement refusé : rien ne peut convaincre Combray de la mondanité de Swann.

1. GIRARD, *Mensonge romantique...*, pp. 200-1.

Certaines de ces défaillances nous paraissent assez faciles à expliquer. Si la réalité n'est pas perçue, ce n'est pas par solipsisme, c'est parce qu'elle est consciemment et obstinément refusée. Eulalie n'est ni sourde ni idiote! mais pour cette ancienne domestique, ne pas prononcer le nom de Mme Sazerat comme tout le monde, c'est affirmer son indépendance. Le maître d'hôtel du héros, pendant la guerre n'usera pas autrement de ce droit reconnu à tout bon Français de Saint-André-des-Champs, en déformant sciemment le mot « *envergure* » (*R* III, 842). C'est ce même refus conscient de la réalité, mais pour un motif plus « noble »! qui conduit les deux vieilles filles à se boucher volontairement les oreilles quand la conversation prend « *un ton frivole ou seulement terre à terre* » (I, 21-2) même si à force de mettre leur sens auditif en repos, elles finissent par lui faire subir « *un véritable commencement d'atrophie* ». Ce n'est pas, par contre, parce que la mère du héros se ferme délibérément les yeux qu'elle ne voit pas le rouge à lèvres de sa nièce ; en toute honnêteté, elle n'en perçoit pas la présence, pas plus que s'il avait été « *invisiblement dissous dans un liquide* » (433). Et ce qui l'en empêche, c'est l'habitude qu'elle a de sa parente, l'idée qu'elle se fait de celle-ci.

Même l'acte si simple que nous appelons voir une personne que nous connaissons est en partie un acte intellectuel. Nous remplissons l'apparence physique de l'être que nous voyons de toutes les notions que nous avons sur lui, et dans l'aspect total que nous nous représentons, ces notions ont certainement la plus grande part. Elles finissent par gonfler si parfaitement les joues, par suivre en une adhérence si exacte la ligne du nez, elles se mêlent si bien de nuancer la sonorité de la voix, comme si celle-ci n'était qu'une transparente enveloppe, que ce sont ces notions que nous retrouvons, que nous écoutons.   (*R* I, 19)

L'image que la mère du héros se fait de sa nièce, à partir de toutes les notions qu'elle peut en avoir, n'a rien de commun avec l'image qu'elle se fait des femmes qui se fardent les lèvres. Elle ne peut donc imaginer que sa jeune parente fasse de même ; ce rouge à lèvres est une réalité qui appartient à un autre monde. Il faudra plusieurs années pour qu'en se répétant, cette réalité prenne une force d'attraction suffisante pour retenir l'attention de la mère. Alors, ce rouge à lèvres s'imposera soudain avec une évidence aveuglante ; pour compenser sa cécité passée, la mère ne verra plus que lui ; il investira toute la personnalité de la nièce coupable qui rejoindra désormais le camp des femmes qui se maquillent, des femmes «de mauvaise vie» qu'il est naturellement impossible de fréquenter : la «*mère devant cette débauche soudaine de couleurs déclara, comme on eût fait à Combray, que c'était une honte, et cessa presque toute relation avec sa nièce*» (*R* I, 433). Enfin perçue et reconnue, la réalité ne sera donc pas rejetée mais, au contraire, intégrée. Simplement, il aura fallu du temps pour qu'elle triomphe de l'habitude.

Le cas de Legrandin est plus complexe. «*Grand, avec une belle tournure, un visage pensif et fin aux longues moustaches blondes, au regard bleu et désenchanté, d'une politesse raffinée, causeur comme nous n'en avions jamais entendu*» (*R* I, 67), Legrandin, tel que le narrateur le décrit dans *Combray*, émet des signes auxquels il donne un sens que Combray perçoit parfaitement et qui le font apparaître comme un «*homme d'élite, prenant la vie de la façon la plus noble et la plus délicate*». Aux yeux de la famille admirative, il en incarnera donc le type. Seule la grand-mère − mais n'est-elle pas toujours d'un autre avis! − remarque bien un certain désaccord entre ces signes, entre la conversation si élevée de Legrandin et l'ostensible simplicité de ses vêtements, entre ses tirades enflammées contre l'aristocratie et ses affirmations trop souvent réitérées d'indépendance mondaine. Mais ignorant totalement ce que peut être l'ambition sociale, il n'est pas étonnant que la grand-mère ne réussisse pas à déceler la cause de ces ambiguïtés. Cette cause que rien ne pouvait donc laisser prévoir, la famille va pourtant finir par la découvrir. Car soudain, Legrandin va se livrer à des actes tout à fait imprévus pour un homme tel que lui. Héberluée, ne sachant que penser, la famille va d'abord se perdre en conjectures sur le sens à donner à ces signes incongrus ; ensuite, ces signes se répétant, la famille va se croire le jouet d'une illusion. L'attitude de Legrandin lui apparaît, en effet :

[...] comme toute attitude ou action où se révèle le caractère profond et caché de quelqu'un ; elle ne se relie pas à ses paroles antérieures, nous ne pouvons la faire confirmer par le témoignage du coupable qui n'avouera pas ; nous en sommes réduits à celui de nos sens dont nous nous demandons devant ce souvenir isolé et incohérent, s'ils n'ont pas été le jouet d'une illusion.   (*R* I, 126)

Mais cette incrédulité n'aura qu'un temps et il faudra que la famille se rende à l'évidence : les actes de Legrandin étaient bien les signes de la réalité dont elle pressentait l'existence, réalité qu'il lui faut alors accepter là où elle l'attendait le moins, chez Legrandin. Désormais, ce personnage prend une dimension nouvelle aux yeux de Combray. Ayant reconnu le snobisme, la famille saura en lire les signes chaque fois qu'elle les rencontrera chez Legrandin.

Quant à Swann, son cas pose un problème. À Combray, on « connaît » Swann depuis toujours : on « sait » qui était son père, on « sait » quel est le montant plus ou moins exact de sa fortune, on « sait » quelles peuvent être ses fréquentations. Chaque fois qu'on retrouve cet ami de tout temps, on retrouve donc avec « *quelques souvenirs relatifs à ses parents* » (*R* I, 19), le souvenir « *des heures oisives passées ensemble après* [*les*] *dîners hebdomadaires autour de la table de jeu ou au jardin* », le souvenir de toute une vie de « *bon voisinage campagnard* ». Sans doute, on « sait » aussi sur Swann des choses moins reluisantes : un domicile parisien dans un quartier mal famé, des amitiés disparates, un mariage déplacé, une fille naturelle. Mais s'il arrive qu'on mentionne ces « erreurs », c'est surtout pour les déplorer car on apprécie Swann. Tout au plus affectent-elles d'un signe légèrement négatif le « *coefficient social* » (16) que la famille attribue à Swann. Coefficient dont elle considère, par ailleurs, ne pas avoir à douter car il a été calculé à partir d'un « savoir » indiscutable, « savoir » authentifié par les données irrécusables de l'hérédité, par la mémoire toujours vivace d'un passé vécu en commun, par l'expérience renouvelée d'un présent pris dans le réseau des relations d'amitié. Et pourtant, certains signes sur le sens desquels la famille ne peut se tromper devraient normalement la pousser à réfléchir. Swann, comme elle l'apprend au cours des années, dînerait chez des princesses, connaîtrait la marquise de Villeparisis, serait le familier du duc d'Audiffret-Pasquier, posséderait une réputation de collectionneur distingué. Sans doute tous ces signes n'offrent-ils pas la même garantie de crédibilité. Certains peuvent, en effet, paraître fort sujet à caution : comment croire les ragots d'une cuisinière et d'un cocher ? Comment accorder le moindre crédit aux propos contradictoires d'une vieille dame comme la grand-mère qui de son propre aveu n'a aucun sens des distinctions sociales ? Plus troublants sont les faits rapportés par la presse. Ce sont des signes qu'on ne peut récuser aussi facilement ; leur sens est parfaitement clair et oblige à conclure au bon goût et à la mondanité de Swann. Et pourtant, la famille choisit de récuser ce sens qui lui « crève les yeux », et de s'en tenir une fois pour toutes à l'opinion qu'elle s'est formée.

74

Malgré la multiplication des signes, Combray refuse donc d'accepter et ce bon goût et cette mondanité. Swann reste toujours à ses yeux le fils de «M. Swann, le père», agent de change et bon bourgeois de Paris, amateur d'art et collectionneur peu éclairé.

On voit donc que, dans *Combray*, le cas de Swann fait problème. Comment expliquer, en effet, ce refus obstiné d'admettre la réalité? Pourquoi nier le goût et la mondanité de Swann? Pourquoi en interpréter les signes de façon aussi erronée? C'est, dit R. Girard, parce que la «vérité» de Swann ne peut pénétrer à Combray. Elle contredirait trop *« les croyances de la famille et son sens des hiérarchies bourgeoises »*[2]. Elle mettrait en danger le système de valeurs sur lequel est fondée la représentation que Combray se fait de la société. Ce serait donc pour se protéger que Combray nierait la mondanité de Swann. Et ce refus, dit encore R. Girard, ne serait ni conscient, ni raisonné, mais serait, au contraire, un réflexe d'auto-défense agissant au niveau même de la perception de la réalité. Réflexe qui correspondrait à ce que M. Scheler appelle *« le mensonge organique »* selon lequel, d'après la définition qu'en donne R. Girard, *« la falsification de l'expérience ne se fait pas consciemment, comme dans le simple mensonge, mais avant toute expérience consciente, dès l'élaboration des représentations et des sentiments de valeur »*[3]. Les faits, les signes peuvent bien alors se multiplier, la mondanité de Swann devenir de plus en plus évidente, rien ne modifiera l'idée que la famille se fait de Swann. Car, conclut R. Girard en citant Proust, *« les faits ne pénètrent pas dans le monde où vivent nos croyances »* (*R* I, 148).

Malheureusement cette explication ne paraît pas satisfaisante. Car la «vérité» de Swann n'est pas plus dangereuse pour Combray que la «vérité» de Legrandin. Le snobisme de ce dernier mine, en effet, tout autant les fondements de la vision sociale de Combray que ne le fait la mondanité du premier. Fréquenter les duchesses ou vouloir les fréquenter, c'est toujours transgresser les «hiérarchies bourgeoises». Pourquoi faut-il alors que Combray réserve à la conduite de ces deux personnages un traitement diamétralement opposé? Pourquoi faut-il que des signes sur le sens desquels il n'y a pas lieu raisonnablement de douter soient écartés, alors que des signes de même nature mais dont le sens est resté longtemps incer-

2. *Ibid.*, p. 200.
3. *Ibid.*

tain sont finalement intégrés? Pourquoi faut-il que Combray rejette la mondanité de Swann et accepte le snobisme de Legrandin? L'un et l'autre constituant le même danger, ce ne peut être parce que Combray choisit, même inconsciemment, parmi les «vérités» qui lui semblent bonnes à dire. Contrairement à ce que pense R. Girard, ce n'est pas au niveau de la perception de la réalité qu'il faut se placer pour résoudre le problème que pose la mondanité de Swann et son rejet, mais au niveau de l'interprétation des signes, du sens à leur donner. Combray ne refuse pas la «vérité» de Swann parce qu'elle le gêne; mais parce qu'il fait des signes de la réalité une lecture qu'on peut qualifier, d'un terme emprunté à G. Deleuze[4], d'*objectiviste*.

Pour Combray, le signe est toujours produit intentionnellement, le signe est toujours émis en vue de communiquer une certaine «vérité»; le sens à donner au signe ne peut être autre que celui que *l'objet* qui émet le signe a voulu lui-même lui donner; pour Combray, l'objet garde l'entière possession du signe, sous son double aspect de signifiant et de signifié. Rapporter le signe à l'objet qui l'émet, s'adresser à cet objet pour connaître le sens du signe, revenir sans cesse à l'objet, est alors la seule démarche que Combray juge possible pour lire les signes de la réalité. Et c'est d'abord en ce sens que l'on peut dire que Combray est *objectiviste*.

En colorant son regard de désenchantement, en imprégnant son visage de pensées profondes, en portant une lavalière qui flotte au vent et un petit veston tout droit d'écolier, en déclamant contre le snobisme, Legrandin veut faire croire à Combray qu'il appartient à cette classe d'hommes qui ont renoncé aux vaines ambitions du monde; Legrandin impose aux signes qu'il émet le sens qui lui convient. Reconnaissant son intention, Combray le range donc dans la catégorie qui lui est indiquée. En continuant à fréquenter fidèlement la famille comme le faisait son père, en refusant de participer aux conversations élevées des deux vieilles filles, en se dépréciant lui-même aux yeux de la grand-tante, Swann signale à Combray qu'il n'est rien d'autre qu'un bon voisin de campagne sans prétentions. La famille le traitera donc familièrement comme tel. Que survienne un signe discordant, quoi de plus naturel alors que Combray demande à l'objet s'il a bien émis ce signe; qu'il demande à cet objet de l'éclairer sur le sens qu'il a voulu donner au signe;

4. DELEUZE, *P. signes*, p. 35.

76

qu'il lui demande encore de lui confirmer le sens qu'il croit déceler dans le signe; qu'il confronte ce signe discordant à l'objet tel qu'il se définit par l'ensemble des signes qu'il émet d'habitude; qu'il fasse, enfin, du signe une lecture *objectiviste*. Et c'est cette lecture qui permet d'expliquer la différence de traitement que Combray réserve aux signes du snobisme de Legrandin et aux signes de la mondanité chez Swann.

L'objectivisme considérant le signe comme un signal, ce qui lui importe avant tout de vérifier auprès de l'objet même, c'est l'intentionnalité; c'est le lien «naturel» qui unit le signifié au signifiant. Or sur ce point, la conduite de Legrandin ne peut laisser aucun doute : c'est bien intentionnellement que Legrandin «coupe» le père du héros, même si par des signes contraires il cherche à voiler son intention. Par trois fois, avec une intensité croissante, Legrandin émet donc ce qui pour *l'objectivisme* combraysien est sans contredit un signe. Car non seulement Legrandin ne peut nier être à l'origine du signe, mais il ne peut nier non plus l'avoir émis intentionnellement. Sans doute n'avouera-t-il jamais ouvertement mais il aura quand même indiqué lui-même à la famille le sens à donner à son comportement. Les circonstances aidant, la famille reconnaîtra donc le snobisme en Legrandin. Seul le père du héros, plus *objectiviste* que les autres, continuera à «interroger» inlassablement Legrandin afin de lui faire avouer son snobisme, afin d'obtenir de l'objet même la certitude dont il a besoin pour être convaincu.

Cette certitude, jamais la famille ne l'obtiendra de Swann, bien au contraire. Sans doute les collections de Swann, ses belles relations peuvent se lire comme autant d'indices produits intentionnellement. Mais pas en direction de la famille, pas en direction du monde auquel elle appartient. Ces signes qui renvoient au bon goût, à la mondanité, ne sont pas destinés à Combray. S'ils l'atteignent, ce ne peut être que par inadvertance; Swann lui-même n'y est pour rien. Ce n'était pas à la famille qu'il entendait faire signe. Cependant, ce manque d'intentionnalité déclarée à son égard ne gênerait qu'à moitié la famille et ne l'empêcherait pas de «reconnaître» la «vérité» si seulement Swann voulait bien lui-même la lui confirmer. Or, on sait qu'il s'y refuse obstinément. Non seulement il se retranche derrière «*un silence presque désobligeant*» (*R* I, 17) chaque fois qu'on l'y invite, mais il fait tout pour infirmer le sens à donner aux signes. Comment alors attribuer à l'objet des signes qui, notons-le encore une fois, sont tous des faits «rapportés», qui n'atteignent la famille que de façon détournée? Comment vérifier l'intentionnalité de ces signes, et leurs signifiés, auprès d'un objet qui se dérobe? Ce ne peut être qu'en confrontant ces signes à l'objet tel qu'il apparaît d'habitude, c'est-à-dire tel qu'il se définit par l'ensemble des signes qu'il émet intentionnellement. Et on sait que la personnalité combraysienne de Swann est en contradiction totale avec ce goût éclairé que lui prêtent les journaux, cette mondanité, auxquels certains signes sont censés renvoyer. La famille peut donc à bon droit écarter des signifiés que rien, ni personne, et surtout pas Swann, ne vient confirmer. Elle peut donc à bon droit interpréter les signes à la «lumière» de ce qu'elle «sait» de Swann. Celui-ci ne gagnera rien à fréquenter des nobles; au contraire, ce sont ces nobles qui, à connaître Swann, verront aux yeux de Combray leur «coefficient social» baisser d'autant. Swann ne devient pas plus mondain pour être l'ami de la fameuse marquise de Villeparisis; c'est elle qui perd de son lustre et de sa grandeur.

Si cette analyse est exacte, Combray ne nie donc pas la mondanité de Swann parce que cette mondanité menace son sens des «valeurs bourgeoises»; mais parce que son *objectivisme* ne lui permet pas d'en interpréter les signes. N'ayant pu établir en l'objet même l'origine indéniable des signes qui lui parviennent, n'ayant pu obtenir de l'objet confirmation du sens à leur donner, n'ayant pu découvrir une intentionnalité, il est alors normal que *l'objectivisme* combraysien récuse une mondanité qui va à l'encontre de tout ce que Swann lui a révélé sur lui-même et de lui-même. Si, comme le veut Proust, «*les faits ne pénètrent pas dans le monde où vivent nos croyances*» (*R* I, 148), encore faut-il ajouter que ce monde est celui de la croyance *objectiviste*. Si Combray ne «reconnaît» pas la mondanité de Swann, il ne faut pas l'en blâmer, mais blâmer l'objet car c'est lui qui a «failli» à son rôle.

Pour *l'objectivisme*, ce rôle de l'objet ne se borne pas d'ailleurs à énoncer lui-même le sens à donner aux signes qu'il émet; il consiste également à en révéler la signification, terme auquel nous donnons ici le sens de procès psychologique fondé sur la valeur émotionnelle du signe. Car nous ne restons pas insensible aux signes, nous réagissons à leur appel, ils retentissent en nous. Et l'impression que suscitent en nous la réalité et ses signes, que ce soit le spectacle de la nature, de la société, l'amour, l'art même, cette impression, dit Proust, est double : « [...] *à demi engainée dans l'objet et prolongée en nous-même par une autre moitié que seul nous pourrions connaître* » (*R* III, 891). C'est cette seconde moitié qui est l'impression même, c'est à elle seule que nous devons nous attacher, c'est elle seule qui creuse en nous un «petit sillon» qu'il nous faut tâcher d'approfondir. Elle seule peut nous donner à apprendre, elle seule peut nous conduire à la découverte de la vérité. Apprendre à lire les signes, à les déchiffrer en nous-même, chercher la vérité, tel doit être alors l'œuvre de notre vie. Œuvre longue et contraignante car les signes ne se laissent pas facilement pénétrer ; œuvre souvent décevante et pénible car elle nous fait perdre bien des illusions et nous fait toucher du doigt de douloureuses vérités ; mais œuvre essentielle car elle seule peut justifier notre vie et nous apporter finalement le bonheur. À cette œuvre, nous ne nous donnons pas volontairement ; tout nous conduit, au contraire, à nous en détourner : la paresse intellectuelle, l'habitude et même l'intelligence. Ce n'est que sous la contrainte, lorsque le signe nous fait violence, lorsqu'il nous force à réagir que nous acceptons de nous livrer alors à cette tâche d'intériorisation. C'est parce que la madeleine, la petite phrase de Vinteuil, les pavés de l'hôtel de Guermantes *s'imposent* comme autant de signes au héros que celui-ci répond à leur appel, cherche à les déchiffrer, à atteindre la vérité qu'ils recouvrent. Mais ce sont là des moments privilégiés sur lesquels il faut savoir — et vouloir — s'arrêter. Or, tout nous pousse à faire le contraire : notre vie mondaine, nos amours, nos travaux. Au dur effort d'interprétation personnel que requiert de nous le signe pour dévoiler sa vérité, nous préférons les solutions de facilité. Nous abandonnons trois arbres au bord de la route et nous ne saurons jamais à quoi pouvaient correspondre les signes qu'ils nous faisaient. Nous nous contentons de rapporter le signe à un code dont la grille nous a été fournie par autrui ; nous «savons» alors ce que le signe signifie mais cette «vérité» nous a été donnée. Elle ne relève jamais que du domaine du possible et du contingent. Nous associons le signe à d'autres signes plus complexes en un jeu subjectif qui peut nous offrir un plaisir subtil mais qui ne nous rapproche en rien de la vérité. Enfin, nous allons tout simplement demander à l'objet de nous révéler la vérité du signe qu'il émet, nous nous laissons aller à la tentation de *l'objectivisme*. Alors, nous laissons de côté cette seconde moitié de l'impression dont parle Proust, en prétendant qu'elle est «inexprimable», et nous nous occupons uniquement de la première moitié, celle qui reste enclose en l'objet, celle que nous pouvons donc retrouver à volonté. Nous nous rejouons la symphonie, nous allons revoir l'église, que nous avons aimés. Nous faisons de ces objets le dépositaire de l'impression qu'ils ont suscitée en nous, nous leur dédions notre plaisir. Nous accordons à l'objet l'entière possession de ses signes.

Or, le signe, dit G. Deleuze dans son étude sur Proust, a comme l'impression, deux moitiés : l'une qui appartient à l'objet qui émet le signe, l'autre qui lui reste étrangère. Le signe indique donc deux directions : il renvoie à l'objet, il le désigne ; il trace en nous un chemin, il signifie pour nous quelque chose qui n'est pas dans l'objet, quelque chose de différent de l'objet. Par sa saveur, la madeleine contient bien le signe qu'elle émet, cette saveur étrange désigne bien le petit gâteau ; mais le monde de l'enfance auquel ce signe renvoie, ce n'est pas dans la madeleine mais au plus profond de lui-même que le héros va le retrouver. Le nom de Swann sur lequel rêve le héros amoureux de Gilberte désigne bien l'être qui porte ce nom ; mais le « *charme douloureux* » (*R* I, 401) dont le héros investit ce nom, ce n'est ni le corps de Swann, ni ses vêtements qui le contiennent. Ce que le signe signifie, c'est donc en dehors de l'objet que nous devons le chercher et c'est là justement ce que nous ne faisons pas. Car notre croyance la plus naturelle, dit G. Deleuze, c'est « *d'attribuer à l'objet les signes dont il est le porteur* »[5], c'est de penser que l'objet lui-même « *a le secret du signe qu'il émet* », c'est de croire à l'univocité. Nous demandons alors à l'objet la signification de ses signes, bien qu'il n'en possède tout au plus que le signifié. Comme Combray, nous faisons de la réalité et de ses signes une lecture *objectiviste*.

Pour Combray, en effet, il est inutile de vouloir intérioriser les signes, « *d'en mûrir lentement des équivalents dans son propre cœur* » (*R* I, 146), de s'attacher à la seconde moitié de l'impression dont parle Proust. Tout ce que les signes peuvent nous apprendre est inclus dans l'objet ; c'est lui seul qu'il importe de considérer. C'est pourquoi les deux vieilles filles, dans leur *objectivisme* fruste et naïf, croient qu'il faut mettre devant les enfants, dès leur plus jeune âge, les « grandes œuvres » de l'esprit humain ; ils ne pourront manquer d'en remarquer les mérites esthétiques puisque ceux-ci sont

5. *Ibid.*

pour elles « *comme des objets matériels qu'un œil ouvert ne peut faire autrement que de percevoir* », puisque les signes de l'art s'incarnent matériellement dans l'objet même. C'est pourquoi la grand-mère aime tant les romans champêtres de George Sand, les meubles anciens et le clocher de Saint-Hilaire. Elle attribue aux expressions démodées des uns, aux boiseries et à l'architecture des autres les impressions que ces objets lui font éprouver. Aussi, pour elle, les objets peuvent-ils exercer « *une heureuse influence* » (41). C'est pourquoi, également, le père du héros s'intéresse tellement à la météorologie, science qui déchiffre et transcrit « exactement » les signes du temps. C'est pourquoi, enfin, Combray donne à la nourriture une place si importante. De tous les éléments de la réalité, de tous les objets, l'aliment est celui qui donne le plus l'impression de receler le secret de ses signes. Crèmes au chocolat, fromages blancs, poulets, tous semblent inclure dans leur matérialité même les impressions qu'ils nous suggèrent. Bien des années après Combray, le héros se laissera encore aller, mais pour un bref instant, à cette illusion *objectiviste* que peut procurer l'aliment : il reprendra plusieurs fois d'une même cuillerée de thé où trempe un morceau de madeleine dans l'espoir d'y trouver l'origine du plaisir qu'il vient d'éprouver. L'aliment est aussi l'objet auquel on peut le plus facilement attribuer le bénéfice des vérités qu'il nous fait découvrir. Dans les « Journées de lecture », la grand-tante n'exerce sa perspicacité que sur les plats du déjeuner. Ils n'appartiennent pas, pour elle, comme la poésie ou le roman au « *domaine flottant du caprice où le goût d'un seul ne peut pas fixer la vérité* » (*PM*, 162). Ces plats sont, au contraire, des objets qui renferment en eux-mêmes « *une idée juste de la perfection* », qui sont donc à la fois source et explication de l'impression.

Combray n'est donc ni le royaume du solipsisme, ni celui du « mensonge organique » ; il est le royaume de *l'objectivisme*. Combray a, en effet, la passion de l'objet : c'est toujours à lui qu'il rapporte les signes, pour en connaître les signifiés, pour en découvrir les significations. C'est bien l'objet qui est au centre de l'univers combraysien ; et c'est bien *l'objectivisme* qui structure la vision du monde de Combray.

Car *l'objectivisme* appréhende tous les aspects de la réalité, il « *n'épargne aucune espèce de signes* »[6]. Et si *l'objectivisme*

6. *Ibid.*, p. 37.

peut être ainsi ce principe unique d'explication du monde, c'est qu'à tous les niveaux de cette explication, il fait appel à des facultés pour lesquelles l'objet garde une importance primordiale. La perception, la mémoire volontaire, l'intelligence, toutes sont en effet des facultés qui attribuent à l'objet la possession de ses signes ; toutes visent à «l'objectivité». Aussi sont-elles les facultés auxquelles Combray accorde la primauté, dont il se sert pour appréhender et expliquer le monde.

Observer la réalité, on le sait, est la grande affaire de Combray ; la tante Léonie y passe le plus clair de sa vie et pour y réussir, elle choisit la vue, ce sens qui se prétend le plus «objectif». Connaître la réalité, la nommer, est une autre tâche tout aussi essentielle pour Combray. Même un chien ne doit pas rester inconnu! Mais pour connaître avec «objectivité», il faut pouvoir comparer, il faut garder le souvenir de tous les éléments de la réalité. La mémoire volontaire est là pour y aider car, dit avec raison G. Deleuze, elle se souvient des choses et non des signes ; elle se souvient de tout ce que lui a «appris» l'objet, non de ce que les signes peuvent donner à apprendre. Pour Combray, connaître, c'est donc toujours «reconnaître» ; si Combray «voit» les êtres et les choses, il ne les «découvre» pas. Perçue et reconnue, la réalité doit être aussi définie, expliquée. Combray n'aime ni les situations fausses, ni les signes incertains, ni les opinions subjectives. Il fait donc confiance à l'intelligence qui dégage des signifiés clairs, des significations inaltérables, qui découvre des «vérités» accessibles à tous et donc toujours communicables. Ainsi se crée un fonds commun de «vérités» — vérités archétypales de Combray — à l'élaboration desquelles tout être de bonne volonté, c'est-à-dire tout être qui se soumet aux lois de *l'objectivisme*, est appelé à participer. Car, à Combray, la découverte de la «vérité» n'est jamais le fruit d'un travail solitaire ; elle est, au contraire, le résultat d'un effort concerté. Que survienne, par exemple, un de ces faits incompréhensibles qui plaisent tant à Combray, et la tante Léonie, et Françoise se livrent ensemble à de savantes recherches. Pour les événements d'une exceptionnelle gravité, c'est toute la famille qui est mise à contribution, qui s'attelle à la tâche ; ainsi l'étrange conduite de Legrandin qui donne lieu à un véritable « *conseil de famille* » (*R* I, 120). Et dans ce concert, dans cette marche commune vers la «vérité», chacun est invité à donner son avis, à chacun est reconnu un domaine particulier de compétences.

C'est au père qu'il revient d'analyser le temps qu'il fait, d'organiser le paysage, de formuler la «vérité» de ces éléments de la réalité sensible dont les signes ont une matérialité qui les rend particulièrement «lisibles» au plus *objectiviste* des Combraysiens. Le père prédit le temps à partir des réponses du baromètre mais aussi, ironie, à partir des réponses beaucoup plus subjectives du jardinier. Comme Dieu le Père sépare la mer de la terre, le père divise, et enclôt le paysage en deux «côtés», attribuant à chacun une telle spécificité que celle-ci déterminera jusqu'au *Temps retrouvé* l'idée que le héros se fera de la topographie des environs de Combray.

Comme mon père parlait toujours du côté de Méséglise comme de la plus belle vue de la plaine qu'il connût et du côté de Guermantes comme du type de paysage de rivière, je leur donnais, en les concevant ainsi comme deux entités, cette cohésion, cette unité qui n'appartiennent qu'aux créations de notre esprit. (*R* I, 134)

Grand organisateur de l'espace combraysien, c'est aussi au père qu'il appartient de guider les pas de la famille dans la découverte de cet espace ; c'est lui qui établit l'itinéraire des promenades familiales. Elles lui donnent l'occasion de déployer un génie stratégique dans lequel L. Bolle voit un symbole de ce génie stratégique dont fera preuve l'auteur de la *Recherche* «*lequel dominera* toutes *les voies de communication de son Œuvre*» [7], comme le père domine le réseau des rues de Combray et des sentiers des environs. Enfin, alors que la famille égarée, épuisée, voit se dissoudre dangereusement l'espace autour d'elle, c'est le père qui le rétablit dans sa fixité rassurante, retrouvant dans le dédale des rues «*la petite porte de derrière* [du] *jardin* [...] *venue avec le coin de la rue du Saint-Esprit* [...] *attendre au bout* [des] *chemins inconnus*» (115). Au royaume de *l'objectivisme* combraysien, le père est donc bien le «Maître» de l'objet spatial, celui qui sait en lire les signes, qui en connaît les secrets. Sachant s'orienter, il est aussi celui qui peut orienter : malgré ses inconsistances, même aux yeux de l'enfant, le père est le «Guide», celui qui indique les raccourcis et les voies de traverses, conduisant non seulement aux lieux familiers, mais à la réussite «objective», et peut-être aussi, symboliquement, aux souvenirs perdus dans le temps.

7. BOLLE, *P. complexe d'Argus*, p. 85.

La grand-tante, elle, s'érige en «jalouse gardienne» de la société et de ses frontières. Mais d'une société dont elle limite le domaine à l'extrême et de frontières qu'elle transforme en barrières quasi infranchissables. Car, à l'instar des bourgeois de son temps, elle se fait de la société *« une idée un peu hindoue »* (*R* I, 16) la considérant :

[...] comme composée de castes fermées où chacun, dès sa naissance, se trouvait placé dans le rang qu'occupaient ses parents, et d'où rien, à moins des hasards d'une carrière exceptionnelle ou d'un mariage inespéré, ne pouvait vous tirer pour vous faire pénétrer dans une caste supérieure.   (*R* I, 16)

Et encore faut-il noter qu'aux yeux de la grand-tante, une brillante alliance n'est pas toujours une bénédiction, à preuve ce fils d'un ami de la famille qui, ayant épousé une altesse, s'en trouve rabaissé *« du rang respecté de fils d'un notaire à celui d'un de ces aventuriers, anciens valets de chambre ou garçons d'écuries pour qui on raconte que les reines eurent parfois des bontés »* (21). Ce sont donc uniquement les membres de la caste à laquelle elle-même appartient, qui sont les seuls objets sociaux que la grand-tante accepte de prendre en considération ; ce sont donc uniquement les signes qu'ils émettent qui retiennent son attention. Mais loin de se perdre à leur propos en distinctions oiseuses et insaisissables, comme peut le faire Françoise dans son propre domaine, la grand-tante les étudie et les interprète en fonction de cette donnée de la réalité sociale, qui, à ses yeux, est la seule à être pleinement «objective» : l'argent. C'est pourquoi dans *Combray*, chacun est «chiffré». À peine le nom d'Eulalie est-il prononcé, qu'on apprend que son existence est assurée par la *« petite rente »* (69) que lui sert la famille de ses anciens maîtres ; que s'y ajoute encore le «casuel» que lui rapporte l'entretien du linge du curé ; et que ce petit revenu s'arrondit enfin des fameuses «pépettes» qu'à la grande fureur de Françoise, Eulalie récolte le dimanche chez la tante Léonie. Dès la première rencontre, l'héritage qui a permis à Vinteuil d'abandonner son métier de professeur de piano est mentionné. Quant à Swann, c'est le montant même de sa fortune qui est indiqué. On pourrait s'étonner qu'une œuvre comme la *Recherche*, dans laquelle, selon Curtius, *« il [...] est à peine question d'argent car il va de soi que l'on en dispose »* [8], fournisse

8. CURTIUS, *Marcel Proust*, p. 101.

84

une telle abondance de renseignements financiers, et cela dans sa partie, *Combray*, jugée pourtant la moins «sociale». *L'objectivisme* combraysien vient expliquer ces précisions. Pour *l'objectivisme*, l'argent est, en effet, le seul signifié social qui ne peut pas tromper. Il l'est aussi à l'époque à laquelle Proust écrit son roman : la fin du XIXe siècle est, pour la France, une période de très grande stabilité financière. Rentes, obligations, titres de bourse, offrent à leurs détenteurs des revenus dont la valeur réelle reste constante. «Garantir» le signe social sur l'argent, c'est donc lui donner le contenu le plus «objectif» possible ; c'est supprimer les aléas de la signification. Le signe social devient alors ce que le narrateur appelle avec beaucoup plus de justesse le «coefficient social», calculable mathématiquement ; l'ensemble de ces signes s'organisent alors en une échelle de valeurs sociales irrécusable ; les êtres, les «objets» sociaux qui portent ces signes, se répartissent alors entre des catégories définies rigoureusement par le revenu, ils se divisent en «castes». Et parmi celles-ci, la «caste» des rentiers, masse imposante qui, comme l'indique J.-P. Rioux[9], constitue dans la France de la fin du XIXe siècle, un «monde clos» ; monde clos qui est bien celui de la bourgeoisie de Combray, telle que la décrit, la définit et la «finit» *l'objectivisme* social dont la grand-tante est le porte-parole. On comprend mieux alors pourquoi, aux yeux de Combray, Swann ne peut faire partie d'aucune autre catégorie sociale que celle que la grand-tante qualifie de «*belle bourgeoisie*» (17), celle qui réunit les notaires et les avoués les plus estimés de Paris. C'est parce que Swann possède de quatre à cinq millions ; c'est parce que le montant de sa fortune le conduit «automatiquement» à «*faire partie pour toute sa vie d'une caste où les fortunes, comme dans une catégorie de contribuables, [varient] entre tel et tel revenu*» (16). Tous les signes mondains que Swann peut émettre renverront donc à ce signifié unique et c'est pourquoi sa prétendue mondanité ne rencontrera qu'incrédulité. Car pas plus qu'on ne peut subitement doubler ses revenus, on ne peut soudain acquérir des amis en dehors de sa «caste» ; pas plus qu'on ne se sépare à la légère de ces titres de «père de famille» que le père du héros et M. de Norpois admirent en connaisseur, on ne renonce d'un coup «*au fruit de toutes les belles relations avec des gens bien posés qu'avaient honorablement entretenues et engrangées*

9. J.-P. RIOUX, *La Révolution industrielle* (Paris, Seuil, 1971), p. 248.

pour leurs enfants les familles prévoyantes » (21). Influencé par *l'objectivisme* spatial de son père, le héros sépare les deux «côtés» de Combray par une distance qui ne fait pas que les éloigner l'un de l'autre, mais qui les met chacun sur un plan différent, qui les enferme dans des « *vases clos et sans communication entre eux* » (135). De même, influencé par *l'objectivisme* social de la grand-tante, la famille enferme les êtres dans des catégories sociales aux cloisons étanches. Si le héros est incapable d'imaginer qu'on peut passer de Méséglise à Guermantes, la famille, elle, ne peut concevoir qu'on peut passer d'une «caste» à l'autre. Il y faudrait des circonstances exceptionnelles qui ne peuvent naturellement jamais se produire au pays de la stabilité sociale qu'est Combray, c'est-à-dire au pays de la stabilité financière qu'est la France de la fin du XIXe siècle.

Si cet *objectivisme* social fondé sur l'argent fait de la grand-tante « *la seule personne un peu vulgaire de [la] famille* » (*R* I, 17), et pour cause, *l'objectivisme* esthétique fait de la grand-mère et de ses deux sœurs des personnages un peu ridicules. Dans *Combray*, comme nous l'avons vu précédemment, c'est à ces trois femmes [10] qu'il appartient d'interpréter les signes de l'art. Et toutes trois y apportent une même passion *objectiviste* qui leur fait rechercher, souvent de façon assez comique, l'objet qui multiplie le plus en sa matérialité les signes de l'art : vieux savant ou institutrice suédoise (à Combray !) qui fournissent des renseignements infinis sur les sujets les plus divers, gravures anciennes où s'accumulent « *plusieurs «épaisseurs» d'art* » (40). Toutes trois, que ce soit en peinture ou en littérature, investissent l'objet de la totalité de ses signes, lui en attribuant tout le bénéfice. Aussi accordent-elles à cet objet esthétique une attention qu'il ne mérite pas ; aussi lui prêtent-elles une «valeur» qu'il ne possède pas ; aussi lui vouent-elles un «culte» dont il n'est pas digne et qui ressort de cette idolâtrie dont parle Proust à propos de Ruskin, soulignant les dangers d'une telle conception de l'art. Car cet *objectivisme* esthétique entretient l'illusion d'un art «volontariste», un art « *qui s'entoure des garanties pseudo-objectives du témoignage et de la communication (causerie, enquête), qui confond le sens avec des significations intelligibles,*

---

10. Peut-être faudrait-il ajouter à ces trois personnages, le grand-père du héros dont la passion pour l'Histoire – pour les « *petits faits* » (*R* I, 21) surtout – est caractéristique d'une approche *objectiviste* du passé.

explicites et formulées (grands sujets)»[11] ; un art qui possède des
«vertus», une «morale» ; un art, enfin, qui, pour paraphraser
E.M.Forster, n'est rien d'autre qu'un objet «utile» destiné à nous
«consoler» en nous rendant la vie compréhensible.

Tout autant que l'art, la morale de Combray est *objectiviste*
et «utilitaire». Honnêteté, fidélité, persévérance, tous ces signes de
la moralité font corps avec l'objet, gardent en lui leurs racines.
Aussi pour Combray, qualités morales et qualités physiques vont-elles
de pair ; leur développement est conjoint. C'est pourquoi la grand-
mère donne tant d'importance à l'hygiène. «*Ce n'est pas comme
cela*», se lamente-t-elle lorsque les jours de trop grande pluie le
père envoie l'enfant lire dans sa chambre, «*que vous le rendrez
robuste et énergique* [...] *surtout ce petit qui a tant besoin de*
PRENDRE DES FORCES ET DE LA VOLONTÉ» (*R* I, 11). C'est
pourquoi, dans l'éducation que l'on donne à l'enfant, «*l'ordre des
fautes* [*n'est*] *pas le même que dans l'éducation des autres enfants*»
(33), les fautes les plus graves étant celles dont le «*caractère
commun est qu'on y tombe en cédant à une impulsion nerveuse*».
C'est pourquoi cette éducation laisse peu de champ à la spontanéité. Combray sait

[...] d'instinct ou par expérience que les élans de notre sensibilité ont
peu d'empire sur la suite de nos actes et la conduite de notre vie, et que
le respect des obligations morales, la fidélité aux amis, l'exécution d'une
œuvre, l'observance d'un régime ont des fondements plus sûrs dans des
habitudes aveugles que dans [des] transports momentanés, ardents et
stériles. (*R* I, 92-3)

Réduire ainsi ces absolus métaphysiques que sont les principes
moraux à de simples «*habitudes aveugles*», en faire en quelque
sorte des épiphénomènes, en confier la mémoire à la seule mémoire
du corps, n'est-ce pas là reconnaître que tout est dans l'objet? Et
ne peut-on alors considérer que c'est pour cela qu'à partir du
moment où la mère se rend compte qu'elle ne peut plus contrôler
la nervosité de son fils, elle renonce à poursuivre son éducation
morale? Ne peut-on également considérer que si le héros regrette
sa victoire, ce n'est pas tant parce qu'il l'a obtenue sur sa mère,
mais sur un *objectivisme* moral rassurant qui lui permettait d'entretenir l'illusion d'une «conscience» le guidant infailliblement dans le
droit chemin? Bien plus tard, le héros invoquera encore cette

11. DELEUZE, *P. signes*, p. 42.

«conscience» *objectiviste* mais pour s'apercevoir alors qu'elle ne peut lui être d'aucun secours. Par exemple, lorsqu'après avoir écouté Bergotte médire de Swann, il se demandera quelle réponse lui donner pour l'assurer de sa discrétion.

Quelques années plus tard, je lui aurais répondu : «Je ne répète jamais rien». C'est la phrase rituelle des gens du monde, par laquelle chaque fois le médisant est faussement rassuré. C'est celle que j'aurais déjà, ce jour-là, adressée à Bergotte [...] Mais je ne la connaissais pas encore. D'autre part, celle de ma grand-tante, dans une occasion semblable eût été : «Si vous ne voulez pas que ce soit répété, pourquoi le dites-vous?» C'est la réponse des gens insociables, des «mauvaises têtes». Je ne l'étais pas : je m'inclinai en silence. *(R* I, 571)

Si la morale de Combray ne peut s'appliquer au monde, c'est donc parce qu'elle prend l'objet «au mot» ; si, comme le veut le narrateur[12], Combray et le monde n'ont rien de commun entre eux, c'est parce qu'en morale, l'un pratique un *objectivisme* rigoureux et l'autre un relativisme indulgent qui peut seul convenir à ses «flots versatiles».

La morale *objectiviste* est «utilitaire». Elle conçoit, en effet, les droits et les devoirs des individus comme autant d'exigences et d'obligations entre lesquelles il s'agit de maintenir une «*juste balance*» *(R* I, 93), afin que nul ne puisse se sentir lésé. À Combray, chacun doit faire «ce-qui-se-doit» ; mais «ce-qui-se-doit», se doit toujours par rapport à un autre. Ainsi la grand-tante léguera sa fortune à une nièce pourtant exécrée (serait-ce celle au rouge à lèvres?), uniquement parce que celle-ci est sa plus proche parente, et que cet héritage lui revient «de droit». La morale de Combray se présente donc comme une morale de l'échange. Et c'est pour refuser de vouloir le comprendre, c'est pour vouloir toujours tout donner et ne rien recevoir, que la grand-mère fait figure de «folle». À la suivre, en effet, on risquerait de se retrouver dépossédé du «capital» moral auquel on peut prétendre et qui assure la considération de la société. Car, à Combray, morale et société sont étroitement solidaires ; c'est ensemble qu'elles organisent et «fixent» la relation sociale, qu'elles renforcent la cohérence de l'univers combraysien ; c'est ensemble, enfin, qu'elles «objectivisent» la vision que Combray se fait du monde des humains.

12. *R* I, 571 : «*Rien moins que notre société de Combray, ne ressemblait au monde.*»

Dans *Combray*, à tous les niveaux de la réalité, *l'objectivisme* règne donc en maître ; l'objet l'emporte donc sur ses signes. À tous les niveaux de la réalité, c'est d'abord l'objet qui est observé, analysé, étudié ; c'est en fonction de cet objet que les signes sont répertoriés, interprétés, explicités ; c'est en cet objet que la «vérité» est déposée. À tous les niveaux, *l'objectivisme* est donc bien le mode de connaissance privilégié dont Combray se sert pour appréhender la réalité ; il est donc bien le principe unique à partir duquel se structure la vision du monde de Combray. Vision pour laquelle la réalité peut être observée, la «vérité» peut être formulée ; vision d'un monde commun à tous, intelligible pour tous ; vision d'un monde unique, d'un monde fini parce que défini. Dans l'espace romanesque de la *Recherche*, la vision *objectiviste* de Combray dessine la forme d'une circularité ; elle «institutionnalise» l'unicité et l'unité de l'univers auquel elle s'applique.

Que cette vision du monde soit idéologique, nous le verrons plus loin [13]. Aussi peut-on se contenter ici d'indiquer qu'en choisissant l'objet, en choisissant de rapporter le signe à l'objet, en choisissant donc *l'objectivisme*, Combray choisit aussi de posséder, d'accumuler, de jouir des êtres et des choses dans leur immédiateté. Car *l'objectivisme* «s'approprie» par la perception ; il «thésaurise» par la mémoire volontaire ; il «valorise» par l'intelligence ; il «commerce» avec cet acquis d'observations, d'impressions, d'idées. C'est pourquoi il pousse au travail, à l'étude, à la réflexion intellectuelle ; il encourage la communication, la vie en commun, l'amitié. Et c'est par ce choix de valeurs et de pratiques auxquelles ces valeurs convient, c'est par cet ordre *objectiviste* imposé à la réalité que Combray s'affirme comme une vision du monde.

13. Voir *infra*, p. 128.

V

«DIRE» COMBRAY

Pour exprimer la réalité, Combray a foi en la parole ; pour communiquer la vérité, Combray a foi en la conversation. C'est pourquoi, à Combray, on parle et on se parle beaucoup.

Combray croit au pouvoir de la parole, même en tant que pure réalité sonore. Si la tante Léonie ne demeure jamais long-temps, même seule, sans dire quelque chose, c'est parce *«qu'elle [croit] que [c'est] salutaire pour sa gorge et qu'en empêchant le sang de s'y arrêter, cela [rendra] moins fréquents les étouffements et les angoisses dont elle [souffre]»* (*R* I, 50). Cette «vertu» curative de la parole reste naturellement très secondaire par rapport aux autres «vertus» que Combray lui attribue et qui font d'elle le signe d'élection de son *objectivisme*, le signe auquel on reconnaît le plus de «vérité». De tous les signes, la parole est, en effet, celui qui répond le mieux aux postulats *objectivistes*. C'est d'abord le signe qui donne l'impression d'être marqué du coefficient d'inten-tionnalité le plus élevé. Aussi, à Combray, on croit toujours les gens «sur parole». Si Legrandin vitupère contre l'aristocratie, c'est donc qu'il ne l'aime pas ; s'il tonne contre les snobs, c'est donc qu'il ne l'est pas. Que l'autre Legrandin, Legrandin-le-snob, raconte une histoire différente ne change rien à la chose ! Car ce Legrandin-là n'a pas accès à la parole ; son «langage» est composé de signes différents, bien plus complexes, de signes qu'il faut apprendre à déchiffrer, qu'il faut lire au «second degré», dont il faut découvrir intuitivement le sens et la signification. Et c'est justement ce dont Combray est incapable ; c'est là justement ce que la parole dispense de faire. Car de tous les signes, la parole est aussi le signe qui semble le plus inclure en soi-même et le sens, et la signification. La tante Léonie en est si bien convaincue que pour donner plus de sens aux drames qu'elle se joue en imagination, elle en incarne les répliques dans des paroles qu'elle se prononce alors à elle-même ; inventer de « *mordants sarcasmes* » (117) à l'adresse de Françoise ne la satisfait qu'à moitié ; pour qu'ils prennent tout leur poids, leur pleine réalité, il faut qu'elle se les murmure à mi-voix. Longtemps *objectiviste*, le héros cherche dans les sonorités qui composent le nom de Guermantes la signification que ce nom a pour lui. La parole semble donc offrir au sens et à la signification le support matériel de son énonciation, de son intonation, de sa durée ; et *l'objectivisme* est persuadé qu'ils viennent s'y loger. Pour *l'objectivisme*, c'est alors la parole elle-même qui devient objet, en réunissant « concrètement » signe, sens et signification ; qui se fait réalité ; qui possède la « vérité ». Aussi, comme le héros dans sa jeunesse, Combray peut-il penser que « *la vie et pensée réelles des gens* » (*R* III, 88) se trouvent « *dans l'énoncé direct qu'ils* [*en fournissent*] *volontairement* » ; que la parole est « *l'expression rationnelle et analytique de la vérité* ». Est-il alors étonnant que pour appréhender le monde, pour le totaliser, pour en énoncer la « vérité », Combray s'en remet entièrement à la parole ?

Pour Combray, la parole est donc toujours importante. Par la matière qu'elle peut appréhender et c'est pourquoi les deux vieilles filles insistent tant pour que la conversation ne quitte pas les hautes sphères de l'intellectualité ! Rien ne peut les convaincre de la valeur d'un Swann qui « *dans la conversation* [*évite*] *les sujets sérieux et* [*montre*] *une précision fort prosaïque, non seulement quand il* [*donne*], *en entrant dans les moindres détails, des recettes de cuisine, mais même quand les sœurs* [...] [*parlent*] *de sujets artistiques* » (*R* I, 16-7). Par le contact qu'elle permet d'établir avec autrui, entre les êtres, et n'est-ce pas pour cela que la grand-mère, et plus tard sa fille, aiment tant les lettres de Mme de Sévigné, ces paroles voyageant dans l'espace, échangées à distance ? Par les « vérités » qu'elle véhicule et n'est-ce pas encore un peu pour cela que le héros est si sensible au « génie » de George Sand ? Parce qu'il lui est présenté, en quelque sorte, « en paroles », l'écrivain même lui parlant à travers sa mère qui lit *François le Champi* avec une telle fidélité qu'elle retrouve derrière les phrases écrites

« *l'accent cordial qui leur préexista et les dicta, mais que les mots n'indiquent pas* » (42). Il faut cependant remarquer qu'à Combray, ce sont uniquement les femmes qui valorisent la parole ; les hommes, eux, ne s'en servent que pour dire des futilités. Le grand-père ne se passionne que pour les petits à-côtés, ce que les deux vieilles filles appellent les « *niaiseries* » (21), de l'Histoire ; Swann, on le sait, est incapable d'avoir de « *belles conversations* » (26) ; quant au père, il se contente de répéter ce que « dit » le baromètre ! La frivolité dans la conversation étant «normalement» attribuée aux femmes, on peut voir ici une preuve supplémentaire de cette féminisation des personnages masculins de *Combray* dont parle M. Gutwirth[1].

Il est pourtant une femme qui, dans ce domaine, ressemble aux hommes ; dont la parole est même encore plus puérile et stérile ; c'est la tante Léonie. Sa parole ne décrit, en effet, que l'anecdotique, le « *monde lilliputien [qu'elle] voit de [sa] fenêtre, trottinant, mais répétant toujours le même geste comme des santons qui représenteraient les divers personnages de la paroisse* »[2]. Spectacle en apparence sans intérêt et sans secret ; et qui pourtant suscite, de la part de la tante Léonie, un afflux de paroles que *Combray* rapporte dans le plus grand détail. Ce qui a de quoi étonner s'il s'agit simplement, comme le veut M. Bardèche[3], de camper un personnage amusant — la vieille dame hypocondriaque et excentrique — à l'imitation des romans anglais du XIXe siècle. Car on peut alors se demander, connaissant la répugnance de Proust à doter ses personnages de tout geste et de tout discours inutiles, si une telle abondance de paroles était nécessaire. Mais le discours de la tante Léonie n'est pas destiné à jouer ce rôle secondaire ; au contraire, il est essentiel à *Combray*. C'est à lui, en effet, qu'il revient de «dire» l'univers combraysien. C'est par le pouvoir de la parole de la tante Léonie que la réalité se fait «combraysienne», que le monde se fait «combraysien». Par le pouvoir des mots, la tante Léonie « *métamorphose le donné hétérogène ; elle le transforme en «matière de Combray»* »[4].

Et pourtant, la tante Léonie n'est jamais en contact direct avec la réalité ; elle en reste toujours séparée par l'obstacle trans-

1. GUTWIRTH, « La Bible de Combray », pp. 421 sq.
2. BARDÈCHE, *P. romancier I*, p. 258.
3. *Ibid.*
4. GIRARD, *Mensonge romantique...*, p. 201.

parent de sa fenêtre ; elle ne fait jamais que la contempler. Et paradoxalement, c'est là sa grande supériorité. Car *l'objectivisme* ne cherche pas à s'intérioriser la réalité, il ne veut que l'observer, l'analyser, en énoncer la «vérité». De ce point de vue, la tante Léonie est alors mieux placée que quiconque pour accomplir ces tâches : isolée dans sa chambre, retranchée derrière sa fenêtre ; ne se servant que de la vue, sens auquel *l'objectivisme* attribue le plus de fiabilité, qu'il charge de la plus grande «objectivité». Sans doute la tante Léonie est-elle privée des impressions plus sensorielles et plus personnelles de l'odorat, du goût et du toucher ; sans doute est-elle condamnée à vivre dans un monde insipide ; mais c'est pour mieux appréhender la réalité. Cependant, l' « impérialisme visuel» de la tante Léonie est sévèrement limité. Par la position de repli qu'elle a adoptée, la tante Léonie s'interdit, en effet, «*toute appropriation englobante de l'espace*»[5]. De sa chambre, elle ne peut atteindre qu'une petite partie de la réalité combraysienne ; le reste se perd au-delà de son horizon. Pour remédier à cette limitation, la tante Léonie dispose essentiellement de deux moyens : l'induction dont elle décuple la portée dans ses heures de solitude où son esprit s'active, et la conversation. Par la conversation, comme le dit J.-P. Richard, la tante Léonie «*remplace l'immédiateté de la possession oculaire par la médiation multiple du bavardage, du papotage, du cancan*»[6]. Termes peut-être par trop péjoratifs mais qui montrent bien comment la tante Léonie supplée à l'insuffisance de sa vision pour investir le monde.

Mais investir, ce n'est pas intégrer. Encore faut-il rassembler le «donné hétérogène», l'homogénéiser, l'unifier. Et c'est alors que la parole de la tante Léonie prend toute son importance. Car, activité continue, «*perpétuel monologue*» (*R* I, 50), elle tisse un discours sans fin, toujours en expansion, qui retient dans ses mailles les éléments de la réalité, qui les juxtapose les uns aux autres, qui les organise en un ensemble. La parole est à la tante Léonie ce que la métonymie est à l'œuvre de Proust : un facteur d'intégration, d'unification[7]. En irradiant dans toutes les directions, seule la parole de la tante Léonie peut «dire» Combray dans sa totalité, seule elle peut «dire» l'univers combraysien.

5. RICHARD, *P. monde sensible*, p. 192.
6. *Ibid.*
7. Voir GENETTE, «Métonymie chez Proust ou la naissance du récit».

«Dire» l'univers combraysien, ce n'est pas pour la tante Léonie uniquement un besoin né de la solitude ; c'est une nécessité. Car pour vivre en toute quiétude, «*dans la douce uniformité de ce qu'elle [appelle] avec un dédain affecté, et une tendresse profonde, son «petit traintrain*» » (*R* I, 109), il faut que la tante Léonie supprime autour d'elle les zones d'ombres que creuse dans le tissu de la réalité la présence d'objets inconnus. Pour elle, l'existence d'un être qu'elle ne connaît pas n'est pas seulement aussi inconcevable que l'existence d'un «*dieu de la mythologie*» (57), elle est intolérable par le trouble qu'elle jette dans son esprit, par le désordre qu'elle crée dans son univers. Nommer ce «personnage fabuleux», et en le nommant le définir, en énoncer la «vérité», peut seul apaiser les doutes de la tante Léonie, l'aider à retrouver son calme ; car c'est «réduire» cet être au connu, c'est lui faire perdre tout pouvoir d'inquiéter et de déranger, c'est le «neutraliser», c'est le faire rentrer dans l'ordre combraysien. Seule la parole en définissant, seul le discours en investissant et en intégrant, peuvent donc «finir» le monde de la tante Léonie, le transformer en cet univers clos à l'intérieur duquel, au cours des années, la tante Léonie s'enfoncera de plus en plus profondément, ne quittant plus «*d'abord Combray, puis à Combray, sa maison, puis sa chambre, puis son lit*» (49). Seule la parole, seul le discours peuvent donc faire retrouver à la tante Léonie cette circularité qui structure l'univers combraysien. Et comme l'église occupe le centre de la ville, la chambre de la tante Léonie occupe le centre de cette circularité. Et s'il appartient au clocher de parler pour la ville et de la ville aux lointains de Combray, c'est à la tante Léonie qu'il appartient de «dire» l'univers combraysien au monde de la *Recherche*.

De loin, Combray est d'abord une église ; à la première lecture, *Combray* est d'abord une chambre, ou plus exactement, un «appartement», celui de la tante Léonie. Et comme pour mieux souligner cette correspondance, église et appartement nous sont présentés côte à côte, en épigraphe de la seconde évocation de Combray ; plus encore, église et appartement nous sont présentés l'un par l'autre, l'un dans l'autre. Comme la mer et la terre dans le tableau d'Elstir, le «*Port de Carquethuit*» (*R* I, 836), église et appartement se métamorphosent en effet l'un l'autre, intervertissent les termes de leur description[8].

_____

8. Cette métaphorisation de la chambre à coucher est encore plus marquée

Avec ses vitraux colorés, ses tombes en pavage, son riche mobilier, l'église ressemble à un *« hall, de pierre sculptée et de verre peint, d'un hôtel de style moyen âge »* (59). Vers midi, *« aérée, vacante, plus humaine, luxueuse, avec du soleil »*, elle devient un endroit *« presque habitable »*, endroit, où on peut venir s'asseoir et se reposer cinq minutes en rentrant de chez le patissier. Au contraire, les deux chambres qui composent «l'appartement» de la tante Léonie ont des allures de sanctuaire : avec, dans l'une des pièces, un *« prie-Dieu »* (50) et des *« fauteuils en velours frappé, toujours revêtus d'un appuie-tête au crochet »*, comme dans une sacristie, et dans l'autre :

[...] d'un côté [du] lit [...] une grande commode en bois de citronnier et une table qui tenait à la fois de l'officine et du maître-autel, où au-dessous d'une statuette de la Vierge et d'une bouteille de Vichy-Célestins, on trouvait des livres de messe et des ordonnances médicales, tout ce qu'il fallait pour suivre [du] lit les offices et [le] régime, pour ne manquer l'heure ni de la pepsine, ni des vêpres.

L'église et l'appartement vivent en symbiose. Même rythme de vie : la pepsine et les vêpres vont de pair à trois heures. Mêmes visiteurs aux fonctions à la fois ecclésiastiques et séculières comme le curé amateur d'étymologies ou Eulalie. Même présence du sacré avec l'hostie et la petite madeleine, toutes deux porteuses de révélation. Enfin, bien que parties intégrantes de Combray, l'église et l'appartement gardent toute leur individualité par rapport à la ville, à la maison. Ils ne se fondent jamais dans la masse. Mitoyenne de la pharmacie de M. Rapin et de la maison de Mme Loiseau, l'église en reste cependant séparée par une distance spirituelle infranchissable. *« Immense chausson »* (50) bourré d'aromes, de senteurs, dont la pâte « travaille » continuellement, l'appartement de la tante Léonie retient entre ses murs «l'essence» même de la vie de Combray, ne laissant aux autres pièces de la maison que les éléments sans valeur d'une vie utilitaire et intermittente[9].

Mais l'église et l'appartement de la tante Léonie ne sont que des «lieux» ; même si pour le héros, l'un exprime avec un instinct plus sûr que Chartres ou que Reims le sentiment religieux, et si l'autre lui apparaît comme *« le véritable saint des saints de la*

dans « Journées de lecture » (*PM*, 164sqq.) où tout un vocabulaire relevant du sacré est utilisé dans la description.

9. Manger (la salle à manger qui ne s'anime qu'aux heures des repas) et dormir (la chambre à coucher du héros).

maison familiale » [10]. Ce n'est pas vers eux que Combray garde les yeux tournés, à eux qu'il adresse ses pensées, en eux qu'il se reconnaît. Ceux vers lesquels, à Combray, il faut toujours revenir, qui dominent tout, qui somment, et la ville et l'œuvre, comme le « *doigt de Dieu* » (*R* I, 66) qui inscrivent leur « *figure inoubliable à l'horizon de Combray* » (63) ; ceux-là, c'est le clocher de Saint-Hilaire, c'est la tante Léonie. À eux seuls il revient de « dire » Combray car seuls ils réussissent à se l'approprier dans sa totalité ; seuls ils réussissent à « fédérer » l'univers combraysien.

Le clocher procède par expansion et unification. Solide en pleine révolution, filant « *tour à tour sur tous les sillons du ciel, faisant courir en tous sens son petit coq de fer* » (*R* I, 63), présent partout, à toute heure, il exprime toutes les virtualités spatio-temporelles de l'horizontalité combraysienne, la dominant cependant toujours de sa flèche lancée « *au cœur du ciel* » (66). Mais si le clocher multiplie ainsi à l'infini les points de vue de la ville et des environs, c'est aussi en retour, par rapport à lui que tous ces points de vue s'organisent − « *tout [semble] ordonné par rapport au clocher surgi ici ou là entre les maisons* » (65) − ; c'est aussi à partir de lui que tous ces points de vue se rassemblent. De sa tour « *on embrasse des choses qu'on ne peut voir habituellement que l'une sans l'autre* » (106), en une vision panoramique « *grandiose* » (105). La tante Léonie, elle, procède exactement de façon inverse, par réduction et juxtaposition. Elle force la réalité à venir s'inscrire dans les limites du cadre fixe de la fenêtre derrière laquelle elle reste immobile ; dans les limites de la conversation qui est la seule occupation de ses journées. Rivée à l'horizontalité combraysienne, la tante Léonie ne pourrait jamais en avoir qu'une vue fragmentaire si par le discours, elle ne réussissait à prendre la réalité dans un réseau, et en juxtaposant tous les fragments de cette réalité, elle ne réussissait à les unifier en un tableau continu et unique.

Survol de l'horizontalité, vision totalisante du clocher ; asservissement à cette même horizontalité, vision juxtaposante de la tante Léonie. Ne peut-on voir ici, en débordant le cadre de cette analyse, l'essentiel de ce qui distingue *qualitativement*, pour Proust, le « créateur » du « littérateur » ? Cherchant à définir le génie de Bergotte, le génie de l'écrivain, la *Recherche* retrouve ces deux plans, ces deux visions, dans les mêmes images :

10. GIRARD, *Mensonge romantique...*, p. 201.

Le jour où le jeune Bergotte put montrer au monde de ses lecteurs le salon de mauvais goût où il avait passé son enfance et les causeries pas très drôles qu'il tenait avec ses frères, ce jour-là il monta plus haut que les amis de sa famille, plus spirituels et plus distingués : ceux-ci dans leurs belles Rolls-Royce pourraient rentrer chez eux en témoignant un peu de mépris des Bergotte ; mais lui, de son modeste appareil qui venait enfin de «décoller», il les survolait. (*R* I, 555)

Ne pourrait-on alors considérer que, dans *Combray*, le clocher est un premier symbole, non plus de l'œuvre d'art comme le veut J. Rousset[11], mais de l'écrivain? Les qualités qu'attribue la grand-mère à ce clocher seraient alors celles dont l'écrivain lui-même doit faire preuve pour pouvoir «*embrasser tous les aspects de l'expérience humaine*»[12] et les comprendre sans vouloir les juger ; son point de vue privilégié sur la réalité serait celui que l'écrivain lui-même doit offrir dans son œuvre. Dans *Combray*, plus peut-être que les clochers de Martinville, le clocher de Saint-Hilaire deviendrait l'une de ces «voies de traverse» qui jalonnent toute la vie du héros et qui ouvrent directement sur la «vraie réalité», celle que seule l'Art peut faire retrouver. Ne pourrait-on alors aussi considérer que, dans *Combray*, la tante Léonie est une première préfiguration de ces «*célibataires de l'Art*» (*R* III, 892) que le héros croisera à plusieurs reprises dans sa vie? En elle, comme en «*ces premiers appareils qui ne purent quitter la terre*», réside, «*non encore le moyen secret et qui restait à découvrir, mais le désir du vol*». Désir auquel elle refusera pourtant de succomber ; désir auquel elle n'offrira pas la possibilité de se réaliser. Car la tante Léonie aurait pu se libérer de l'emprise de l'objet, se dégager des servitudes de l'horizontalité. Il lui aurait suffi de rejoindre le clocher comme le lui proposait le curé de Combray. Ascension réelle, mais surtout ascension symbolique, et symbolique de celle à laquelle l'écrivain doit se livrer dans son œuvre. Tâche ardue, ingrate et dangereuse, au propre comme au figuré, mais tâche indispensable. De cet effort, la tante Léonie se révèle incapable. Par paresse, par manque de courage, la tante Léonie ne quittera jamais l'horizontalité de Combray, elle ne connaîtra jamais la joie du réel retrouvé ; elle vieillira insatisfaite et inutile ; son œuvre n'aura jamais été qu'un commentaire stérile de la réalité.

11. *Entretiens sur Marcel Proust*, intervention de J. ROUSSET, p. 100.
12. BOLLE, *P. complexe d'Argus*, p. 76.

Pour *l'objectivisme* combraysien, le monde *peut* être «dit»; la parole qui investit tous les aspects de la réalité, a le pouvoir de l'exprimer. À Combray, la parole sera donc valorisée. Pour *l'objectivisme*, le monde *doit* être «dit»; son sens et sa signification doivent être explicités; sa «vérité» doit être énoncée. À Combray, l'usage de la parole sera donc privilégié. Mais parmi tous ceux qui parlent, seule, malgré les apparences, la tante Léonie maîtrise véritablement l'usage de la parole. Avec elle, la parole se fait action : «dire» devient «vivre». C'est par la parole que la tante Léonie existe; par la parole que le monde qui l'entoure existe aussi. Sa parole investit tous les aspects de la réalité, énonce toutes les «vérités», «dit» l'univers combraysien dans sa totalité.

À Combray, tout autant que l'église, la chambre de la tante Léonie est le «lieu» vers lequel tout converge; tout autant que le discours du clocher, le discours de la tante Léonie est le «lieu» où tout vient s'intégrer, vient signifier. Mais à l'encontre du clocher qui en dominant la réalité en offre une vision renouvelée, la tante Léonie qui suit de plain-pied cette réalité, ne fait qu'en noter les apparences, n'en offre qu'une connaissance conventionnelle et inutile. Son discours n'ouvre sur aucun nouvel horizon; au contraire, il enferme Combray. Expression ultime de l'univers combraysien, il instaure une circularité qui peut se croire alors définitivement close.

DEUXIÈME PARTIE

COMBRAY, MÉTAPHORE ET RÉALITÉ

I

LA PATRIE COMBRAYSIENNE

COMBRAY vit dans la paix sociale. Loin est le temps où ses habitants se ruaient sur leur seigneur, Gilbert le Mauvais, à la sortie de la messe et lui tranchaient la tête ; loin est le temps où la cité, enclavée dans les terres vassales de Guermantes, devait se garder de tous côtés. De ce passé sanguinaire et guerrier, Combray ne se souvient plus ; avec les ruines du château des anciens comtes de Combray, il est *« presque descendu dans la terre »* (*R* I, 167), il est allé se coucher tranquillement *« au bord de l'eau comme un promeneur qui prend le frais »*. Rien ne rattache plus la petite ville où le héros passe ses vacances à la *« cité très différente »* d'autrefois ; le visage de celle-ci est devenu *« incompréhensible »* aux habitants. Combray est une société paisible : la sortie de la messe n'est plus troublée que par les chamailleries des gamins. Combray est une société pacifique : même le hululement des trains dans la campagne avoisinante ne peut l'inquiéter.

La concorde règne à Combray. Les seigneurs ont renoncé à leurs prétentions : après avoir inutilement cherché à assujettir Combray, les Guermantes ont compris qu'il valait mieux s'allier à la cité et jouir discrètement des privilèges qui leur étaient accordés. Bien que *« possédant Combray au milieu de leur nom »* (*R* I, 172), bien que *« propriétaires de la ville »*, les Guermantes n'y habitent pas. Bien qu'ils soient *« les premiers des citoyens de Combray »*, ils ne s'y montrent guère. Pour Combray, comme pour le héros, les Guermantes n'ont qu'une vague existence que l'on peut tout au plus situer *« dehors, dans la rue, entre ciel et terre »* mais certainement pas dans une des petites maisons grises bien réelles qui bordent les rues de Combray. Les nobles de moindre importance se sont éloignés de Combray : les châtelains que Legrandin s'emploie à fréquenter vivent hors des murs ; ils n'entrent dans la ville que le dimanche et uniquement pour aller à l'église, lieu où s'abolissent en principe les inégalités sociales. Pour devenir marquise de Cambremer, pour réaliser ses ambitions, la sœur de Legrandin devra aller chercher mari en Normandie. Combray vit donc en bonne entente avec les nobles mais pour cette excellente raison que, à l'instar de la grand-tante, il les ignore paisiblement. « *Des gens que nous ne connaîtrons jamais ni vous ni moi* », dit la grand-tante à Swann en parlant des nobles, « *et nous nous en passons bien, n'est-ce pas ?* » (18). De Combray, les paysans sont également absents ; seules « *les prémices de leurs champs* » (72) qui ornent la cuisine de Françoise signalent leur existence qui, curieusement, ne se manifeste guère plus dans les champs[1]. Quant au « peuple », Combray ne le connaît pas ; ou plutôt, il ne connaît que lui. Car, pour Combray, le « peuple » n'est pas une classe sociale, c'est toute la société ; ce sont tous les habitants qui le constituent ; ce sont tous les « combraysiens » qui en font partie. Combray pratique ce qu'on peut appeler *l'unanimisme social*[2].

Combray rassemble, en effet, tous ses habitants en une seule classe en laquelle viennent se fondre et s'annihiler les inégalités sociales originaires. Qu'on soit bourgeois ou paysan, en entrant dans la ville, on devient « combraysien »[3]. Habiter Combray, c'est se dépouiller du « vieil homme », c'est abandonner tout passé social. Et

1. Sauf, de temps en temps, « *quelque fille des champs* » (*R* I, 152) venue pour s'abriter de la pluie sous le porche de Saint-André-des-Champs, mais toujours à contre-temps, le héros étant en compagnie de sa famille. Après la mort de la tante Léonie, le héros appelle en vain de ses vœux « *quelque paysanne de Méséglise* » (157).

2. Par *unanimisme*, il faut entendre la vie « à l'unisson », la communauté. Comme ce chapitre tend à le démontrer, cet *unanimisme* regroupe toutes les classes de la société et leur fait perdre toute conscience de classe. Il établit une telle complémentarité de rôles entre les habitants qu'il en résulte une fusion totale des individus au sein du groupe.

3. Sont « combraysiens » : Françoise, par excellence, le petit peuple des artisans et des commerçants (Camus, Théodore), le curé, Eulalie, la tante Léonie. Ne le sont pas : le héros et toute sa parenté, Swann, Legrandin et Vinteuil. Ce dernier aspire à l'être mais l'amour paternel le conduit à enfreindre la norme sociale combraysienne.

n'est-ce pas pourquoi la tante Léonie a progressivement fermé sa porte à tout ce qui n'était pas de Combray? N'est-ce pas aussi pourquoi, à Combray, les familles n'ont quasiment pas d'histoire, ne dépassant pas la seconde, rarement la troisième génération? Quelques anecdotes, d'ailleurs toujours les mêmes sur «*M. Swann, le père*» (*R* I, 15), la «vérité» sur l'arrière-grand-père du héros, une brève mention de la passion que le père de Mme Sazerat éprouva pour Mme de Villeparisis, alors duchesse d'Havré; voilà à peu près tout ce que donne à glaner la *Recherche*. Dans la maison de la tante Léonie, maison pourtant familiale, pas un meuble, pas un tableau ne vient rappeler le passé. Si la ville vit le temps, le Combray des familles, par contre, ne semble vivre que le présent. Une fois morts, les Combraysiens retournent alimenter l'humus collectif plutôt que le terreau de leur arbre généalogique respectif! Seul Vinteuil connaît le chemin du cimetière.

Il est donc vain de vouloir considérer Combray comme une société de classes, de vouloir situer socialement ses habitants. Ce qui distingue les Combraysiens les uns des autres, ce n'est pas leur origine sociale, mais leur fonction. C'est pourquoi, dans *Combray*, le métier a tant d'importance; c'est pourquoi il fait corps avec le personnage dès sa première apparition. «[...] *en rentrant de la messe, nous rencontrions souvent M. Legrandin, qui retenu à Paris par sa profession d'ingénieur* [...]» (*R* I, 67); «*Eulalie était une fille boiteuse, active et sourde qui s'était «retirée» à la mort de Mme de la Bretonnerie où elle avait été en place* [...]» (68-9); «*M. Vinteuil* [...] *avait été le professeur de piano des sœurs de ma grand-mère*» (112). C'est pourquoi aussi la tante Léonie n'est vraiment rassurée que lorsqu'elle a «situé» par leur occupation les inconnus qui passent sous sa fenêtre. «[...] *c'était le fils de Mme Sauton qui rentrait du service, la nièce de l'abbé Perdreau qui sortait du couvent, le frère du curé, percepteur à Châteaudun qui venait de prendre sa retraite* [...]» (57). C'est pourquoi, enfin, Combray, à l'encontre de Paris, est une ville où on travaille, où chacun est «vu» dans l'exercice de ses fonctions depuis «*le petit de Galopin*» (56) filant dans la rue avec une tarte jusqu'à Françoise s'activant devant ses fourneaux ou appréciant avec la tante Léonie «*les premiers événements du jour*».

Car pour Françoise, deviser avec la tante Léonie, ce n'est pas marquer le rapport social qui l'unit à sa maîtresse, en cherchant un moment à l'abolir; c'est remplir une fonction et peut-être même la plus importante de toutes les fonctions qu'elle remplit auprès de la tante Léonie. À Combray, comme bien plus tard à Paris auprès du héros, Françoise participe à «l'œuvre» de la tante Léonie. Avec elle, autant qu'elle, elle investit la réalité, la transforme en «matière de Combray». Et ce rôle de médiatrice de la réalité[4], nul ne peut le disputer à Françoise si ce n'est peut-être Eulalie. Ne serait-ce d'ailleurs pas là, dans cette concurrence, qu'il faudrait chercher la véritable raison de la haine que se vouent les deux femmes? Mais Françoise possède sur Eulalie cet immense avantage de ne pas se faire désirer, de répondre immédiatement aux «*quatre coups de sonnette formidables*» (56) qui l'appellent, d'être toujours là pour donner la réplique à la tante Léonie.

À Combray, Françoise est au service de la vieille dame; Françoise est «domestique». Mais peut-on dire pour autant que, dans *Combray*, Françoise appartient déjà à la «race des domestiques», qu'elle est déjà enfermée dans un ghetto servile? Dans *Combray*, le terme *domestique* connote un sens bien différent de celui qu'il prendra plus tard dans la *Recherche*. Il semble d'ailleurs que le narrateur ait voulu l'éviter, lui préférant les termes de *cuisinière*, de *bonne* ou de *servante*, qui renvoient tous, plus ou moins spécifiquement, aux différents aspects de la fonction de domestique, plutôt qu'à un statut social donné. Et ce statut, dans *Combray*, Françoise tend à s'en débarrasser, à le dépasser; à preuve les réactions de la tante Léonie à son égard. Celle-ci en vient, en effet, à considérer l'importance que Françoise a pu prendre dans sa maison comme une menace à son autorité; elle finit par voir une rivale dans sa servante. Car sinon, pourquoi la tante Léonie chercherait-elle tant à rabaisser Françoise? En imagination d'abord «*se [plaisant] à supposer tout d'un coup que Françoise la volait, qu'elle recourait à la ruse pour s'en assurer, la prenait sur le fait*» (*R* I, 117); en paroles aussi, en adressant indirectement de «*mordants sarcasmes*» à Françoise, en confiant ses doutes à Eulalie; enfin en passant presque à l'action si «*par crainte de prendre froid si elle sortait de son lit*», elle n'hésitait à descendre à la cuisine pour confondre Françoise! Situation paradoxale que celle de la maîtresse obnubilée par la servante, lui consacrant toutes ses pensées, passant son temps à l'observer. «*Peu à peu son esprit n'eut plus d'autre occupation que de chercher à deviner ce qu'à chaque*

4. Voir ZÉRAFFA, « Thèmes psychologiques...», p. 202.

moment pouvait faire, et chercher à lui cacher, Françoise. Elle remarquait les plus furtifs mouvements de physionomie de celle-ci, une contradiction dans ses paroles, un désir qu'elle semblait dissimuler. » Pour reprendre l'avantage qu'elle estime avoir perdu, la tante Léonie n'hésitera pas devant les moyens les plus bas, l'injure, la délation, traquant Françoise comme la « *bête* » (118), le « *chasseur* ». Et elle ne sera pleinement satisfaite que lorsqu'elle aura, à nouveau, affirmé son autorité, rétabli sa supériorité ; lorsque ses actes seront devenus pour sa servante « *l'objet d'un commentaire aussi passionné, aussi craintif* » que ne l'étaient les actes du Roi-Soleil pour ses courtisans. Véritable entreprise de fascination, est-ce aussi de la part de la tante Léonie une entreprise d'aliénation ? En comparant cette situation à celle qui régnait à la cour de Louis XIV, le narrateur le laisse entendre. Comme le roi, la tante Léonie devient pour Françoise un dieu vivant : « [...] *sa véritable maîtresse* [...] *sa souveraine, son mystérieux et tout-puissant monarque* » (153) dont les « *moindres paroles* » (118), les « *moindres gestes* » suscitent chez elle « *une attention extraordinaire* ». Cependant, il nous semble que, dans *Combray*, Françoise n'a pas encore rejoint cette « race des domestiques » dont nous parlions plus haut. D'abord parce que ce combat de tous les instants que se livrent les deux femmes ne relève pas du conflit de classes. Françoise ne cherche pas à étendre ses pouvoirs ; ceux dont elle jouit lui suffisent pleinement. La tante Léonie ne cherche pas à faire sentir à Françoise son infériorité ; elle est trop occupée à se convaincre qu'elle n'est pas devenue elle-même inférieure à sa servante, qu'elle conserve un pouvoir dont en réalité elle s'est laissée déposséder en abandonnant ses fonctions de maîtresse de maison. D'autre part, *Combray*, ne connaît pas cette « inflation » des domestiques qui marque la suite de la *Recherche*, et qui fait apparaître une véritable classe servile, envahissant peu à peu la vie du héros. Dans *Combray*, Françoise est encore la seule de son espèce ; elle n'a pas encore développé cet esprit de corps qui, à Paris, lui fera partager les rancœurs, les mesquineries, les médisances de ses semblables. À Combray, Françoise est encore *en service* ; ce n'est qu'à Paris qu'elle entrera *en condition*.

Combray ne connaît donc pas de classes. Mais si son *unanimisme* supprime les inégalités sociales, il ne supprime pas pour autant les inégalités de fonctions. Il est bien évident qu'à Combray, la grand-mère, toujours inutile, toujours à contre-temps, ne peut prétendre à la même importance que la tante Léonie ; que la malheureuse fille de cuisine ne peut s'attirer la même considération que Françoise ; que l'épicier Camus clouant ses caisses ne peut susciter la même admiration que les *« gens riches qui chassent, se donnent des bals, se font des visites »* (*R* I, 107). Aussi, *l'unanimisme* de Combray n'établit pas l'uniformité dans les rapports sociaux, bien au contraire. Il leur conserve toute leur diversité, en accroît même la complexité. Dans un système de classes comme celui auquel se réfèrent les Guermantes, un paysan est un être en quelque sorte interchangeable : on sait, comme Charlus, ou on ne sait pas, comme le duc, lui parler. À Combray, lorsque Eulalie reçoit sa piécette dominicale, la moindre variation d'intensité dans ses remerciements est notée et discutée par la tante Léonie. Au lieu d'organiser les rapports sociaux au plan de la verticalité qui sépare, *l'unanimisme* les établit au même niveau, entre partenaires sociaux égaux mais que leurs fonctions distinguent les uns des autres. Et c'est justement parce qu'ils refusent d'accepter cette loi, parce que leur conduite postule l'inégalité, que Swann et Legrandin sont écartés de la relation sociale selon Combray.

En privilégiant ainsi la fonction comme critère de différenciation sociale, *l'unanimisme* présente aussi ce double avantage d'enfermer chaque individu dans le cadre d'une *« entité limitée et définissable »* [5] et de constituer la société en un ensemble fini. À Combray, autrui n'est jamais un « être de fuite » ; il est tout entier circonscrit par ses activités même lorsque celles-ci sont multiples : *« À Combray »*, dit le narrateur, *« je savais quelle individualité de maréchal ferrant ou de garçon épicier était dissimulée sous l'uniforme du suisse ou le surplis de l'enfant de chœur »* (*R* I, 167). Savoir ce que fait quelqu'un, c'est donc savoir ce qu'il est ; c'est aussi savoir la place qu'il occupe dans la collectivité. Car l'activité individuelle s'inscrit, et doit s'inscrire, dans le champ de l'activité collective. Le peintre qui copie la verrière de l'église fait s'exclamer la tante Léonie car cette occupation ne lui semble d'aucune utilité pour Combray. Au contraire, les allées et venues de Mme Goupil ont de quoi la préoccuper ; elles sont constitutives de la vie collective. Ne pas savoir à quel moment de la messe est arrivée Mme Goupil introduit dans le tissu de Combray une lacune intolérable qui empêche la tante Léonie de « clore » l'économie

5. MULLER, *Voix narratives...*, p. 33.

générale de sa journée. Si donc les activités de chaque individu le «définissent» et le «finissent», les activités de tous «définissent» et «finissent» à leur tour la société. Et c'est de cette symbiose que naît le patriotisme de Combray.

L'habitant de Combray ne connaît d'autre patrie que sa ville. Sans doute n'ignore-t-il pas qu'il existe d'autres villes dans la campagne avoisinante, mais il n'entretient aucune relation avec elles. Bien qu'il se promène souvent «du côté» de Méséglise, il ne cherche jamais à en atteindre le terme ; au contraire, il donne l'impression de vouloir le faire reculer le plus loin possible, d'en faire *«quelque chose d'inaccessible comme l'horizon»* (R I, 134), de vouloir le perdre dans les plis d'un terrain inconnu. Bien que les gens de Méséglise viennent souvent chez lui, il ne cherche pas à entrer en contact avec eux ; au contraire, il ne leur manifeste qu'indifférence et se débarrasse de leurs avances en les classant négativement dans la catégorie *«des gens que* [...] *ma tante elle-même et nous tous»*, dit le narrateur, *«ne connaissions point et qu'à ce signe on tenait pour «des gens qui seront venus de Méséglise»»*. Au «côté de Guermantes», l'habitant de Combray ne croit même pas qu'il peut y avoir une fin ; à ses yeux, Guermantes est *«une sorte d'expression géographique abstraite comme la ligne de l'équateur, comme le pôle, comme l'orient»*. Seule Roussainville réussit à s'imposer à l'attention de Combray. Ville-mère, elle nourrit Combray de ses richesses alimentaires [6] ; ville-phallus, elle dresse à l'horizon son donjon cerné de bois en une réplique obscure au clocher de Saint-Hilaire ; ville-androgyne, elle est secrètement pour chaque habitant *«terre promise ou maudite»* (152). Complexe, singulière, mystérieuse, Roussainville attire Combray ; c'est son donjon que le héros implore de loin, lui demandant *«de faire venir auprès de [lui] quelque enfant de son village»* (158) ; c'est dans ce donjon que les enfants de Combray s'initient au plaisir. Mais Combray résiste à cette attirance et refuse d'aller à Roussainville car il y trouverait, sans doute ce qui lui manque, mais ce qu'il s'est interdit d'intégrer à son univers, la sexualité. Seule Françoise que les besoins de son «art» rendent insoucieuse de moralité, pénètre dans cette ville, préfigurant en cela l'attitude qui doit être celle de l'écrivain pour qui seul compte la vérité, non la vertu.

6. Il ne faut pas oublier que Françoise va au marché de Roussainville tous les samedis.

Répugnant à établir jusqu'à de simples relations de bon voisinage avec les petites «patries» des environs, il n'est pas étonnant que Combray ignore complètement l'ensemble géographique bien plus vaste dont il fait partie, et qu'il ne fasse preuve d'aucun loyalisme envers la «grande patrie» à laquelle il est censé appartenir. Déjà en temps de paix, Combray n'apprécie qu'à moitié les «appels du pied» que lui fait cette patrie pour l'enrôler sous sa bannière. Le passage des cuirassiers dans la ville est, sur ce point, assez significatif. Vu par Combray, il ressemble fort, en effet, à une invasion.

Comme autrefois par les meurtrières du château on observait les hordes ennemies avancer vers la ville, c'est par une «*fente entre les deux maisons de l'avenue de la Gare qu'on [aperçoit] toujours de nouveaux casques courant et brillant au soleil*» (*R* I, 89). Aussitôt les rues se vident et chacun se met précipitamment à l'abri car «*quand les cuirassiers [défilent] rue Sainte-Hildegarde, ils en [remplissent] toute la largeur, et le galop des chevaux [rasent] les maisons, couvrant les trottoirs submergés comme des berges qui offrent un lit trop étroit à un torrent déchaîné.*» (88). Bien téméraire alors qui oserait s'aventurer dans la rue ou alors il faut être aussi inconscient que la petite fille du jardinier qui «*tout d'un coup* [...] [*s'élance*] *comme d'une place assiégée, [fait] une sortie, [atteint] l'angle de la rue, et après avoir bravé cent fois la mort, [vient]* [...] *rapporter, avec une carafe de coco, la nouvelle qu'ils [sont] bien un mille qui [viennent] sans arrêter du côté de Thiberzy et de Méséglise*» (89). Heureusement, la masse étincelante des cavaliers s'écoulera sans causer d'autre dommage que de soulever sur son passage la poussière et l'émotion! Mais l'alerte aura quand même été chaude et Combray se rassurera en reprenant possession de ses rues par un «*flot inaccoutumé de promeneurs*» qui fera se côtoyer maîtres et domestiques, fraternellement réunis face au danger de la marée guerrière qui lui a fait si peur.

Car Combray n'aime ni n'admire l'armée, ce signifiant par excellence de la patrie. L'armée est une mangeuse d'hommes; elle ne conduit la jeunesse à la guerre que pour la «*faucher comme un pré*» (88); elle fait perdre aux soldats toute humanité; ils deviennent semblables à des bêtes. Aussi, que vienne la guerre, cette guerre qui n'est rien d'autre qu'«*une espèce de mauvais tour que l'État [essaye] de jouer au peuple*» (89), et Combray fera tout pour s'y soustraire. Le porche de Saint-Hilaire n'est pas le porche de Saint-André-des-Champs : les «bons» Français en sont absents, et Françoise la première. Que cette guerre devienne de plus plus en plus meurtrière, et Combray ne s'apitoiera pas sur les malheurs de la patrie. Au contraire, pour le maître d'hôtel-ancien jardinier par exemple, ces malheurs ne seront qu'une occasion supplémentaire pour mieux «enfoncer» Françoise, pour mieux l'épouvanter. Le bonhomme en viendra même à souhaiter de nouvelles hécatombes, de nouvelles défaites — pour autant cependant qu'elles ne menacent pas trop sa propre sécurité — pour faire avancer la querelle qui depuis toujours l'oppose à sa vieille ennemie Françoise. Quant à celle-ci, elle réservera ses larmes à «*l'envahition de la pauvre Belgique*» (*R* III, 844) et aux tribulations, vraies ou supposées, du roi de Grèce. Elle ira même jusqu'à commettre ce sacrilège de douter de la prétention de la France à vouloir jouer les victimes innocentes. «*Au commencement de la guerre*», dira-t-elle, «*on nous disait que ces Allemands c'était des assassins, des brigands, de vrais bandits, des bbboches* [...] *J'ai cru tout cela* [...] *mais je me demande tout à l'heure si nous ne sommes pas aussi fripons qu'eux*». Ce pacifisme de Combray ne se démentira pas, même lorsque la stratégie militaire fera de la cité et de son église les hauts-lieux du champ de bataille. Des gens comme Charlus et Gilberte pourront bien déplorer la destruction de Saint-Hilaire et du petit pont sur la Vivonne, les combraysiens n'y attacheront pas d'importance car dans la «*fameuse cote 307*» (756), dans tous ces noms pourtant si familiers inclus dans les communiqués de l'état-major, ils ne reconnaîtront plus leur patrie. Pour eux, «Combray-en-France» ne sera plus Combray. Ils l'abandonneront pour ne pas avoir à abandonner la réalité que Combray symbolise. Comme la cathédrale de Reims, l'église de Combray peut bien être détruite. Les valeurs qu'elle représente continueront à vivre au cœur des habitants.

Si les Combraysiens demeurent si attachés à ces valeurs, s'ils sont prêts à leur sacrifier la petite cité où il fait pourtant si bon vivre, c'est parce que ces valeurs sont celles-là mêmes qui, à leurs yeux, expriment la société idéale, la démocratie. En effet, en niant les distinctions de classes, en établissant la relation sociale au plan de l'horizontalité, Combray assure à tous ses habitants l'égalité. En respectant l'individualisme des fonctions, il leur offre la liberté. En les intégrant à un ensemble, en les faisant participer à une dynamique qui, excluant la rivalité, engendre l'harmonie sociale, il leur donne le sentiment d'appartenir pleinement à la collectivité. En leur proposant une vision du monde qui les institue en un groupe homogène et fermé, il leur insuffle le sens de la patrie. Et ce patriotisme, ce bonheur d'être combraysien, de vivre entre Combraysiens, de penser combraysien, n'est-ce pas là encore une fois le bonheur qu'apporte la circularité ? Circularité qui, dans ce cas, n'est plus limite mais séparation d'avec un monde extérieur envers lequel on n'éprouve cependant aucune agressivité, qu'on se contente égoïstement d'ignorer. On retrouve donc, mais cette fois-ci au plan externe, cette même structure circulaire qui fonde la société de Combray. Mais le centre de cette circularité sociale reste diffus ; ou plutôt, il est en chacun de ses points, car chaque habitant de Combray se présente en quelque sorte comme une « micro-totalité », il porte en lui la ville, il la résume. Et c'est bien là le but auquel vise la démocratie.

Au héros entraîné par les « flots versatiles » du monde, Combray apparaissait déjà comme le seul point fixe et stable du kaléidoscope social. Est-il alors étonnant que lorsque le hasard de la réminiscence involontaire fait resurgir Combray dans sa totalité et son essence, il apparaisse au narrateur comme un vrai paradis social ? Sans doute, idéaliser le passé, les lieux, la société où il s'est écoulé est une tendance habituelle aux écrivains du souvenir auto-biographique.

Qui ne regrette le temps de sa jeunesse ? La maison qu'on a habitée était si belle, les hommes si bons, les amis si sûrs, les femmes si sincères et si touchantes ; cette maison était environnée d'un air plus pur, le soleil y était ardent comme l'amitié, le ciel aussi tranquille que le fond du cœur. [7]

Mais le narrateur se défendra toujours d'être tombé dans ce piège, d'avoir sacrifié à ce rite. Le Combray qu'il retrouve dans le « parfum » de sa tasse de thé n'est pas une « ville mythique », un « *Combray de lanterne magique* » [8]. Il est pour lui la réalité même, celle qu'il a vraiment vécue, mais sans s'apercevoir alors qu'elle représentait ce moment privilégié de la société où individu et collectivité sont encore immanents l'un à l'autre ; où la liberté instaure

7. C. Bailly cité par BÉNICHOU, pp. 98-9 in *Le Sacre de l'écrivain* (Paris, Corti, 1972).

8. ZIMA, *Le Désir du mythe*, p. 240.

l'ordre, et l'ordre la liberté ; où le mouvement produit l'équilibre. Cette réalité, il ne pouvait s'apercevoir alors qu'elle était un âge d'or et que son enfance avait baigné dans une irremplaçable paix sociale.

II

«MÉDIÉVALISER» COMBRAY

MÉTAPHORE ET MÉTAMORPHOSE

L A plupart des critiques ont souligné, presque à plaisir[1], l'importance de la métaphore médiévale qui anime *Combray*, mais un seul, à notre connaissance, s'est demandé à quelle conception du moyen âge cette métaphore renvoyait et à quel besoin elle répondait. Dans son étude intitulée «La Nuit mérovingienne »[2], J.-P. Richard cherche à montrer que c'est au haut moyen âge tel que le concevait Augustin Thierry que Proust a emprunté non seulement l'imagerie dont il orne l'église de Combray et sa crypte, mais l'idée d'une période de l'Histoire opposant la *« barbarie franque, nordique, pulsionnelle, irréfléchie, nomade, captive de l'instant »*[3] et *« la rationalité latine, équilibrée, égale, sage, mais faible »*[4]. Il tend également à prouver que si Proust a été si sensible au *« climat de sauvagerie, mais aussi de liberté, de licence toute libidinale »*[5] de ce haut moyen âge, s'il en a fait le départ d'une *« rêverie mérovingienne »*[6], c'est parce que dans cette époque

1. Voir, en particulier, BARDÈCHE, *P. romancier I*, KING, *Proust*, et surtout BRÉE, *Du temps perdu...*
2. RICHARD, *P. monde sensible*, pp. 227–38.
3. *Ibid.*, p. 232.
4. *Ibid.*
5. *Ibid.*
6. *Ibid.*, p. 234.

115

il retrouvait la forme de sa propre sensualité, que dans cette catégorie de son imaginaire il trouvait un exutoire à des pulsions que
dans la vie il était obligé de réprimer. Comme on le voit,
J.-P. Richard s'appuie surtout sur la psychanalyse et c'est pourquoi,
s'il « *éclaire* »[7], comme il le veut, la « nuit mérovingienne », c'est
moins cette nuit qui métaphorise *Combray* que la « nuit » que
Proust portait au plus profond de lui-même. Et c'est là, sans doute,
le principal défaut de cette étude que de ne justifier la présence,
dans *Combray*, de la métaphore médiévale et le choix de son
référent qu'en faisant appel à des données extérieures à l'œuvre. Il
semble donc qu'une autre approche est nécessaire et que c'est dans
l'œuvre et pour l'œuvre, donc structurellement, qu'il faut fonder la
« médiévalisation » de *Combray*.

On peut considérer qu'une telle démonstration est superflue.
Il peut sembler, en effet, aller de soi que le narrateur — ayant
découvert la grande dimension du Temps — dote les villes qu'il a
connues, tout autant que les hommes, de cette dimension supplémentaire et en accroisse ainsi d'autant la place qu'elles occupent
dans son univers. Mais cette évidence ne se vérifie pas entièrement :
des cinq villes où il séjourne, le narrateur n'en affecte, en effet,
que trois, Combray, Doncières et Venise, d'un « coefficient
temporel ». Cette mise en perspective, cette métaphorisation historique de certaines villes, dans la *Recherche*, n'est donc pas l'effet
du hasard ; elle implique un choix de la part du narrateur. Et ce
choix est dicté au narrateur non pas par un souci d'esthétique, mais
par une double nécessité sociologique qui renvoie à la structuration
de son univers imaginaire. D'une part, le narrateur n'éprouve le
besoin d'inscrire les villes dans le Temps, de les métaphoriser
historiquement, que lorsque ces villes ont atteint dans son univers
un certain degré de cohérence sociale ; d'autre part, le référent
historique auquel le narrateur fait appel s'impose à lui en fonction
de la relation qui lui semble exister entre la réalité sociale des
villes, telle qu'il la perçoit, et la réalité sociale de l'Histoire, telle
qu'il la conçoit.

On ne temporalise que ce qu'on veut inscrire dans une durée.
Dans les villes à faible degré de structuration sociale, où règne
donc une grande mobilité entre les classes, le Temps ne peut être
perçu que comme une gêne ; gêne à la fluidité sociale, d'abord, à

7. *Ibid.*, p. 238.

116

laquelle le Temps fait obstacle en actualisant les structures du passé; gêne à l'évolution sociale, ensuite, que le Temps tend à retarder en l'enfermant dans un *continuum*. Temps et Histoire doivent donc rester absents de ville comme Paris et Balbec que le narrateur voue à l'actuel et l'éphémère. À Balbec, par exemple, la société que regroupe le Grand Hôtel apparaît au narrateur tout aussi changeante et fluctuante que la mer et le climat; elle se renouvelle au gré des arrivées et des départs; ses «proportions» sont continuellement bouleversées ce qui donne lieu à tous les quiproquos. À Balbec, la princesse de Luxembourg et la marquise de Villeparisis font figures d'horizontales; le marquis de Cambremer, au contraire, de grand seigneur; le héros prend «*pour des princes des fils de boutiquiers montant à cheval*» (*R* I, 844). Société truquée, société de palace, son roi ne peut être alors qu'un «*souverain de Guignol*» (677), juste bon pour un «*petit îlot de l'Océanie peuplé seulement de quelques sauvages*» (676). Cette société, le narrateur ne lui découvre aucune cohérence, sinon spatiale : lorsqu'elle se réunit pour dîner dans la salle à manger de l'hôtel. Il ne lui découvre non plus aucune durée : comme le Balbec d'Elstir, le Balbec du narrateur est tout entier inclus dans le moment présent. Aussi le narrateur ne ressent-il aucun besoin d'inscrire Balbec dans le Temps; aucun référent historique ne se présente à son esprit auquel comparer une réalité sociale aussi versatile et volatile. Dans la *Recherche*, Balbec ne sera donc pas métaphorisé.

À l'encontre de Balbec, Doncières est une ville qui frappe le narrateur par ses distinctions sociales tranchées; une ville qui lui paraît aussi hiérarchisée que l'armée qui y tient garnison. À ses yeux, le tripartisme à partir duquel la société de Doncières s'organise en classes, est aussi rigoureux que celui qui divise l'armée en soldats, sous-officiers et officiers; la relation qui s'établit entre ces classes est aussi «verticale» que celle qui régit les rapports entre les militaires; le statut accordé à chacun le catégorise tout aussi strictement dans la hiérarchie sociale que ne le fait le grade dans la hiérarchie militaire. Doncières, comme l'armée, institutionnalise donc l'inégalité. Sa société est à la fois aristocratique et militaire. Aristocratique, et c'est pourquoi le marquis de Saint-Loup ne fréquente que des nobles; militaire, et c'est pourquoi le maréchal des logis Saint-Loup peut s'estimer heureux d'être reçu par des officiers. Aristocratique, et c'est pourquoi le prince de Borodino subit le mépris des nobles d'ancien régime ; militaire, et c'est pourquoi le capitaine de Borodino condamné à se lier avec des roturiers, les choisit officiers. Une telle société, au juridisme social si poussé, devrait en principe ignorer les inégalités de fait qu'engendre la richesse. Pourtant, elle en tient compte : les jeunes bourgeois appelés ont beau n'être que de simples soldats, «*grâce à l'argent et au loisir*» (*R* II, 93), ils appartiennent à une classe qui «*ne diffère pas de l'aristocratie dans l'expérience de toutes celles des élégances qui peuvent s'acheter*». Pour les anciens de régiment, Saint-Loup a beau n'être qu'un sous-officier, son train de vie, ses dettes, sa générosité, le placent bien plus haut dans leur estime que tous les officiers. Mais ces distinctions n'ont finalement qu'une influence secondaire sur la société de Doncières. Elles n'agissent qu'à l'intérieur de chacune de ses classes, au plan de l'horizontalité en y créant des subdivisions. Elles ne peuvent réussir à altérer fondamentalement la hiérarchie sociale ; tout au plus y introduisent-elles un peu de «jeu». Seul le héros, venu de l'extérieur, se soustrait aux contraintes sociales de Doncières ; comme le «parvenu» des romans du XVIIIᵉ siècle, il circule librement parmi les castes et les strates entre lesquelles se répartissent les habitants. Au narrateur, Doncières apparaît donc bien comme une société fortement structurée, une cohérence sociale ; aussi ressent-il le besoin de métaphoriser cette ville.

À la société de Doncières, quel équivalent trouver dans l'Histoire si ce n'est la société française de la fin de l'ancien régime ? Les trois ordres, les trois castes qui fondent juridiquement cette société se subdivisent alors en sous-groupes, en strates, qui différencient les uns des autres grâce à l'argent. Entre la société de Doncières et la société du XVIIIᵉ siècle finissant, il est possible de dégager une correspondance structurelle. Toutes deux se placent au même point d'intersection de forces antinomiques : tripartisme institutionnel s'opposant à un pluralisme de fait ; étanchéité des castes s'opposant à la porosité des strates.

On a avancé plus haut que, dans l'univers imaginaire du narrateur, il existait un rapport entre «*signifiant esthétique*» et «*signifié historique*»[8], entre la métaphore et son référent historique. Si l'analyse qu'on vient de faire à propos de Doncières est exacte, on peut alors maintenant affirmer que ce rapport est lui-même

8. ZÉRAFFA, « La Poétique de l'écriture », p. 390.

déterminé par l'homologie de structures qui s'établit, aux yeux du narrateur, entre la réalité sociale de certaines villes et la réalité sociale de certains moments de l'Histoire. Entre la société de Doncières et la société de la fin de l'ancien régime, cette homologie existe. Doncières deviendra donc une ville du temps de Louis XVI. Et en effet, à Doncières, tout rappelle le XVIIIe siècle depuis les « *vieilles étoffes allemandes du XVIIIe siècle* » (*R* II, 74) tendues aux murs de la chambre de Saint-Loup à la caserne, depuis l'Hôtel de Flandre où couche le héros, « *ancien petit palais du XVIIIe siècle* » (71), jusqu'au quartier de cavalerie qui occupe une partie de « *l'orangerie de Louis XVI* » (85). Est-il alors étonnant qu'au milieu de cette métaphore, le prince de Borodino, de style Empire! ait l'air si lourd, si prétentieux et si vulgaire ?

Tout l'effort de cette étude a tendu jusqu'ici à montrer que, dans l'univers imaginaire du narrateur, Combray apparaissait comme « un petit monde clos », une société que sa structure transforme, tant sur le plan interne que sur le plan externe, en une circularité. De plus, le chapitre précédent a cherché à montrer que la société combraysienne prônait, comme valeurs significatives, l'égalité, la liberté, l'unité et le patriotisme. D'un point de vue sociologique, Combray se présente donc bien comme une totalité, « *un système de relations signifiantes sur lequel les membres du groupe s'appuient pour interpréter leurs rapport avec autrui* »[9], comme une vision du monde. Aux yeux du narrateur, Combray atteint donc bien ce degré de cohérence sociale qui appelle la métaphore. Et on sait que Combray devient, pour le narrateur, une petite ville du moyen âge ; on sait que la métaphore médiévale « enlumine » Combray dans tous ses aspects. Ce moyen âge, peut-on considérer qu'il correspond structurellement à Combray ? qu'il possède la même circularité ? qu'il représente pour l'Histoire, tout autant que Combray pour la *Recherche*, l'âge d'or de la société ? Peut-on considérer qu'entre Combray et le moyen âge, il existe une homologie de structures ?

En Histoire, comme en littérature, le XIXe siècle redécouvre le moyen âge. Mais il s'agit d'un moyen âge selon son cœur. Dans ce moyen âge les historiens cherchent, et naturellement retrouvent, l'origine de ces deux grandes entités qui sous-tendent leur conception

9. M. WALTZ, « Quelques réflexions méthodologiques suggérées par l'étude de groupes peu complexes : esquisse d'une sociologie de la poésie amoureuse au moyen âge », *Revue internationale des sciences sociales* [Paris], vol. XIX (4), 1967, (pp. 642–57) p. 654.

de l'Histoire : le «Peuple» et la «Démocratie». De ce moyen âge ils font ce moment privilégié de l'Histoire où dans un cadre géographique jusque-là inconnu (la ville), se constitue un groupe social jusque-là inexistant (la bourgeoisie[10]), et s'élabore une pratique sociale jusque-là inédite (la Commune).

Rurale depuis des siècles, la France de la fin du XIIᵉ siècle se trouve dominée par un fait social entièrement nouveau : le fait urbain. Fait social entièrement nouveau car il ne peut être, en effet, considéré comme la simple. résultante du mouvement démographique qui affecte l'Occident depuis l'an Mil. La ville médiévale n'est pas l'héritière de la cité romaine ; elle ne naît pas non plus de la prolifération des dépendances du château. Elle est un phénomène qualitativement différent. L'urbanisation qui prend place dans la seconde partie du moyen âge n'est pas une «renaissance» mais, comme le dit G.Duby, une *«mutation fondamentale»*[11] qui va métamorphoser le paysage social français. À cette ville nouvelle, correspond une «espèce» sociale nouvelle : le «bourgeois». Car non seulement «l'air de la ville» libère l'individu qui le respire de ses servitudes passées, mais il l'investit d'un statut qui le différencie de tous ceux qui vivent en dehors de l'enceinte municipale. À la répartition en «ordres» qui divise et cloisonne verticalement le monde rural, la ville du moyen âge oppose sa «commune» qui réunit les habitants en une seule classe, qui associe entre eux des égaux[12]. Sans doute les distinctions de fait continuent-elles d'exister, mais elles ne peuvent empêcher chaque habitant de jouir des mêmes privilèges sociaux, d'être citoyen de la ville «à part entière», de participer pleinement à l'exercice de la souveraineté. Face au pouvoir féodal individualisé auquel elle s'oppose, la ville médiévale se présente donc comme *«une seigneurie collective»*[13] ; son gouvernement se veut l'émanation de toutes les volontés. Et c'est dans cette unanimité que la ville puise sa force. Dispersés, les marchands, les hommes «libres», les serfs, ne peuvent espérer s'émanciper de la tutelle des seigneurs féodaux ; ensemble, ils peuvent non seulement rejeter cette tutelle, mais entrer en rivalité avec la féodalité, espérer même la supplanter.

10. «Bourgeoisie» doit s'entendre ici au sens étymologique du mot, c'est-à-dire «habitants d'une ville».
11. G.DUBY, *Les Sociétés médiévales* (Paris, Gallimard, 1971), p. 32.
12. *Ibid.*, p. 34.
13. G.BAYSSAT, *La Société médiévale* (Paris, A.Colin, 1965), p. 27.

Car la Commune ainsi formée propose au monde médiéval un type nouveau de relation sociale. Le bourgeois médiéval est étroitement solidaire de sa cité. C'est à elle qu'il doit une sociabilité qui le libère, qu'il doit ses pouvoirs. Sa survie de «bourgeois» dépend donc de la survie de la ville. Aussi sera-t-il toujours prêt à la défendre. Mais la ville, à son tour, ne peut prétendre incarner la volonté collective, ne peut commander le loyalisme, que si elle respecte le pacte qui l'unit à ses habitants. De cette interdépendance naît un lien qui diffère radicalement du lien qui unit le suzerain à son vassal ; de cette interdépendance naît un sentiment qui traduit une nouvelle forme d'appartenance au monde. Ce n'est plus désormais un groupe qui délègue à un individu qui le transcende le soin de l'exprimer, mais chaque individu séparément qui se reconnaît dans la société qui lui reste immanente ; à «l'allégeance» qui fondait la relation sociale féodale, succède alors le «patriotisme». Dans le monde médiéval, c'est avec la Commune que l'idée de patrie est née.

«*Foyer d'innovations sociales*»[14], la cité médiévale est donc un lieu privilégié ; pour ses habitants qui y trouvent une nouvelle raison d'être, et auxquels elle offre «*un asile, une immunité, qui met celui qui s'y réfugie à l'abri des puissances extérieures, comme s'il était réfugié dans une église*»[15]. C'est également un lieu privilégié par rapport au monde qui entoure la cité et à la vie duquel cette dernière refuse de participer, se voulant «*une petite patrie repliée sur elle-même, jalouse de ses prérogatives et en opposition avec toutes ses voisines*»[16], déterminant sa politique à partir de ce «*même égoïsme sacré qui inspirera plus tard celle des États*»[17]. Ce cadre social d'exception qui organise ses occupants au plan de l'horizontalité, qui les réunit en une communauté, qui les protège contre toute menace extérieure, n'est-il pas évident qu'il dessine autour d'eux la forme d'une circularité ? Cette petite société indifférente aux autres, égalitaire, libérale, unitaire, n'est-il pas évident qu'elle ne pouvait manquer d'apparaître aux historiens du XIXe siècle comme l'image de la société parfaite, celle dont ils rêvaient pour leur propre siècle ? Issus d'une révolution qui avait opéré une

14. DUBY, *op. cit.*, p. 36.
15. H. PIRENNE, *Histoire économique et sociale du moyen âge* (Paris, Plon), p. 51.
16. *Ibid.*
17. *Ibid.*

121

transformation sociale tout aussi radicale, sinon plus, que la révolution communale, ces bourgeois pouvaient se croire les héritiers du «peuple» du moyen âge. Pour eux, la commune médiévale était bien l'âge d'or. Combray pouvait-il alors être autre chose qu'une ville du moyen âge? Le narrateur pouvait-il alors choisir un autre moment de l'Histoire pour métaphoriser Combray? Pouvait-il imaginer, dans le Temps, un autre paradis social que la cité médiévale?

Si l'on s'en tient au contenu, on ne peut qu'être frappé par l'anachronisme de la vision sociale de la *Recherche*. À l'encontre de ce qu'affirme P.V. Zima[18], déjà à la parution de l'œuvre, la noblesse française avait perdu son pouvoir de fascination, elle ne constituait plus pour la bourgeoisie un groupe de référence. Le peuple ne vivait déjà plus côte à côte, fraternellement, avec l'aristocratie dans les vieux quartiers de Paris. Les rues retentissaient déjà plus souvent des cris discordants des émeutes que des chants psalmodiés, s'unissant en une harmonieuse «*ouverture pour un jour de fête*» (*R* III, 116), des petits marchands ambulants. Mais cette vision de la société appartient, comme a cherché à le montrer l'introduction de cet ouvrage, à l'univers imaginaire du narrateur. Et l'origine de cette vision, c'est à Combray, mais un Combray que «médiévalise» la métaphore, qu'on peut la trouver. Nécessité structurelle de l'univers imaginaire du narrateur, la métaphore devient alors aussi nécessaire à la structuration de cet univers : elle fonde la «mythologie» sociale du narrateur.

C'est, en effet, à Combray que prennent naissance ces deux «mythes» sociaux qu'incarnent les Guermantes «*glorieux dès avant Charlemagne*» (*R* I, 176), et Françoise la «*paysanne médiévale*» (151); ces deux «mythes» qui nourrissent la pensée sociale du narrateur et qui sont la noblesse et le peuple. Noblesse féodale contre laquelle se dresse la Commune médiévale mais à laquelle celle-ci reconnaît des privilèges; noblesse que Combray ignore mais à laquelle il réserve un traitement de faveur; peuple asservi que la Commune du moyen âge libère; peuple dont Combray respecte les particularismes. Et c'est également à partir de ce Combray médiévalisé que s'élabore le grand «mythe» d'une société «unanime», ce grand «mythe», auquel le narrateur tient tant, des

18. ZIMA, *Le Désir du mythe*, p. 12.

[...] Français de Saint-André-des-Champs, seigneurs, bourgeois et serfs respectueux des seigneurs ou révoltés contre les seigneurs, deux divisions également françaises de la même famille, sous-embranchement Françoise et sous-embranchement Morel, d'où deux flèches [se dirigent] pour se réunir à nouveau, dans une même direction.

(R III, 739)

— direction qui au temps de la guerre sera la frontière ; qui au temps de Combray est la métaphore médiévale.

On sait que dans la *Recherche*, la métaphore joue un rôle essentiel dans la découverte de la vérité.

On peut faire se succéder indéfiniment dans une description les objets qui figuraient dans le lieu décrit, la vérité ne commencera qu'au moment où l'écrivain prendra deux objets différents, posera leur rapport analogue dans le monde de l'art à celui qu'est le rapport unique de la loi causale dans le monde de la science, et les enfermera dans les anneaux nécessaires d'un beau style. (R III, 889)

Seule la métaphore, qui établit ce rapport, permettrait donc d'atteindre la «vérité» car, en réunissant deux objets, en rapprochant la qualité qui leur est commune, elle dégage leur essence et les soustrait par là aux «contingences du temps». Ainsi en serait-il alors de la métaphore médiévale ; elle seule pourrait établir Combray dans sa «vérité», car elle seule, en découvrant la qualité commune à la société où le narrateur a vécu son enfance et à la Commune du moyen âge, retrouverait Combray dans son essence de paradis social. Mais comme le montre G. Genette, dans l'univers de la *Recherche*, ce que la métaphore met en évidence, c'est moins la qualité commune à deux objets — leur rapport de similitude — que «*l'unité spatio-temporelle de l'endroit où les objets sont situés*»[19] — donc leur rapport de contiguïté. Si bien que cette métaphore est en réalité métonymie, car pour justifier le rapprochement analogique auquel elle se livre, elle s'appuie non pas sur le degré de ressemblance existant entre ses deux termes, mais «*sur un rapport plus objectif et plus sûr : celui qu'entretiennent, dans la continuité de l'espace — espace du monde, espace du texte — les choses voisines et les mots liés*»[20]. S'il en est bien ainsi, si c'est bien la contiguïté d'un objet à l'autre, et non la ressemblance, qui met en marche la «machine» métaphorique, il

19. WEBER, « Le Madrépore », p. 32.
20. GENETTE, *Figures III*, p. 166.

en résulte naturellement que le second terme de la métaphore perd de son importance, perd de sa détermination, et que ce terme peut varier au gré des besoins de la métonymie pour autant qu'il reste dans les limites spatio-temporelles où s'inscrit l'objet métaphorisé. C'est ce que démontre G. Genette, et c'est ce qui l'amène à conclure que « *les variations de l'objet «décrit» sous la permanence du schéma stylistique (la métonymie) montrent assez l'indifférence à l'égard du référent, et donc l'irréductible irréalisme de la description proustienne* » [21]. Et notre analyse de la métaphore médiévale en devient alors tout aussi « irréaliste » !

Mais, dit S. M. Weber, « *ce n'est pas la contiguïté comme telle mais* la contiguïté avec le sujet *qui détermine la métonymie proustienne* » [22] ; l'espace dans lequel s'inscrivent les deux termes de la métaphore n'est pas « *l'espace du monde, l'espace du texte* », mais « *l'espace intérieur de la subjectivité* » du « *scripteur* » [23], c'est-à-dire du narrateur. Aussi, dit avec raison S. M. Weber, la métaphore ne tend pas à la plus grande objectivité, en s'entourant de garanties spatio-temporelles ; bien au contraire, elle « *dissout «l'objectivité» et constitue le site du sujet comme espace de fiction* » [24]. N'est-ce pas là ce que nous avons nous-même avancé en montrant que c'est dans « *le site du sujet comme espace de fiction* », c'est-à-dire en d'autres termes dans l'univers imaginaire du narrateur, que prend naissance la métaphore ; que c'est dans cet univers qu'elle s'inscrit ; que c'est à cet univers qu'elle renvoie ? Alors, continue S. M. Weber, « *la métonymie effectue le passage du point de vue «intérieur» au texte à celui qui l'enclôt : de «Marcel» au narrateur* » [25] ; alors, « *la métonymie devient [...] le mouvement par lequel le désir du sujet cherche à s'imposer à son objet* » [26], ce qui, dans notre perspective, revient à dire que la métaphore médiévale est bien le fait du narrateur, qu'elle répond à son désir de transformer Combray en un absolu social, à son désir de justifier la vision qu'il se fait de la société. La « vérité » qu'instaure la métaphore n'est plus alors que la « vérité » de son auteur, le narrateur. C'est lui seul qui la fonde ; c'est en fonction de cette

21. *Ibid.*
22. WEBER, « Le Madrépore », p. 32.
23. *Ibid.*, p. 33.
24. *Ibid.*
25. *Ibid.*
26. *Ibid.*

seule «vérité» qu'il choisit le référent de sa métaphore. Loin
d'être dû aux hasards de la contiguïté, ce référent est dicté par
les impératifs de la subjectivité du narrateur; loin d'être indifférent, comme le veut G. Genette, ce référent est donc essentiel
à la réalisation du désir du narrateur. Dans *Combray*, c'est ce désir
qui «détermine» la métaphore; c'est ce désir qui «détermine»
le choix d'un moyen âge *unanimiste*; c'est bien ce désir qui
«médiévalise» Combray.

Mais ce Combray «*où s'épanouit un ordre humain encore
médiéval*» [27] est un Combray métamorphosé; sa réalité de paradis
social est une réalité métaphorique. Car, comme l'ont remarqué de
nombreux critiques [28], dans la *Recherche*, la métaphore *est* métamorphose; elle crée un sens nouveau, elle crée une réalité nouvelle.
En effet, le rapport analogique qui rapproche deux objets, qui leur
confère une qualité commune, les fait baigner dans un «*milieu
nouveau*» [29] où ils échangent «*leurs déterminations, [...] même le
nom qui les désigne*» [30]. Ainsi en est-il de Venise et de Combray
que le narrateur voit l'un par l'autre, l'un dans l'autre; ainsi en est-
il de la terre et de la mer dans le *Port de Carquethuit* où la
terre devient «marine» et la mer «urbaine» (*R* I, 838); ainsi en est-
il de Combray et du moyen âge qui échangent les termes de leur
description sociale. À tous les niveaux, la métaphore investit la
réalité; en son aboutissement, elle en propose une «vision» qui,
pour le narrateur, est la seule véritable. Mais cette «vérité» de la
réalité que seule la métaphore permettrait d'atteindre, n'est «vérité»
qu'en littérature; c'est la «vérité» d'une réalité que l'art a métamorphosée.

En faisant de *l'unanimisme* la qualité commune à Combray et
au moyen âge, en imprégnant les deux termes de sa métaphore de
cette qualité, le narrateur peut bien croire dégager leur essence,
retrouver la société de son enfance dans sa «vérité» de paradis
social et l'arracher ainsi à «*la dispersion du temps*» [31]. Mais, en
fait, ce qu'il découvre, c'est un Combray dont il a métamorphosé la
réalité. Que le besoin de métaphoriser, et donc de métamorphoser,

27. BRÉE, *Du temps perdu...*, p. 99.
28. Voir, en particulier, TADIÉ, *P. roman*, p. 432, MILLY, *P. style*,
pp. 90 sq.
29. DELEUZE, *P. signes*, p. 59.
30. *Ibid.*
31. TADIÉ, *P. roman*, p. 428.

traduise une certaine attitude vis-à-vis de la société, il n'en faut pas douter. Comme le montre G. Wagner, l'emploi de la métaphore est le signe d'un « refus stylistique de notre temps »[32], d'une « crise de communication avec la société »[33] ; l'abus de la métaphore dénote « un refus de la condition de la société »[34]. Et on sait qu'il en est bien ainsi pour le narrateur ; que pour lui, la société n'a pas valeur ontologique ; que pour lui, elle est un danger. Aussi pour échapper à sa réalité, il s'en forge une « vision » métaphorique ; aussi éprouve-t-il le besoin de « médiévaliser » Combray.

Mais la réalité sociale à laquelle le narrateur est confronté, à laquelle il cherche à échapper, déborde le cadre où veut l'enfermer la métaphore. Ni Combray, ni la Commune du moyen âge ne sont réductibles à leur seul *unanimisme* social ; ni l'un ni l'autre n'épuisent leur « vérité » dans l'image de la cité médiévale, dans l'œuvre et dans l'Histoire, comme paradis de la société. Au contraire, tous deux conservent une complexité que le mouvement métaphorique ne réussit pas à réduire, à assimiler. La métaphore n'est pas le lieu où s'élabore un « univers d'art résistant », mais le lieu où règne une tension entre la multiplicité de la réalité sociale et l'unité qui tend à organiser cette multiplicité en un ensemble cohérent. Cette tension, la métaphore demande à son art de l'aider à la surmonter ; mais elle n'y parvient jamais tout à fait. « Médiévaliser » Combray permet sans doute au narrateur de l'organiser en un ensemble structuré, de lui imposer un ordre et une unité, de l'intégrer à son univers imaginaire. Mais c'est au prix d'une « répression » de la réalité qui ne va pas sans résistance. De cette résistance, *Combray*, comme toute la *Recherche* d'ailleurs, garde la trace, et c'est cette trace qu'il faut maintenant retrouver.

32. [Trad. de] G. WAGNER, « Sociology and Fiction », *Twentieth Century* [London], Febr. 1960, (pp. 108-14) p. 109.
33. *Ibid.*, p. 110.
34. *Ibid.*

III

LA RÉALITÉ RETROUVÉE

LA *Recherche* n'est pas un monologue entre le narrateur et la
réalité mais un dialogue entre deux consciences, entre le narrateur et le romancier[1], et la réalité. Au narrateur avide d'unité et de
cohérence répond le romancier sensible à la multiplicité et à la
complexité du monde. Au narrateur dont la vision se veut globale
répond le romancier dont le regard souligne les limites de cette
vision. Au narrateur qui tend à enfermer l'histoire dans un «univers» homogène répond le romancier qui ouvre l'œuvre sur un
«espace» où viennent s'inscrire, dans leur hétérogénéité, la richesse
et le foisonnement du monde. À la conscience structurante du narrateur répond la conscience critique du romancier. C'est cette
conscience qui réintroduit dans l'œuvre ces éléments de la réalité,
ces valeurs, que le narrateur sacrifie comme irréductibles à son
univers. C'est cette conscience qui dénonce les métamorphoses que
le narrateur fait subir à la réalité, et qui fait de l'œuvre un témoin
de son temps.

On sait que Combray veut être une société sans classes,
prétend réunir en un seul ensemble «unanime» tous ses habitants.

---

1. Nous reprenons ici, en l'adaptant à la *Recherche*, la théorie de
L. Goldmann développée dans *Marxisme et sciences humaines* (Paris, Gallimard,
1970), selon laquelle toute œuvre comporte deux pôles : d'une part, le désir
d'unité, de cohérence ; d'autre part, le désir d'exprimer la multiplicité, la
complexité du monde. Appliquée à l'œuvre de Proust, le premier pôle serait donc
représenté par le narrateur et son univers imaginaire, le second par le romancier et
son espace.

Chacun a sa place dans cette communauté, est appelé à participer à la vie collective, a un rôle à jouer dans la structuration de l'univers combraysien. Chacun est indispensable, Eulalie ou Françoise tout autant que la tante Léonie car toutes deux exercent une activité, possèdent un savoir, sans lesquels Combray ne peut s'organiser en circularité. Même un jardinier, par sa simple présence anonyme, peut prendre une importance imméritée. Aussi, quelle que soit la place qu'il occupe dans la hiérarchie, à Combray, chacun conserve sa pleine individualité, à la seule exception, cependant, des êtres qui remplissent successivement la fonction de «fille de cuisine». Ces êtres, en effet, n'ont aucune individualité, fût-elle physique. Dès leur présentation, ils sont dépersonnalisés.

La fille de cuisine était une personne morale, une institution permanente à qui des attributions invariables assuraient une sorte de continuité et d'identité, à travers la succession des formes passagères en lesquelles elle s'incarnait, car nous n'eûmes jamais la même deux ans de suite. (*R* I, 80)

Seule la fonction de «fille de cuisine» permet donc aux êtres qui l'occupent passagèrement d'acquérir un semblant d'existence, mais non une individualité. Ces êtres restent aussi anonymes, aussi interchangeables dans leur personne que « *les petits pois alignés et nombrés comme des billes vertes dans un jeu* » (121), et qu'ils sont chargés d'écosser. Ils n'existent que sous une forme générique ; jamais ils ne réussissent à s'individualiser.

Cependant, l'année où Combray mange tant d'asperges, la fille de cuisine du moment parvient à échapper aux servitudes de sa fonction : la « *pauvre créature maladive* » (*R* I, 80), alors en service, est enceinte. Cette grossesse confère à la fille de cuisine une importance tout à fait inhabituelle à Combray. D'abord, parce qu'elle la dote d'une consistance physique qui, malgré les « *amples sarraux* » qui la cache en partie, retient l'attention ; mais surtout, parce qu'elle fait de cet être jusqu'alors indéterminé le lieu privilégié où s'élabore la vie humaine. Aux yeux de Combray, la fille de cuisine acquiert une humanité, une individualité, auxquelles aucune de ses consœurs n'avait jamais osé prétendre. Grâce à l'enfant qu'elle porte, grâce à sa grossesse, la fille de cuisine devient un être humain, ayant droit à s'intégrer à la communauté. Combray se trouve alors placé devant une situation à laquelle rien ne l'a préparé, qui va faire éclater ses contradictions et qui va mettre en lumière l'inanité de ses prétentions à *l'unanimisme* social.

Combray sait trop bien que les tâches que remplissent les filles de cuisine successives sont de celles qu'on ne peut normalement confier à un être humain car elles sont trop pénibles, trop répétitives, trop aliénantes. Aussi s'étonne-t-il que Françoise laisse « *faire tant de courses et de besogne* » (*R* I, 80) à la fille de cuisine enceinte. Mais Combray sait bien aussi que ces tâches sont indispensables au bien-être de sa petite société. Jusqu'alors, il pouvait feindre d'ignorer cette contradiction et faire semblant de croire que les filles de cuisine successives acceptaient librement et volontairement ces travaux et renonçaient ainsi à toute prétention humaine ou sociale. Mais la grossesse de la fille de cuisine vient mettre fin à cette illusion et risque de miner dangereusement un système qui permet à Combray d'exploiter son semblable tout en maintenant la fiction de *l'unanimisme* de sa société. Combray se trouve donc confronté à un dilemme : il ne peut dénier le droit de rejoindre la communauté à l'être humain qu'est devenue la fille de cuisine enceinte ; mais il ne peut non plus le lui accorder sans remettre en question l'existence d'une fonction dont dépend son confort. Il faudra donc que malgré sa grossesse, la fille de cuisine reste enfermée dans le cadre déshumanisant qui lui a été fixé de tout temps. Et pour l'y réintégrer, Combray va lui faire suivre un chemin exactement inverse à celui qui l'a conduit à s'individualiser.

Dans un premier temps, Combray va chercher à séparer l'effet de la cause, le signe de l'objet qui l'émet, le symbole de vie humaine qu'est la grossesse de l'être qui la porte. Tout est donc mis en œuvre pour «réifier» la fille de cuisine, pour la réduire à l'état de lieu inconscient d'un phénomène dont elle ne subira que les effets physiques. Sa grossesse l'envahit « *jusqu'à la figure, jusqu'aux joues* » (*R* I, 81) ; elle fait du ventre déformé un réceptacle dont la fille de cuisine ignore même le contenu, « *une mystérieuse corbeille, chaque jour plus remplie* » (80) ; cette grossesse devient pour elle un « *simple et pesant fardeau* » (81) dont elle se débarrasse « *spontanément* » (109) lorsqu'il se fait trop encombrant, comme d'un « *fruit caché qui serait parvenu à maturité* ». Est-il alors étonnant que de la fille de cuisine, le regard ne retienne que ce ventre, que ce soit vers ce ventre symbolique que l'attention soit sans cesse ramenée ? Est-il alors étonnant que la fille de cuisine ne devienne en rien plus réelle et qu'aux yeux de Combray, elle continue à n'être qu'une « *image* » (81) simplement accrue « *par le symbole ajouté qu'elle* [porte] *devant son ventre, sans avoir l'air*

129

*d'en comprendre le sens, sans que rien dans son visage en [traduise]
la beauté et l'esprit*»? Mais ce ventre en tant que symbole est
encore de trop; il valorise encore trop la fille de cuisine. Aussi
Combray va-t-il dissocier ce symbole de l'objet en lequel il
s'incarne; ce ventre va devenir pure matérialité, signifiant sans
signifié. C'est alors que la comparaison de la fille de cuisine aux
allégories de Giotto se révèle d'une utilité décisive. Elle permet,
en effet, à Combray de fonder son entreprise de dépersonnalisation
sur «l'autorité» de l'art. Pas plus que la *Charité* ou que l'*Envie*
de Giotto, la fille de cuisine ne sera consciente de la valeur symbolique de ce poids qui lui tire le ventre; mais plus encore, pas plus
que le cœur enflammé de la Charité ou que le serpent qui tord
les lèvres de l'Envie, ce poids ne sera perçu comme un symbole
car il ne sera habité par aucune pensée. De ce qui faisait la valeur
humaine de la grossesse, il ne restera donc plus rien après cette
métamorphose de la fille de cuisine en allégorie. Son ventre aura
perdu tout mystère, sa grossesse toute humanité. Alors Combray
pourra sans remords non seulement renvoyer la fille enceinte à sa
condition servile et l'exclure de la communauté, mais l'ayant dépos-
sédée de toute spiritualité, lui faire rejoindre l'état de nature
auquel, pour Françoise et pour le héros même, cette fille de cuisine
appartient.

Il n'est pas indifférent que dans la narration les cris de souf-
france de la fille de cuisine retentissent immédiatement après les
cris affolés que pousse le poulet que Françoise est en train
d'égorger. Les premiers s'en trouvent ainsi rabaissés au niveau des
seconds, ils en deviennent aussi insignifiants. Et en effet, si les cris
du volatile assassiné ne troublent qu'un bref instant la conscience
du héros, les cris de la servante en gésine ne dérangent pas
beaucoup plus longtemps la tante Léonie. Ils suscitent même en elle
moins d'émotion que le rêve qu'elle vient de faire! Ils en suscitent
d'ailleurs encore moins chez Françoise! Et ce n'est pourtant pas
que Françoise manque de cœur : à lire la description clinique de la
crise de colique dont souffre justement la fille de cuisine, elle
pousse des sanglots et s'écrie à chaque symptôme douloureux mentionné : «*Hé là! Sainte Vierge, est-il possible que le bon Dieu
veuille faire souffrir ainsi une malheureuse créature humaine?
Hé! la pauvre!*» (*R* I, 123). Mais ces larmes et ces sanglots se
tarissent comme par magie lorsque Françoise revient au chevet de
la fille de cuisine. C'est parce que, aux yeux de Françoise, cette

fille n'a justement rien d'une «créature humaine»! Aussi la soigne-
t-elle les yeux secs et avec «*des ronchonnements de mauvaise
humeur*» ; aussi lui en veut-elle de ses souffrances tout autant
qu'au poulet de sa résistance. À la «*sale bête*» (122) dont elle
injurie ce poulet répondent les «*affreux sarcasmes*» (123) dont elle
abreuve la fille de cuisine qui après avoir fait tout ce qu'il fallait
pour «ça», se permet de vouloir «*faire la maîtresse*» (122), c'est-à-
dire, en réalité, demande simplement qu'on la traite avec humanité,
ce que fait d'ailleurs la mère du héros. Tout autant qu'avec le
poulet récalcitrant, Françoise sera sans merci avec cette fille de
cuisine trop ambitieuse! Pour s'en débarrasser, elle inventera des
ruses aussi savantes et aussi impitoyables que celles de la guêpe
fouisseuse dont parle Fabre, avec l'assentiment tacite, sinon même
avec la bénédiction de la famille, pour qui, à l'état de nature,
l'homme peut bien être un loup pour l'homme, et par conséquent,
Françoise peut bien torturer presque à plaisir la malheureuse fille
de cuisine.

Ce retour de la fille de cuisine à l'animalité justifie alors le
traitement auquel la soumet Combray, par l'intermédiaire de Françoise, et l'ostracisme social où il la tient. Car pour Combray,
comme pour la philosophie «traditionnelle» ainsi que le montre
S. Moscovici[2], l'existence du monde humain implique une rupture
irréversible avec la nature, avec l'animal, avec l'instinctuel. Ce qui
peut en subsister dans le monde des hommes n'est que «sauvagerie» dont il faut préserver une société «rationnelle», fondée sur
le travail, le savoir, la communication ; toutes choses jugées absentes
de la nature ; qualités dont, pour Combray, la fille de cuisine est
également dépourvue. Son travail, en effet, n'est qu'une approxima-
tion imparfaite du travail si soigné de Françoise. Son savoir est si
limité qu'on ne peut lui donner que des besognes purement méca-
niques comme l'écossage des petits pois ou la toilette des asperges.
Quant à sa faculté de communiquer, elle est inexistante : à aucun
moment la fille de cuisine n'émet de son articulé. N'est-il pas alors
naturel que Combray cherche à se protéger devant cette «sauvagerie»? qu'il domestique la fille de cuisine tout comme la société
asservit la nature? qu'il l'exploite à ses fins tout comme la société
règne en maître sur la nature?

2. Voir S. MOSCOVICI, *Hommes domestiques et hommes sauvages* (Paris,
Éd. de Minuit, 1974).

Mais cet «ensauvagement» de la fille de cuisine n'est justement pas naturel ; au contraire, il répond à des fins intéressées. L'«humanisme» que Combray prétend défendre ne recouvre rien d'autre que les intérêts de ses maîtres. Ceux-ci peuvent bien s'apitoyer sur la servante enceinte, s'étonner de la dureté de Françoise, plaider l'ignorance, ils n'en sont pas moins de mauvaise foi. Ils savent, en effet, parfaitement que Françoise «*qui, pour sa fille, pour ses neveux, aurait donné sa vie sans une plainte, était pour d'autres êtres d'une dureté singulière*» (*R* I, 122). Mais plutôt que de dénoncer cette cruauté, ils préfèrent s'en accommoder, feindre de l'ignorer. Car ils en profitent ; ils savent que sans l'aide de la fille de cuisine, Françoise ne pourrait leur assurer un service aussi parfait, leur offrir une cuisine aussi succulente ; ils savent qu'il vaut mieux fermer les yeux sur les agissements de Françoise que de devoir se priver de «*cette bonne si intelligente et active* [...] *qui* [*fait*] *tout bien, travaillant comme un cheval, qu'elle* [*soit*] *bien portante ou non, mais sans bruit, sans avoir l'air de rien faire*» (54), ce qui d'ailleurs change agréablement de l'air «*douloureux*» (121) que la fille de cuisine arbore continuellement «*comme si elle ressentait tous les malheurs de la terre*», et pour cause ! Pour Combray, «ensauvager» la fille de cuisine ce n'est donc pas la renvoyer à son état premier mais l'asservir sciemment à ses besoins et fonder sur cet asservissement son bien-être et sa prospérité.

Si cette analyse est fondée, la fille de cuisine devient alors significative d'une réalité sociale que la métaphore médiévale cherchait justement à occulter. Combray, a-t-on écrit à plusieurs reprises, ne connaît ni les divisions, ni les conflits sociaux. Mais ce Combray *unanimiste* appartient à l'univers imaginaire du narrateur ; il tend à la cohérence. L'espace social que le romancier embrasse, inscrit, au contraire, dans l'œuvre la complexité sociale de son temps, sa réalité ; réalité d'une société qui se divise en classes, qui vit dans les rivalités et les antagonismes sociaux. Et l'épisode de «la fille de cuisine» est là pour en apporter la preuve.

On a souvent dit que le «peuple»[3] était absent de la

3. Il faut mettre ce mot entre guillemets de «protestation», car ses connotations sont devenues telles, et dans l'œuvre de Proust si émotionnelles, qu'il a perdu quasiment toute valeur en sociologie descriptive.

Recherche, à commencer par *Combray*[4] ; ou bien, on a voulu le trouver dans les quelques artisans et boutiquiers qui apparaissent dans l'œuvre ; ou même, encore, on a voulu le découvrir parmi les domestiques[5]. Dans tous les cas, il semble que la critique se soit trompée. Car, dans *Combray*, par exemple, ni Théodore, ni Eulalie, ni Françoise ne peuvent prétendre représenter ce «peuple» : ils sont trop aliénés à leurs maîtres. Tout au plus peuvent-ils apparaître — comme ils apparaissent d'ailleurs au narrateur — comme le «reflet» de ce «peuple français» idéalisé au porche de Saint-André-des-Champs. À ce «peuple», la fille de cuisine n'appartient pas ; elle en détruirait le mythe. Car ce qu'elle représente, c'est un peuple qui dans la réalité a nom de *prolétariat*. Et ce prolétariat, c'est celui de la fin du XIXe siècle, asservi par la réaction versaillaise au lendemain de la Commune de 1871, «ensauvagé» dans les usines par la révolution industrielle. Ce prolétariat, comme la fille de cuisine, en est encore à se chercher, à se forger une individualité. Ce n'est plus le «*peuple en cadence*»[6] de 1848 qui effrayait tant les bourgeois de *L'Éducation sentimentale*, mais ce n'est pas encore la masse menaçante de *Germinal*. C'est une classe qui en est à ce moment de la gestation qui ne se traduit par aucun, ou presque aucun, mouvement de surface ; apparente immobilité et passivité qui rassure et qui peut donner l'impression de calme et de paix sociale. Pas plus que la fille de cuisine pour Combray, le prolétariat des années 1880 ne représente un danger pour la société bourgeoise.

Mais la bourgeoisie veut croire et nous faire croire à la fiction de son *unanimisme* social. Aussi, après avoir si bien réduit le prolétariat à «l'animalité», va-t-elle s'employer à le récupérer ; non pas dans sa réalité «inacceptable» mais métaphorisé. Et c'est encore une fois à l'art que la bourgeoisie va faire appel pour mener à bien cette tâche. Car l'art, tel que l'entend la bourgeoisie, présente cet avantage d'être une valeur transcendantale, d'inscrire ses «figures» dans l'absolu. Appliqué au prolétariat, comme second terme de la

---

4. De simples figurants comme Camus, l'épicier, ou Théodore ; Françoise et Eulalie qui, à Combray, n'ont pas un rôle si important. Voilà tout ce que propose *Combray*.

5. Françoise, par exemple, qui, pour de nombreux critiques, est la «paysanne» type, incarnant le passé populaire français.

6. G. FLAUBERT, *L'Éducation sentimentale* (Paris, Garnier, 1964), p. 294.

métaphore, l'art en dégagera «l'essence», le fera échapper aux vicissitudes de l'espace et du temps, le métamorphosera en une classe «idéale» que la bourgeoisie pourra alors contempler avec sérénité. Tout comme les belles dames peintes par Sargent devant la représentation idéalisée que ce même artiste leur offre des combattants de la grande guerre, Combray pourra s'écrier devant la fille de cuisine devenue Charité : «comme c'est touchant» au lieu de «comme c'est obscène»[7]! La métaphore aura rempli son rôle ; elle aura retiré à l'objet métaphorisé tout pouvoir d'inquiéter ; elle l'aura investi d'un sens nouveau ; elle aura fait écran à la vérité[8]. Le prolétariat aura disparu de *Combray* ; il n'y restera plus que le «peuple» qui viendra alors se figer harmonieusement à ce panthéon social de la bourgeoisie qu'est le porche de Saint-André-des-Champs ; ce «peuple» qui viendra alors s'intégrer sans difficulté à ce «mythe» de l'Histoire bourgeoise qu'est la Commune du moyen âge.

Car le regard que le XIXe siècle bourgeois porte sur cette institution médiévale est un regard intéressé. Il fait de la Commune du moyen âge une conquête révolutionnaire, un mouvement de libération contre la royauté ; oubliant que cette Commune s'opposa, non pas au pouvoir royal, mais à la féodalité et qu'elle bénéficia, au contraire, dans sa lutte de l'appui de la royauté qui lui «octroya» ses libertés pour mieux abaisser ainsi le pouvoir féodal. Il fait également de la Commune médiévale le premier exemple français de société démocratique, oubliant que cette société ne fut ni égalitaire, ni libérale, ni patriotique. Car si la Commune abolit l'inégalité juridique, c'est pour la remplacer par l'inégalité économique. «*C'est désormais en termes de revenus mobiliers, de fortune, que se mesure le rang social*»[9]. Pour la première fois, la richesse devient le seul critère de différenciation sociale et le pauvre se trouve alors exclu de la société. La Commune du moyen âge ne partage pas le pouvoir entre tous ses citoyens ; au contraire, sous couvert de guildes et d'échevinats, elle en fait le monopole d'une minorité de maîtres-artisans et de marchands. La Commune, enfin, n'est pas *unanimiste* ; sa société se fractionne «*en collèges*

7. [Trad. de] E.M. FORSTER, *Abinger Harvest* (New York, Harcourt Brace, 1936), p. 29.

8. FERNANDEZ, *L'Arbre...*, p. 330.

9. R. FOSSIER, *Histoire sociale de l'Occident médiéval* (Paris, A. Colin, 1970), p. 206.

particuliers ne poursuivant que leurs intérêts propres et incapables de les subordonner aux intérêts d'autrui»[10]. Le patriotisme y est une valeur toute relative, proportionnelle aux avantages que chacun peut retirer de son appartenance à l'ensemble. La Commune du moyen âge n'est donc pas cette légende que la bourgeoisie du XIXᵉ siècle a cherché à accréditer : «[...] *depuis plus de cent ans*», écrit R. Fossier, «*la bourgeoisie européenne propage l'illusion des communes démocratiques, opposées au conservatisme de la noblesse et de la campagne; la légende est tenace* [...]»[11]. Mais si cette bourgeoisie accrédite ainsi cette version des faits, c'est naturellement parce que celle-ci lui rapporte de nombreux avantages. Elle lui permet, à travers sa propre révolution, de se déclarer l'héritière de la Commune médiévale ; elle lui permet, en inscrivant sa société dans le droit fil de la société communale, de fonder l'illusion démocratique grâce à laquelle elle confisque le pouvoir à son seul profit ; elle lui permet, en niant l'existence des classes, de proclamer l'avènement de l'âge d'or de la société.

Malgré la métaphore médiévale, Combray ne réussit donc pas à masquer sa réalité. Combray n'est pas le royaume de *l'unanimisme* social ; il n'est pas le paradis de la société. Comme tous les paradis, ce paradis-là est une illusion et l'épisode de «la fille de cuisine» est là pour le démontrer. Combray est ce lieu social où le plus déshérité n'a pas encore acquis le droit de s'exprimer, de revendiquer sa liberté ; il est ce moment de l'Histoire où le prolétariat ne peut encore que marquer sa présence ; il est cette fiction sociale par laquelle la bourgeoisie triomphante rassure sa conscience.

10. H. PIRENNE, *Histoire économique et sociale du moyen âge* (Paris, Plon), p. 248.
11. FOSSIER, *op. cit.*, p. 248.

IV

LA TENTATION DU MONDE

COMBRAY apparaît comme une petite société uniquement centrée sur elle-même, comme un monde autonome, comme une «*monade*»[1] décrivant sa trajectoire dans le vide social. Pour R. Girard[2], cet «autisme» de la société combraysienne s'explique par le fait que la relation qui unit Combray au monde qui l'entoure relève de ce qu'il appelle «la médiation externe». On sait que pour R. Girard, dans les œuvres romanesques, le désir du héros n'est jamais spontané ; qu'il implique, au contraire, l'existence d'un «modèle» que le héros se donne et qui lui indique l'objet de son désir. Ce «modèle», que R. Girard nomme le «médiateur», peut être pour le héros comme un «dieu» bienveillant dont il se sent séparé par une «distance infranchissable» ; la médiation reste alors externe. Au contraire, le médiateur peut être suffisamment rapproché du héros pour que celui-ci ressente sa présence comme une gêne, un obstacle à son désir, et qu'il voie dans ce médiateur trop proche un rival à supplanter, un ennemi à abattre ; la médiation se fait alors interne. Dans le premier cas, le héros n'éprouve que respect, admiration, adoration même pour son modèle ; dans le second, c'est l'envie, c'est la haine qui dominent. Cette typologie de la médiation, dit encore R. Girard[3], s'applique aux groupes sociaux tout autant qu'aux individus. C'est en fonction du type de

1. GIRARD, *Mensonge romantique...*, p. 216.
2. *Ibid.*, p. 215.
3. *Ibid.*, p. 205.

137

médiation qu'elles adoptent que les sociétés deviennent paradis ou enfer ; et si le petit monde de Combray renvoie au premier terme de cette alternative, c'est justement parce que, selon R. Girard, il a choisi de placer sa relation au monde sous le signe de la médiation externe. Pour R. Girard, en effet, Combray garde les yeux fixés sur sa propre société, ses modèles, ses valeurs ; il vit dans l'ignorance de la vie des autres. À Combray, le bonheur d'être soi, d'être entre soi, l'emporte sur l'envie de connaître autrui, de rivaliser avec lui, de le dominer. À Combray, « *l'unité positive de l'amour* » l'emporte sur « *l'unité négative de la haine* »[4]. C'est donc bien grâce à la médiation externe, conclut R. Girard, que Combray peut se constituer en « *un petit monde clos* », indifférent au reste de la société, qu'il peut offrir à ses habitants ce bien inestimable qu'est le bonheur de vivre ensemble dans la paix du monde.

Mais est-il si certain que Combray ne connaisse que ce seul type de médiation ? que « l'autisme social » de Combray soit si total ? Ici encore, on peut considérer que l'analyse de R. Girard, pour éclairante qu'elle soit, ne décrit que la société de Combray telle qu'elle apparaît dans l'univers imaginaire du narrateur. Dans cet univers, Combray peut bien être l'image de la sphère sociale parfaite, gravitant uniquement sur elle-même, ignorant la course des autres astres. Mais dans l'espace de l'œuvre, Combray doit devenir l'un des éléments du planétarium social, participer à son mouvement, se soumettre à ses lois. Car sinon, comment le héros pourrait-il entreprendre son voyage dans la société ? Comment pourrait-il découvrir sa sociabilité ? Seule force d'attraction, Combray l'en empêcherait.

Dans la *Recherche*, la petite société combraysienne ne vit pas séparée du monde ; ses habitants ne sont pas aveugles aux distinctions de ce dernier. Au contraire leur regard se porte sur ce monde qui entoure Combray : pour s'assurer, par un choc en retour, de la supériorité de leur propre société ; pour y lire l'envie qu'ils sont persuadés de susciter ; pour y découvrir un « ailleurs » qu'ils parent de couleurs d'autant plus attrayantes qu'ils en sont éloignés. Comme les habitants du paradis terrestre, les habitants de Combray connaissent aussi la tentation du monde.

Seule la grand-mère du héros paraît l'ignorer. L'« autisme social » semble l'emporter chez elle au point de lui faire perdre tout

4. *Ibid.*, p. 206.

sens de la réalité. À force de se désintéresser des gens, elle finit par confondre tous les noms ; à Balbec, elle passe tout un été sans remarquer l'existence des personnes avec qui elle mange pourtant tous les jours. Cette totale indifférence à l'égard de la société la rend naturellement incapable de comprendre comment on peut attacher de l'importance aux distinctions sociales. Aussi le snobisme de Legrandin ne la choque pas ; les prétentions nobiliaires de Charlus la font simplement sourire. Le mépris social ne peut la toucher.

Mais la vieille dame n'est pas aussi exempte de préjugés sociaux que le narrateur voudrait le faire croire. Elle sait, quand il faut, appliquer les lois de la relation sociale «selon Combray»! Ainsi en est-il lorsqu'elle écarte du cercle de ses amies la marquise de Villeparisis, de la « célèbre famille de Bouillon » (R I, 20), malgré sa sympathie pour elle ; c'est au nom de cette conception combraysienne de la société qui veut que les «castes» ne se mêlent pas qu'elle le fait. Ainsi en est-il encore lorsqu'elle exprime la même réprobation que les «dames de Combray» pour les relations extra-conjugales de son ancien professeur de dessin, refusant comme ses amies jusqu'à prononcer le nom de la femme avec laquelle ce professeur vit (859). Sans doute rachètera-t-elle cette pudibonderie en s'intéressant, et en intéressant ses amies réticentes, au sort de l'enfant naturel ; sans doute finira-t-elle un jour par faire allusion à la mère, mais elle n'en aura cependant pas moins aligné sa conduite sur celle des fameuses «bourgeoises» de Combray, montrant ainsi que pour elle, morale et société vont finalement de pair.

La grand-tante du héros est déjà plus sensible à la réalité du monde. Elle a beau, en effet, être parfaitement satisfaite de sa condition, être convaincue que rien ne vaut la «belle bourgeoisie» dont elle fait partie, elle sait aussi que cette conviction n'est pas universellement partagée, qu'il y a de «mauvais esprits» pour qui le monde est plein d'attraits. C'est contre ces gens-là qu'elle sévit ; avec elle le «patriotisme» de Combray se fait plus agressif. Mais elle est si bien persuadée de la supériorité sociale des notaires et des avoués qu'elle se contente de mépriser ceux qui se risquent à la contester. Swann, par exemple, à qui elle fait sentir combien il se déclasse. Car son orgueil est tel qu'il empêche la grand-tante de s'apercevoir que si Swann est mal marié, domicilié dans un quartier sans élégance, il fréquente aussi un monde dans lequel, elle, n'a pas plus de chance de pénétrer que dans la caverne d'Ali-Baba.

Son orgueil est tel qu'il lui fait prendre pour de gênantes particularités les avantages que Swann possède et que, elle, elle n'a pas. «*Chaque fois qu'elle voyait aux autres un avantage, si petit fût-il, qu'elle n'avait pas, [elle] se persuadait que c'était non un avantage, mais un mal*» (*R* I, 22). Aussi la grand-tante ne connaît pas l'envie; elle ne voit dans le monde que le reflet de sa propre supériorité.

Cette envie, au contraire, Françoise la connaît bien. Non pas qu'elle éprouve elle-même ce sentiment : elle a placé ses maîtres dans un empyrée social tellement élevé qu'elle ne peut que contempler, sans même penser à l'envier, la «*vie étrange et brillante*» (*R* I, 107) qu'ils y mènent. De plus, Françoise ne s'estime pas à plaindre, loin de là : elle a de la famille, une petite maison qui lui vient de ses parents et où son frère élève quelques vaches; elle jouit de la considération qu'on porte à ses maîtres. Si bien qu'elle montre le même mépris amusé que la grand-tante envers ceux qui sont assez déshérités pour n'avoir ni famille, ni chez soi, comme, par exemple, la petite femme de chambre qu'elle rencontre à Balbec. La situation de cette dernière, orpheline élevée par des étrangers, lui semble si curieuse, que Françoise en arrive à lui accorder des «*égards particuliers*» (692). Mais Françoise ne fait pas preuve du même «*dédain bienveillant*» pour ceux qu'elle appelle «*des gens comme moi, des gens qui ne sont pas plus que moi*» (107), à moins qu'ils ne lui donnent du «*Madame Françoise*». De ceux qui se considèrent autant qu'elle, au contraire, elle se méfie ; avec ceux-là, elle mène un combat incessant. D'abord pour les obliger à rester «à leur place» comme la fille de cuisine quand celle-ci veut «*faire la maîtresse*» (108) ; mais surtout, pour les empêcher de rivaliser avec elle, de s'élever plus haut qu'elle, comme elle soupçonne, par exemple, Eulalie de vouloir le faire. Pour Françoise, le monde est donc bien présent. Mais elle le perçoit uniquement comme un lieu d'affrontement perpétuel avec des forces rivales dont le seul but ne peut être que de la déposséder de sa respectabilité. C'est pourquoi les règles de la politesse ont tant d'importance pour Françoise, et que le moindre manquement à ses règles la rend littéralement malade. Car dans le monde où vit Françoise, le respect des règles de politesse peut seul assurer à chacun une individualité sociale. Dans ce monde où les distinctions réelles sont presque inexistantes, un monde que la condition servile rend même encore plus uniforme aux yeux d'autrui, chacun prétend d'autant plus à la différence. Plus les individus sont identiques socialement, plus ils cherchent à s'individualiser. Aussi, loin de les réunir, la relation sociale les sépare davantage; au lieu de les amener à s'estimer les uns les autres, elle les pousse à se mépriser. Dans ce monde hostile et méfiant, Françoise ne connaît que des ennemis et une guerre de tous les instants. C'est à ce prix qu'elle peut garder le sentiment de sa différence.

Le père du héros ne peut même pas se targuer d'une quelconque différence, car il sait trop bien que la tentation du monde l'emporte chez lui au point de le rendre identique à ceux qu'il prétend mépriser et qu'en réalité il admire, et chez qui la tentation du monde a dégénéré au point de devenir une maladie. C'est avec raison que R. Girard remarque[5] qu'à Combray, Legrandin n'est pas seul à être snob; le père du héros l'est aussi. Et n'est-ce d'ailleurs pas pour cela, parce qu'il connaît si bien les symptômes de la maladie du snobisme, que le père est le premier à les découvrir chez Legrandin? N'est-ce pas parce qu'il use des mêmes subterfuges, que le père déjoue si bien ceux qu'emploie Legrandin? N'est-ce pas parce qu'il ressent la même infériorité sociale, que le père s'irrite tant de se voir snobé par Legrandin? N'est-ce pas, enfin parce qu'il se sait snob, parce qu'il souffre de cette indignité, que le père sait si bien torturer Legrandin?

À Combray, Legrandin rêve de duchesses et s'agenouille devant les châtelains des environs; à Paris, le père adorera Norpois et s'enorgueillira de recevoir Cottard. À Combray, Legrandin est déjà condamné, le père est encore épargné. Aussi peut-il faire croire qu'il ne vit que pour la communauté, qu'il ne s'intéresse qu'à ses activités. Mais il ne prend jamais autant de part à ces activités collectives que lorsque le monde extérieur vient s'inscrire dans leur champ : c'est lui qui met le «barbare» en déroute, qui préside le conseil de famille réuni pour examiner l'étrange conduite de Legrandin. Ainsi peut-il sans se trahir, se laisser aller à la tentation du monde; placé en apparence au centre de la communauté, il est en réalité ailleurs; il est déjà dans ce monde qu'il feint d'ignorer et où Legrandin l'a précédé. Si le père poursuit si rudement Legrandin, ce n'est pas par mépris mais par envie; avec lui, Combray connaît la médiation interne.

Le héros, quant à lui, désespère de ne pouvoir jamais péné-

5. *Ibid.*, p. 77.

trer dans ce monde sur lequel Combray ne lui offre à son gré que de trop rares échappées. C'est que son désir du monde lui fait éprouver un tel sentiment d'infériorité qu'il en vient presque à se considérer sous le coup d'une malédiction. Pour le héros, connaître Gilberte serait le plus grand des bonheurs possibles. Mais il se convainc que ce bonheur est interdit «*aux enfants de [son] espèce de par des lois naturelles impossibles à transgresser*» (*R* I, 142). En fait, le héros sait très bien qu'il n'est en rien différent des autres enfants, que les «lois» qu'il invoque n'ont rien de «naturel» mais qu'elles sont édictées par Combray. Aussi, loin de décourager son désir du monde, cette interdiction ne fait-elle que l'exaspérer davantage, si bien que la vision que le héros a de la société finit par se brouiller.

À Combray, le héros prétend n'avoir «*aucune notion sur la hiérarchie sociale*» (*R* I, 99); disons plutôt qu'il s'en fait une conception erronée. Le sentiment qu'il a de son infériorité le pousse, en effet, à se placer tout en bas de l'échelle sociale et à doter de tous les attraits ceux que Combray tient à l'écart. «*L'impossibilité que mon père trouvait à ce que nous fréquentions Mme et Mlle Swann avait eu plutôt pour effet, en me faisant imaginer entre elles et nous de grandes distances, de leur donner à mes yeux du prestige.*» Nourri par l'imagination, ce sentiment d'infériorité rend le héros particulièrement vulnérable à toutes les tentations sociales. Déjà, à Combray, ces tentations, par leur force centrifuge, l'entraînent loin du centre de cette sphère qu'est la communauté. «*On sait*», écrit M. Muller, «*que le Héros de la* Recherche du temps perdu *est un être solitaire, même au milieu de la compagnie, même dans la joie de l'amour*»[6]. Il semble qu'il en soit déjà ainsi dans *Combray*.

À Combray, le héros participe à peine aux activités collectives. Sans doute son jeune âge explique-t-il qu'il y prenne peu de part. Il est encore trop enfant pour que la famille le charge de responsabilité, pour qu'elle lui permette de participer à la conversation. Son rôle se borne donc à être là et à écouter. Mais ce si petit rôle, le héros semble avoir du mal à l'assumer ou plus exactement, comme le dit M. Muller, à le sentir comme un «*rôle*» c'est-à-dire «*une attitude sans rapport avec la réalité*»[7]. Par

6. MULLER, *Voix narratives...*, p. 26.
7. *Ibid.*, p. 29.

exemple, quand Swann vient dîner, le héros s'assied bien comme tout le monde autour de la table de fer du jardin ; mais il reste insensible à l'intérêt et à la drôlerie de la conversation car il est comme « *un malade [qui] grâce à un anesthésique assiste avec une pleine lucidité à l'opération qu'on pratique sur lui, mais sans rien sentir* » (*R* I, 24). Son esprit est ailleurs ; il est déjà tout entier absorbé par la perspective de son coucher. Si le héros est présent, ce n'est donc qu'une présence physique, et encore. Car même cette participation physique aux activités collectives, le héros semble y répugner. Dans les promenades familiales, il reste le plus souvent à la traîne : combien de fois, en effet, rejoint-il en courant ses parents qui l'appellent ? Lors de la visite chez Vinteuil, il reste dehors ; quand le conseil de famille se réunit, il descend à la cuisine. À Combray, le héros se sent déjà très peu solidaire de la communauté. Sans doute peut-on objecter que de toutes les parties de l'œuvre, *Combray* est celle où le *nous* de solidarité est le plus souvent employé. Mais il faut aussi remarquer qu'à l'exception du « samedi asymétrique » où le *nous* exprime une véritable fusion au groupe, ce pronom n'indique, la plupart du temps, qu'une participation à des actions entreprises en commun. Car dès qu'il s'agit de rapporter une pensée, une prise de position, une réaction de la subjectivité, c'est le *je* qui l'emporte. Bien plus tard, le narrateur affirmera que la découverte de la vérité ne peut être le fruit d'un effort concerté. Il n'est donc pas tellement étonnant que dès Combray, il privilégie la solitude et reste indifférent aux manifestations de la vie collective.

Mais le héros fait plus que de rester indifférent ou de se tenir à l'écart du groupe ; il s'en désolidarise plus ou moins ouvertement. Chaque fois que se reproduit la scène du verre de cognac, il s'enfuit ; lorsque sa grand-mère est en butte aux plaisanteries et aux sarcasmes de la famille, il prend son parti, sauf, fait significatif, quand la grand-mère, sans d'ailleurs s'en rendre compte, attente à ses croyances sociales en rabaissant la duchesse de Guermantes au rang des humains.

Ma grand'mère qui à force de se désintéresser des personnes finissait par confondre tous les noms, chaque fois qu'on prononçait celui de la duchesse de Guermantes prétendait que ce devait être une parente de Mme de Villeparisis. Tout le monde éclatait de rire ; elle tâchait de se défendre en alléguant une certaine lettre de faire-part : « Il me semblait me rappeler qu'il y avait du Guermantes là-dedans ». Et POUR UNE

FOIS j'étais avec les autres contre elle, ne pouvant admettre qu'il y eût un lien entre son amie de pension et la descendante de Geneviève de Brabant. (*R* I, 104)

Mais ces refus et ces répugnances ne sont que les manifestations d'un cœur sensible, d'une imagination déçue. Plus troublantes sont les «gaffes» du héros car, comme on l'a vu précédemment[8], elles mettent sérieusement en danger la cohérence interne de la communauté combraysienne.

À Combray, la communauté tout entière cherche à faire vivre la tante Léonie dans un climat de calme et de sécurité. Or, par ses «*paroles irréfléchies*» (*R* I, 58), le héros réussit à inquiéter la vieille dame, à troubler la paix vespérale de sa journée, en prétendant, par exemple, avoir rencontré quelqu'un que son grand-père ne connaît pas. C'est là créer une faille insupportable. C'est une même faille, mais cette fois au niveau de la communauté, que le héros crée en se vantant de sa visite à l'oncle Adolphe ou en rapportant les propos déplacés de Bloch. Et à chaque fois, le héros jure de son innocence, affirme ne pas avoir imaginé un instant que ses propos pourraient avoir des conséquences aussi désastreuses. Il est cependant curieux de constater combien le héros est «gaffeur», non seulement à Combray mais également dans le monde ; du moins cherche-t-il à se faire passer pour tel à chacun de ses faux-pas. Et sans doute, dans *Combray*, le narrateur peut-il plaider l'ignorance ou le manque de psychologie propres à l'enfance. «*Je m'imaginais, comme tout le monde, que le cerveau des autres était un réceptacle inerte et docile, sans pouvoir de réaction spécifique sur ce qu'on y introduisait.*» (79). En racontant à ses parents, dans les moindres détails, sa visite à son oncle, le héros peut croire qu'il ne trahit pas ce dernier. «*Comment l'aurais-je cru*», dit-il, «*puisque je ne le désirais pas*». On a montré ailleurs qu'en gaffant, le héros se faisait l'instrument inconscient de ses parents. Dans la perspective adoptée à présent, c'est-à-dire la relation du héros à la communauté, ce ne sont plus les effets, mais les causes qu'il importe maintenant de dégager.

On peut appliquer à la «gaffe» un schéma d'explication psychanalytique comparable à celui que Freud applique aux erreurs[9]. La gaffe se définit alors comme une «erreur de jugement»

8. Voir *supra*, p. 65.
9. Voir S. FREUD, *A General Introduction to Psychoanalysis* (New York, Washington Square Press, 1929), pp. 48 sqq.

et devient l'impression, involontaire, d'un désir profond que l'inconscient cherche en vain à réprimer. C'est en toute bonne foi que le héros fournit à sa tante un faux renseignement ; c'est pour se vanter qu'il parle à ses parents de la «dame en rose» ; c'est sous le coup de l'indignation qu'il révèle les accusations portées par Bloch. Il peut donc, à bon droit, s'étonner de l'effet qu'ont ses paroles. Mais ne peut-on avancer que cet effet, s'il n'était escompté, était au moins espéré ? On sait que le désir du monde que connaît le héros se heurte à la circularité sociale de Combray, qu'il s'irrite des multiples contraintes qui lui sont imposées, et qu'il désespère de ne pouvoir jamais posséder l'objet qui l'attire. Dans ce contexte répressif, la gaffe devient alors pour le héros le moyen de miner la circularité de Combray, de créer en celle-ci la faille dont nous parlions plus haut et par laquelle son désir pourra prendre son essor. Or, c'est au résultat exactement inverse que semblent aboutir les gaffes du héros : la circularité de Combray sort renforcée de ces épreuves ; les contraintes sociales se font encore plus pesantes ; la fréquentation de l'oncle Adolphe et de Bloch est désormais interdite au héros. L'échec peut donc paraître total. Mais alors, pourquoi ce désastre ne suffit-il pas au héros ? Pourquoi en «remet-il» encore sur ses gaffes ? Pourquoi, par de nouvelles maladresses, s'aliène-t-il encore plus les deux êtres qu'il a trahis ? Sans doute les gaffes du héros ont-elles pour but d'ébranler les remparts sociaux de Combray ; mais surtout, elles permettent au héros de rabaisser les «modèles» qu'il s'est donnés, de contester la supériorité de son oncle ou de Bloch. Ainsi peut-il se donner l'illusion de répudier les liens qui l'unissent à ses «modèles» et qui relèvent bien de ce que R. Girard nomme la «médiation interne». Mais ce faisant, il ne fait, en réalité, rien d'autre que d'indiquer encore plus clairement, non seulement l'existence de cette médiation, mais l'identité de ses médiateurs. Car il ne faut pas s'y tromper. Dans *Combray*, ce n'est ni vers les Guermantes légendaires, ni vers Swann trop familier que se porte le désir du monde du héros ; c'est vers Bloch et l'oncle Adolphe, «modèles» beaucoup plus proches et beaucoup plus attirants car ils possèdent la clé du domaine enchanté de la sexualité.

On conçoit mieux alors que le héros ne puisse, ni ne veuille, résister à la tentation du monde ; car celle-ci est tentation sexuelle, tout comme le désir du monde est désir de la femme. Éveillé par la puberté, réprimé par l'interdit que Combray place sur le sexe, ce désir va se fixer sur le seul être qui en soi réunit le monde et le sexe : Gilberte. Dans *Combray*, la quête sociale se confond déjà avec la quête sexuelle. Dans l'univers imaginaire du narrateur, cette quête peut bien commencer avec la duchesse de Guermantes priant dans la chapelle de Gilbert le Mauvais ; dans la réalité de l'œuvre, elle débute le jour où le héros aperçoit Gilberte à travers la haie de Tansonville. Dès *Combray*, le «voyage» social du héros est amorcé ; grâce à la tentation du monde, Combray s'ouvre sur de nouvelles perspectives ; de spatialité fermée, il devient «carrefour».

À l'itinéraire social du héros s'oppose l'itinéraire social de la tante Léonie. On connaît la lente régression qui conduit la vieille dame à ne plus quitter Combray, «*puis à Combray sa maison, puis sa chambre, puis son lit*» (*R* I, 49) ; qui l'amène à vivre «*toujours couchée dans un état incertain de chagrin, de débilité physique, de maladie, d'idée fixe et de dévotion*». Une telle vie ne peut faire place au désir ; un même cheminement a entraîné sa disparition. La tante Léonie a écarté de son intimité d'abord ceux qui lui conseillaient trop ouvertement de rejoindre le monde en lui proposant «*une petite promenade au soleil et un bon bifteck saignant*» (69), mais aussi ceux qui prétendaient lui faire brûler les étapes en ayant l'air de croire «*qu'elle était plus gravement malade qu'elle le disait*». À Combray, à part Eulalie (par plaisir) et le curé (par devoir), la tante Léonie ne voit plus personne, si ce n'est sa famille. La force de son désir du monde s'est amenuisée au point de s'épuiser dans la simple représentation d'actes sociaux. «*Elle eût aimé revoir Swann et Tansonville ; mais le désir qu'elle en avait suffisait à ce qui lui restait de forces ; sa réalisation les eût excédées*» (143). À Combray, la tante Léonie est entrée dans le «*grand renoncement de la vieillesse qui se prépare à la mort*» ; la tentation du monde a perdu tout pouvoir sur elle. Dans *Combray*, il semble donc que la tante Léonie est la seule à avoir vraiment rompu avec le monde, à vivre en symbiose parfaite avec la petite communauté, à pratiquer un «autisme social» sans compromission. Et pourtant, on peut affirmer qu'il n'en est rien, bien au contraire !

On sait que si la tante Léonie règne sur la communauté, elle-même ne participe pas à ses activités ; que si elle dispense les richesses alimentaires, elle-même ne les consomme pas ; que si elle organise Combray en une spatialité fermée, elle-même ne s'y inclut pas. Il existe donc entre la tante Léonie et la communauté une distance qui est d'ordre qualitatif. Paradoxalement la tante Léonie se place à la fois à l'intérieur et à l'extérieur de Combray. On peut expliquer prosaïquement cet écart par la maladie. Ses forces se réduisant progressivement, la tante Léonie serait amenée à vivre de plus en plus coupée du monde, à s'enfoncer de plus en plus dans « *l'inaction* » (*R* I, 144), « *l'isolement* », « *le silence* ». Il ne faudrait alors qu'un regain de santé pour que la tante Léonie puisse reprendre la vie commune. Or, lorsqu'après de longs mois de repos, les forces lui reviennent, c'est à tout autre chose que la tante Léonie rêve de les employer.

Je ne doute pas qu'alors [...] elle ne tirât de l'accumulation de ces jours monotones auxquels elle. tenait tant, l'attente d'un cataclysme domestique, limité à la durée d'un moment, mais qui la forcerait d'accomplir une fois pour toutes un de ces changements dont elle reconnaissait qu'ils lui seraient salutaires et auxquels elle ne pouvait d'elle-même se décider. (*R* I, 116)

Vouloir changer de vie n'a rien de répréhensible en soi. Mais ce qui donne à ce désir de changement sa tonalité sinistre, c'est le genre de « cataclysme domestique » que la tante Léonie se plaît à imaginer, par exemple :

[...] la nouvelle que la maison était la proie d'un incendie où nous avions déjà tous péri et qui n'allait plus bientôt laisser subsister une seule pierre des murs, mais auquel elle aurait eu tout le temps d'échapper sans se presser, à condition de se lever tout de suite [...].

et, ajoute le narrateur :

[...] [*une telle catastrophe*] a dû souvent hanter ses espérances comme unissant aux avantages secondaires de lui faire savourer dans un long regret toute sa tendresse pour nous et d'être la stupéfaction du village en conduisant notre deuil, courageuse et accablée, moribonde debout, celui, bien plus précieux, de la forcer au bon moment, sans temps à perdre, sans possibilité d'hésitation énervante, à aller passer l'été dans sa jolie ferme de Mirougrain, où il y avait une chute d'eau.

Il faut bien reconnaître que cette innocente chute d'eau, même placée à la fin de la phrase, à la fin de la rêverie, ne réussit pas à noyer dans son courant le côté « meurtre en série » des jeux auxquels la tante Léonie se livre en imagination, ni à éteindre le feu auquel la vieille dame confie le soin de réduire en cendres tout ce qui pourtant est supposé faire sa vie!

S'agit-il de sadisme? On peut le croire car ce «cataclysme domestique» si complaisamment imaginé par la tante Léonie lui procurerait, dit le texte cité plus haut, le «plaisir» de pleurer les siens, l'occasion de «savourer» dans un «long» regret toute sa tendresse pour sa famille. Mais hélas! ce genre d'événements dont la tante Léonie médite «certainement» la réussite ne se réalisant jamais, la tante Léonie doit se rabattre sur Françoise à qui elle fait payer cher — autre preuve de sadisme — le privilège d'être sa confidente.

S'agit-il de régression? On peut remarquer que l'histoire que se raconte la tante Léonie reproduit dans ses données fondamentales le «roman» que, selon Freud, s'invente tout enfant, et qui est, selon M. Robert, *«une fable biographique [...] qui [...] donne le moyen de se plaindre, de se consoler, de se venger, dans un même mouvement de l'imagination où on ne sait ce qui l'emporte en fin de compte de la piété ou du renoncement»* [10].

Mais ce ne sont là finalement que des traits secondaires. Ce qui est essentiel, dans ce cruel onirisme, c'est le désir qu'on peut y lire d'abolir la réalité, de détruire la spatialité de Combray, d'ouvrir la vie sur un monde extérieur vers lequel échapper. Échapper à Combray, c'est d'abord échapper à sa circularité géographique, en substituant à la petite ville sombre et triste où semble régner un perpétuel automne, l'espace ouvert et riant d'une jolie ferme de campagne située au plein cœur de l'été. Échapper à Combray, c'est aussi échapper à sa circularité sociale en effaçant toute trace de vie familiale et en profitant de l'hécatombe pour reprendre place dans le monde. Est-il alors étonnant que ce soit au feu que la tante Léonie demande de détruire Combray? Pas une seule pierre des murs de la maison, symbole de la circularité géographique, ne subsisterait après l'incendie; pas un seul membre de la famille, symbole de la circularité sociale, ne survivrait alors à l'holocauste. Tout serait consumé et consommé. On comprend que de tous les agents de destruction, ce soit au feu que la tante Léonie fasse appel. Car non seulement le feu consume mais il purifie, il libère. Lui seul pourrait permettre à la tante Léonie de recommencer sa vie en châtiant, comme une ville maudite, le théâtre de ses erreurs passées, en l'épargnant seule des habitants de

10. M. ROBERT, *Roman des origines et origine du roman* (Paris, Grasset, 1972), p. 46.

la prison communautaire, en la rendant au monde où lui serait même réservée la première place. Sans doute, conclut le narrateur après coup, le plus petit début de réalisation du fameux « cataclysme domestique », pourtant longtemps médité, désespérerait la tante Léonie. Mais ne fût-ce que comme « *possibilité logique et abstraite* » (*R* I, 116), il garde toute sa portée. Car la tante Léonie y révèle la face cachée de son désir. Bien plus qu'un simple besoin de dramatiser une vie monotone, sa rêverie traduit un mouvement passionné vers le monde. Comme le héros, mais uniquement en imagination, la tante Léonie, elle aussi, succombe à la tentation du monde.

Encore une fois, la tante Léonie fait donc problème. Maître d'œuvre de l'édifice combraysien, elle est prête à en miner les fondations ; gardienne du « savoir » combraysien, elle est prête à en tarir la source ; génératrice du mouvement qui anime la sphère combraysienne, elle est prête à en déserter le centre. Mais ce désir, on le sait, restera toujours du domaine des velléités. Jamais la tante Léonie n'échappera à Combray ; jamais elle ne renaîtra à une autre vie ; jamais elle n'étonnera le monde. Au contraire, par paresse, par égoïsme, par peur de l'inconnu, sa vie deviendra de plus en plus insignifiante. Aussi sa mort ne causera-t-elle finalement de vraie douleur à personne si ce n'est à Françoise, sa victime préférée. En restant ainsi à mi-chemin de son désir, la tante Léonie se voue — et voue sa création — à la stérilité. Ce qu'écrit L. Bersani à propos du héros de la *Recherche* semble pouvoir s'appliquer également à la tante Léonie. En renonçant à assumer la force agressive de son désir du monde, en détachant ce désir de l'objet qui l'a éveillé et défini, la tante Léonie se condamne à tourner dans un vide intérieur où ne peuvent se créer et se développer que « *des constellations mentales appartenant à ce que Sartre a appelé une psychologie de l'inerte* » [11]. La tante Léonie renonce à l'exploration épuisante et dangereuse — mais combien fertile — d'un monde où tous les possibles peuvent se réaliser ; elle préfère la reconnaissance facile et sécurisante — mais combien stérile — d'un monde de certitudes que la juxtaposition explicite et circonscrit. Aussi ne réussit-elle qu'à créer « *un art capable d'aider le moi à atteindre, dans la vie même, une fixité qui ressemble à la mort* » [12],

11. BERSANI, « Déguisements du moi et art fragmentaire », *CMP* (7), p. 49.
12. *Ibid.*

un art qui contient « *la promesse séduisante d'une organisation sculpturale du moi et du monde en des structures toujours intelligibles* » [13]. Pour être demeurée dans l'ambiguïté, pour s'être laissée aller à la tentation du monde mais aussi pour en avoir aussi refusé les conséquences, la tante Léonie ne créera rien ; son œuvre restera une œuvre morte et son art, un art incomplet.

La tentation du monde est donc une force centrifuge qui entraîne de plus en plus loin du centre de la sphère combraysienne ceux qui succombent à ses effets. À Combray, quoique à des degrés divers, tous les membres de la communauté connaissent cette tentation. Celle-ci, en les rendant sensibles à l'existence d'une réalité sociale extérieure à la leur, les amène à se socialiser — c'est-à-dire à se situer par rapport à cette réalité — et également à prendre conscience de leur socialité — c'est-à-dire de leur vocation à vivre avec et dans le monde. La tentation du monde introduit donc à l'intérieur même de la sphère combraysienne une force d'attraction contraire à celle qu'exerce la communauté. Ainsi se crée une tension entre ces deux forces qui ne s'équilibrant et donc ne s'annulant que rarement, soumet le personnage combraysien à un mouvement qui tantôt l'attire vers le centre de la sphère, tantôt le rejette vers sa périphérie. Mais à aucun moment la force d'attraction de la tentation du monde n'est suffisamment grande pour projeter un des membres de la communauté hors de l'orbite combraysienne. La petite société ne connaît pas encore les désertions.

Seul le héros aspire à quitter Combray. Mais son jeune âge et surtout l'amour qu'il porte à la communauté le retiennent au bord de la circularité. Pour franchir celle-ci, il faudrait au héros un guide mais ceux qui auraient pu remplir ce rôle ont été écartés, et la tentation du monde rend le père aussi puéril que son fils. Sans doute, dès *Combray*, un autre moyen de fuir est-il offert au héros mais il refuse de s'en saisir ; et ce moyen, c'est la sexualité. Car, contrairement à ce qu'affirme par exemple D. Fernandez, l'enfance du héros n'est pas « *miraculeusement asexuée* » [14] ; au contraire, elle est tout entière traversée par le désir. Désir de la femme d'abord, suscité par les révélations de Bloch, fortifié par

13. *Ibid.*
14. FERNANDEZ, *L'Arbre...*, p. 324.

150

l'espoir de pouvoir rivaliser avec l'oncle Adolphe auprès de la « dame en rose ». Mais bien plus, désir d'une sexualité entièrement libérée des contraintes sociales, ce désir à l'état pur et qui, dans *Combray* comme dans toute la *Recherche*, est le désir homosexuel[15], et que Roussainville inscrit à l'horizon de Combray.

> Devant nous, dans le lointain, terre promise ou maudite, Roussainville, dans les murs duquel je n'ai jamais pénétré, Roussainville, tantôt, quand la pluie avait déjà cessé pour nous, continuait à être châtié comme un village de la Bible par toutes les lances de l'orage qui flagellaient obliquement les demeures de ses habitants, ou bien était déjà pardonné par Dieu le Père qui faisait descendre vers lui, inégalement longues, comme les rayons d'un ostensoir d'autel, les tiges d'or effrangées de son soleil reparu. (*R* I, 132)

De toutes les villes des environs, Roussainville est seule visible et accessible de Combray ; et pourtant, à l'exception de Françoise, nul habitant de Combray n'y pénètre jamais, pas même le héros qui adresse à cette « terre promise » ses prières érotiques. Roussainville, on le sait, est le témoin des plaisirs solitaires du héros. En prétendant n'y avoir jamais pénétré, celui-ci ne ferait donc qu'écarter un souvenir qui le gêne, que refouler la montée du subconscient. Rien là que de très banal et que la psychanalyse ne puisse expliquer facilement. Mais Roussainville est bien plus que le rappel honteux de l'onanisme. Il est ce « village de la Bible » qui bien plus tard, dans la vie du héros, deviendra cette ville tentaculaire où se retrouveront tous les adeptes de Sodome et Gomorrhe. On comprend mieux alors pourquoi, dans *Combray*, Roussainville est à la fois présence et absence. Ainsi, dès le début de son récit, le narrateur peut-il affirmer s'être gardé d'un « vice » qu'il ne cessera pourtant de côtoyer ; mais également, ainsi le romancier peut-il inscrire à ce fronton de l'œuvre qu'est *Combray*, la « figure » d'une sexualité qui pour lui est la seule véritable, l'homosexualité. Sans doute, cette homosexualité, le narrateur a-t-il cherché, dès *Combray*, à l'intégrer à sa vie, mais avec tant de précautions, avec tant de réticences, avec tant de « redondance » que la scène de Montjouvain reste empreinte d'une telle théâtralité, se place à une telle distance qu'elle en perd presque toute réalité ; comme si le narrateur, malgré sa soif de cohérence et d'unité, voulait souligner le plus possible le caractère hétérogène de l'épisode de Montjouvain. Et c'est bien ainsi

---

15. Voir DELEUZE, *P. signes*, p. 97.

que le voit M. Bardèche pour qui cet épisode est une «*pièce rap-
portée*»[16], étrangère à la structure de *Combray*. Roussainville, au
contraire, s'intègre sans effort à *Combray*. Rien ne le distinguerait
des autres villages des environs si ce n'était cette insistance involontaire, puisque contredite, du narrateur à le placer dans le champ
érotique du héros. Dans *Combray*, bien plus que Montjouvain, c'est
Roussainville qui symbolise la sexualité. Et lorsque dans ses promenades solitaires, le héros appelle de ses vœux une «paysanne de
Roussainville», ce n'est pas uniquement pour trouver en elle une
réponse à la question que lui pose alors sa puberté, mais une
réponse à ce mystère que ne cessera d'être pour lui l'homosexualité. Personne, hélas, ne sortira de Roussainville, personne ne
viendra rejoindre le héros sous le porche de Saint-André-des-Champs
pour en dénoncer le «mythe» social. Ce n'est que bien plus tard
que Sodome et Gomorrhe envahiront la vie du héros alors que
Mlle Vinteuil en aura depuis longtemps disparu. Morel, Saint-Loup,
Charlus posséderont un pouvoir suffisamment grand pour attirer le
héros jusqu'au bord des ténèbres homosexuelles. Mais à Combray,
Roussainville, qui pourtant l'assure que le «vice» peut être
pardonné, Roussainville ne réussira pas à l'entraîner hors de son
univers protégé. Au lieu d'emprunter cette voie de traverse vers
la vérité sociale, le héros préférera suivre les longs méandres du
Côté de chez Swann et du *Côté de Guermantes*, et son voyage
social s'en trouvera rallongé d'autant.

16. BARDÈCHE, *P. romancier I*, p. 261.

152

TROISIÈME PARTIE

NAISSANCE DU ROMAN

I

LA DÉSACRALISATION DES DIEUX

LES dieux qui veillent sur l'enfance du héros sont presque aussi nombreux que les dieux de l'Olympe mais comme eux, la plupart se révèlent aussi faillibles et imparfaits. La « *sentence* » (*R* I, 15) du grand-père qui fait pourtant «jurisprudence» pour le héros ne sert finalement qu'à faire absoudre à ce dernier des fautes que sa sensibilité le porterait à juste titre à condamner ; à force de se répéter à longueur d'année, cette parole d'évangile finit par rendre son auteur ridicule. Les diktats sociaux de la grand-tante relèvent d'un esprit de caste qui se refuse à envisager la réalité ; ils font verser le personnage qui les prononce dans le sectarisme et la vulgarité. L'élévation morale des deux vieilles filles tourne à la prétention ; elle leur fait dire et commettre des absurdités et rend leurs petites manières insupportables. Dans *Combray*, même la grand-mère n'est pas épargnée ; ses qualités de cœur lui font perdre le sens des proportions et lui font adopter une conduite si « outrée » que l'entourage de la vieille dame peut à bon droit se demander si elle a bien toute sa tête. Il semble donc que R. Taylor a raison d'affirmer que « dans son ensemble, Combray comporte une critique poussée du monde adulte qui est ridiculisé soit direc-tement, soit indirectement par sa juxtaposition au monde neuf et naïf de l'enfant »[1]. Et pourtant, malgré cette condamnation, la critique[2] s'accorde à considérer que certains dieux de Combray

1. [Trad. de] TAYLOR, « The Adult World and Childhood in Combray », p. 33.
2. Voir, par exemple, TADIÉ, *P. roman*, FERNANDEZ, *L'Arbre...*

155

échappent en fin de compte à la dénonciation ; qu'ils conservent intacte leur place dans l'empyrée familial de la *Recherche* ; qu'ils font l'objet d'un culte qui ne se dément pas ; que les parents du héros, Françoise et la tante Léonie sont des divinités véritablement tutélaires à l'ombre desquelles le héros et Combray vivent *«dans la même intimité bienheureuse que le village médiéval à l'ombre de son clocher»*[3]. À ces dieux de Combray, J. Levaillant[4] en ajoute un autre, Bergotte qui initie le héros à la vie de l'esprit ; Bergotte sur les pages duquel le héros pleure *«comme dans les bras d'un père retrouvé»* (96). Mais dans *Combray*, le culte de Bergotte reste confidentiel car mis à part le héros et Swann, les gens qui le pratiquent n'ont presque rien à voir avec la petite communauté. De plus, l'œuvre de l'écrivain n'a pour se recommander que l'autorité d'un Bloch et d'un Swann à laquelle on sait que Combray ne souscrit guère. Aussi peut-on considérer que, dans *Combray*, si Bergotte est bien pour le héros un intercesseur privilégié — encore que ses enseignements lui restent alors obscurs — il demeure étranger à l'univers combraysien. C'est un dieu qui trône dans une autre sphère.

On sait[5] que selon certains critiques qui s'en félicitent ou, au contraire, le déplorent, les parents du héros sont pour celui-ci des divinités inaccessibles. La mère, même au plus fort du «drame» du coucher, ne perd jamais, dit D. Fernandez, *«sa hauteur souriante, lointaine et désintéressée de madone»*[6]. Le père s'enferme dans une rêverie météorologique que même sa femme n'ose troubler ; il semble détenir de tels pouvoirs qu'il peut transgresser des lois *«plus inéluctables que celles de la vie et de la mort»* (*R* I, 173) ; à l'instar d'Abraham, auquel il est d'ailleurs comparé, il possède *«trop d'intelligences avec les puissances suprêmes, de trop irrésistibles lettres de recommandation auprès du bon Dieu»* pour que sa toute-puissance puisse être mise en doute ; comme celles du Très-Haut, ses voies sont si insondables qu'il arrive à son fils de se considérer comme un simple jouet entre ses mains, et sa vie comme *«une création artificielle»* que son père peut modifier *«à son gré»*. Séparés de l'enfant par une distance *«infranchissable»*, n'étant jamais pour lui *«sujets d'expé-*

3. GIRARD, *Mensonge romantique...*, p. 197.
4. LEVAILLANT, « Notes sur le personnage de Bergotte », p. 35.
5. Voir *supra*, p. 55.
6. FERNANDEZ, *L'Arbre...*, p. 313.

rience » [7], les parents du héros resteraient donc, selon J. Y. Tadié, « *préservés de la vulgarité de la dénonciation* » [8], non seulement dans *Combray* mais dans toute la *Recherche*. Se gardant de toucher aux idoles, le héros n'en verrait jamais la dorure lui rester aux mains.

Mais est-il si certain que « *l'auréole mythifiante* » [9] des parents ne perd jamais de sa brillance ? Est-il si certain que leur éloignement interdit au héros ne fût-ce que le désir d'une quête problématique ? Est-il si certain, enfin, que ces dieux qui ornent tout le ciel affectif de l'enfance du héros ne sont pas, dès *Combray*, désacralisés ?

La critique à tendance psychanalytique [10] a trop insisté sur les implications profanatoires de la scène du coucher, sans parler de la profanation avouée de Montjouvain, pour qu'il soit nécessaire d'y revenir ici. Mais cette même critique a également souligné, influencée sans doute en cela par les affirmations du narrateur, que cette profanation de la mère n'affectait qu'un aspect bien précis du personnage dans la relation qui l'unit au fils. Or on peut se demander s'il n'existe pas, dans *Combray*, d'autres occurrences narratives qui pourraient être interprétées comme autant d'indices d'une volonté de dénonciation plus générale de ce personnage de la mère tel qu'il apparaît dans l'univers imaginaire du narrateur. On peut, par exemple, considérer qu'en vivant « *au su de tout Combray avec un certain monsieur de Charlus* » (*R* I, 34) (même si l'erreur est ici d'un comique monumental !), ce n'est pas uniquement son mari que Mme Swann trompe et trahit, mais l'intangible institution bourgeoise du mariage qui s'incarne si bien en la mère. Ou bien, femme adultère, ce n'est pas uniquement Swann qu'Odette bafoue, mais également le rôle sacro-saint d'épouse que la mère du héros, elle, remplit à la perfection. Ou encore, en imposant à Gilberte la promiscuité de son « amant », ce n'est pas uniquement une « *infamie* » (142) que commet Odette, mais un sacrilège qui éclabousse toutes les mères, dont la mère du héros, dans leur maternité. D'autre part, on peut considérer qu'en s'immolant volontairement au bonheur saphique de sa fille, Vinteuil ne montre pas

7. SIGAUX, « Le Narrateur et sa famille », p. 39 in *Proust*.
8. TADIÉ, *P. roman*, p. 83.
9. FERNANDEZ, *L'Arbre...*, p. 324.
10. Voir, en particulier, BATAILLE, « Marcel Proust et la mère profanée », p. 608, et aussi, HOUSTON, « Literature and Psychology », pp. 8 sq.

uniquement jusqu'à quel point d'abnégation peut porter l'amour paternel, mais qu'il constitue un «regrettable» exemple du degré de «déchéance» morale et de «démission» auquel peut conduire cet amour lorsqu'il accepte de cohabiter avec le «vice». Enfin, comme l'indique D. Fernandez[11], en choisissant de lire *François le Champi*, ce n'est pas uniquement une forme narrative inconnue que la mère fait découvrir à son fils mais une forme de relation «filiale» — celle qui unit François à la jeune meunière — dont l'équivoque vient troubler la transparence du lien maternel.

Sans doute cette dénonciation de la mère en tant qu'épouse et mère reste-t-elle toujours ironique. Ironique, d'abord, en ce sens qu'elle est indirecte. Alors que les autres divinités de Combray consomment sur et en elles-mêmes la faillite du sacré, la mère ne déchoit jamais ouvertement; alors que le héros lui-même est témoin des défaillances de ses autres dieux familiers, il ne surprend jamais sa mère en flagrant délit de faiblesse; alors que la narration n'hésite pas à subvertir le temps de son récit pour y intégrer ceux des éléments qui lui sont indispensables pour dénoncer les autres dieux elle n'en dévie jamais lorsqu'elle suit les pas de la mère. De plus, cette dénonciation est ironique en ce sens qu'elle est le fait du romancier. C'est, en effet, à partir de son autorité souveraine que peuvent se justifier et l'accent mis sur l'infidélité de Mme Swann, et la préférence accordée à *François le Champi* sur les autres ouvrages rapportés de Jouy-le-Vicomte par la grand-mère, et l'insistance mise à discuter les souffrances de Vinteuil. Sans doute les raisons qui poussent le romancier à dénoncer ce personnage de la mère du héros, et à ne le dénoncer qu'indirectement, sont-elles multiples et la psychanalyse pourrait aider à en découvrir certaines. Mais ce qu'il importe ici avant tout de noter, c'est d'une part que cette dénonciation répond à la volonté du romancier d'amorcer, dès *Combray*, la réorganisation de l'univers imaginaire du narrateur, l'adoration de la mère risquant d'enfermer le héros dans une circularité affective sans issue; et d'autre part, que cette dénonciation peut rester indirecte car si la mère est bien une divinité tutélaire, elle l'est pour le héros et non pour la communauté combraysienne à la structuration de laquelle elle participe à peine.

Comme on l'a déjà vu à plusieurs reprises[12], le rôle que joue

---

11. FERNANDEZ, *L'Arbre...*, p. 314.
12. Voir *supra*, p. 83.

le père dans la structuration de l'univers combraysien est loin d'être aussi négligeable ; aussi, quoique toujours ironique, la dénonciation de ce personnage, de ses prétentions à la divinité, est déjà plus fortement prononcée. D'abord par le ridicule qui s'attache à sa figure de «Jupiter tonnant» dont la soi-disant grandeur est tellement éloignée de la mesquinerie dont il fait preuve dans la vie de tous les jours. Mais surtout par la présence à ses côtés d'un rival dont l'éclat ternit assez sérieusement l'éclat de son «auréole» paternelle. On sait[13] que l'oncle Adolphe propose, en effet, au héros une image du père autrement attirante que celle, arbitraire, irrationnelle et déroutante que lui offre son propre géniteur. Initiateur et guide, comme l'est le père aux yeux de l'enfant, l'oncle Adolphe n'en requiert pas pour autant de son neveu une soumission aveugle à ses volontés, soumission qui n'est finalement qu'un encouragement à la puérilité et à la paresse intellectuelle car elle dispense de faire l'effort nécessaire à la découverte de la vérité. Médiateur de l'objet vers lequel se porte le désir du héros, comme l'est le père par rapport à la mère, l'oncle Adolphe n'en affecte pas pour autant un dédain simulé à l'égard de cet objet mais en accroît la valeur en n'en partageant qu'à regret la possession. Membre de la communauté familiale, au même titre que le père, l'oncle Adolphe ne se soumet pas pour autant à sa circularité mais, par son exemple, engage son neveu à la contester. «Modèle», enfin, comme le père, l'oncle Adolphe n'en condamne pas pour autant le héros à une imitation servile et sans espoir mais l'engage à la rivalité, lui donnant ainsi le moyen d'écourter son apprentissage alors que le père, au contraire, s'emploie à le prolonger en prétendant se faire adorer comme une divinité inaccessible. Mais si le père est, après la mère, le personnage que le héros «déifie» le plus, il n'est finalement pour la communauté combraysienne qu'un dieu très secondaire. Aussi le romancier se contente-t-il de le ridiculiser en soulignant, par un savoureux mélange de langue familière et de langue sacrée, l'écart existant entre ses prétendus pouvoirs illimités et la réalité de leur pratique. Et ce traitement relativement inoffensif suffit à dénoncer le personnage du père et à lui faire rejoindre, après *Combray*, la cohorte de ces autres personnages plus ou moins notionnels qui encombrent la *Recherche*, et qui n'ont aucune influence véritable sur la vie du héros.

13. Voir *supra*, p. 66.

Si, pour Proust, la «vérité» d'un être est le plus souvent contenue dans sa première apparition[14], l'analepse par laquelle au début de *Combray* le narrateur se remémore ses premières rencontres avec Françoise, devrait nous éclairer sur la véritable nature de celle-ci. Dans l'antichambre de l'appartement parisien de la tante Léonie à laquelle la pénombre fait prendre des allures de chapelle, prête à participer au rite des étrennes, Françoise apparaît «*immobile et debout dans l'encadrement de la petite porte du corridor* COMME UNE SAINTE DANS SA NICHE» (*R* I, 53). Bien plus tard, à Combray, alors que Françoise est devenue si familière au héros qu'il peut croire la connaître «*mieux que personne*», elle continue d'incarner la «sainte femme selon l'Évangile» : ménagère dure à la besogne, si humble de cœur qu'elle ne peut croire que «*sa vie, ses bonheurs, ses chagrins de paysanne* [*peuvent*] *présenter de l'intérêt, être un motif de joie ou de tristesse pour une autre qu'elle-même*» (54), si discrète qu'elle laisse à ses seules œuvres le soin de proclamer ses vertus, œuvres qui les proclament d'ailleurs bien haut comme ces fameux poulets dont la chair «*si onctueuse et si tendre*» (121) concrétise sa «*sainte douceur et* [...] *onction*». Mais encore une fois, la métaphore grâce à laquelle le narrateur croit cerner la «vérité» de Françoise ne rend que partiellement, et cette fois-ci très partialement, compte de la réalité, comme ces vitraux d'église où les Rois et les Reines d'autrefois sont représentés les mains perpétuellement jointes ne donnent qu'une faible idée des bains de sang où ces mains ont trempé (122). On connaît les épisodes qui, dans *Combray*, conduisent à la découverte de la véritable nature de Françoise. En soi, ils sont révélateurs, mais bien plus révélatrice d'une volonté de dénonciation est la place qui est la leur dans le temps du récit. Car tandis qu'il faudra au héros plusieurs mois ou plusieurs années, malgré la multiplication des indices, pour découvrir le «nom secret» de Charlus ou de Saint-Loup, il ne lui faut que le temps de ses vacances enfantines pour dévoiler la «face cachée» d'un personnage aussi important que Françoise.

Pour expliquer ce phénomène, on peut se contenter de la thèse avancée par M. Bardèche[15] selon laquelle il y aurait deux Françoise : l'une que les brouillons de l'œuvre révèlent «*envieuse,*

14. Voir *R* III, 609, et aussi BOLLE, *P. complexe d'Argus*, pp. 149-50.
15. BARDÈCHE, *P. romancier I*, pp. 342 sqq.

160

méchante, mesquine »[16], l'autre, la Françoise de la version définitive, qui serait « *l'apparition inchangée au début du XXᵉ siècle des
saintes femmes de la statuaire médiévale* »[17]. La Françoise de la
Recherche appartiendrait donc bien au porche de Saint-André-des-
Champs et les scènes de cruauté dont le héros est le témoin à
Combray ne seraient alors que des survivances d'un premier état du
personnage. On sent immédiatement ce que cette explication a de
peu satisfaisant. Les deux Françoise ne se succèdent pas l'une à
l'autre dans le récit ; au contraire, la Françoise originelle ne paraît
qu'après la Françoise image de la «fidèle servante». L'importance
accordée à chacune de ces deux Françoise, non seulement dans
Combray mais dans toute la *Recherche*, n'est pas quantitativement
tellement différente : combien de fois, en effet, soit à Balbec, soit
à Paris, Françoise ne se révèle-t-elle pas cruelle et méchante ? En
réalité, ce qui fait de Françoise un personnage exceptionnel, c'est
que, dans *Combray*, elle échappe seule (avec la tante Léonie) au
mode de présentation qui est celui des personnages familiers du
héros et qui fait d'eux, pour employer la terminologie de
E. M. Forster, des personnages à deux dimensions seulement.

On sait que dans la *Recherche*, la plupart des personnages
surgissent dans leur « *réalité intacte et indiscutable* »[18] aux yeux du
héros qui reçoit ainsi de plein fouet le choc de leur altérité.
Certains, cependant, « *se confondent si étroitement avec le narrateur
que celui-ci ne peut pas plus se retourner vers eux que vers
lui-même* »[19]. À Combray, selon la critique, tous les personnages
familiers du héros, et donc Françoise, appartiennent à cette
catégorie ; ils entourent le héros de si près qu'ils deviennent
en quelque sorte des «*présences invisibles*»[20] et ne peuvent donc
jamais être pour lui que des objets de connaissance et non de
découverte. S'il est vrai, du moins dans *Combray*, que le héros ne
perçoit ni ses parents, ni sa grand-mère, dans leur altérité, il n'en
est pas de même pour Françoise qui, de familière et parfaitement
connue, redevient soudain au héros aussi étrangère qu'au temps où
il la connaissait si peu que sa mère devait lui faire comprendre qui
elle était pour qu'il puisse lui donner ses étrennes. En effet,

16. *Ibid.*, p. 342.
17. *Ibid.*, p. 343.
18. PICON, *Lecture...*, p. 49.
19. *Ibid.*, p. 56.
20. *Ibid.*

161

«grâce» au poulet égorgé, à la fille de cuisine maltraitée, le héros découvre un aspect totalement inconnu et particulièrement dissonant de la personnalité de Françoise. Et celle-ci en acquiert alors un relief suffisant pour se détacher du petit groupe de personnages qui regardent «*couler le fleuve du récit sans jamais s'y mêler beaucoup*»[21], ce qui pourrait peut-être expliquer pourquoi Françoise pourra jouer un rôle si important dans la vie et dans la quête du héros. Françoise est en effet un personnage qui lui «donne à apprendre».

Mais pour intégrer à *Combray* ceux des éléments de la narration qui constituent la dénonciation de Françoise, cette explication n'en laisse pas moins entier le double problème du moment et de l'instance responsable de cette dénonciation. Rien n'oblige, en effet, le narrateur à dénoncer Françoise dès le début de son récit. Bien au contraire, son désir de retrouver le passé comme une «cohérence salutaire» devrait l'amener à reculer le plus possible la présentation d'éléments narratifs qui ouvrent une faille supplémentaire dans la circularité de Combray. Car cette «découverte» de Françoise – à l'encontre de celle de Legrandin qui, remarquons-le en passant, encadre la «découverte» de Françoise comme si de l'une devait nécessairement naître l'autre – influence profondément la vision que le héros se fait, et se fera, du monde et des humains. Sans doute ce n'est que plus tard que le héros en arrivera à comprendre, grâce à Françoise, que :

[...] une personne n'est pas [...] claire et immobile devant nous avec ses qualités, ses défauts, ses projets, ses intentions à notre égard [...]; mais est une ombre où nous ne pouvons jamais pénétrer, pour laquelle il n'existe pas de connaissance directe, au sujet de quoi nous nous faisons des croyances nombreuses [...], une ombre où nous pouvons tour à tour imaginer, avec autant de vraisemblance, que brillent la haine ou l'amour. (*R* II, 67)

Mais déjà, à Combray, les ambiguïtés du caractère de Françoise l'auront sensibilisé à cette complexité des êtres. Et si à Paris, il en viendra à se demander si Françoise l'aime ou le déteste, c'est d'abord parce qu'à Combray il aura eu la révélation d'une Françoise inconnue.

Non seulement la dénonciation de Françoise force donc le héros à s'interroger sur la personnalité d'un être qu'il croyait

21. TADIÉ, *P. roman*, p. 72.

pourtant connaître parfaitement mais elle l'oblige à remettre en question l'idée qu'il se faisait jusque-là de la nature humaine ; non seulement cette dénonciation lui fait toucher du doigt sa propre naïveté, elle l'amène aussi à soupçonner chez « *tout le monde* » (*R* I, 122) cette même lâcheté qui lui fait fermer les yeux sur des agissements qui l'indignent pourtant. Pour le héros, la dénonciation de Françoise est donc deux fois désillusion : elle signifie la fin de sa croyance à la fois en la transparence d'un être familier et en l'infaillibilité de *l'objectivisme*[22] ; elle démystifie à la fois les prétentions de la «bonne servante» à la sainteté et des parents à la «pureté morale»[23].

Rien n'oblige le narrateur à dénoncer Françoise dès le début de son récit. Rien ne l'oblige non plus, peut-on ajouter, bien au contraire, à transformer cette dénonciation en une véritable «désacralisation» en la dotant de cette profondeur tragique qu'apporte toujours le sadisme. Car si le spectacle de Françoise «coursant» le malheureux poulet peut encore passer pour une scène de comédie, «la nuit de la fille de cuisine», par contre, passe déjà plus difficilement. Mais plus encore, comme si cet épisode n'était pas suffisamment révélateur de la cruauté de Françoise, comme si cet épisode de la vie de l'arrière-cuisine à Combray conservait encore trop de relents de tragi-comédie, la narration y ajoute une dimension nouvelle et d'un sinistre presque insupportable, en le terminant par la prolepse révélatrice des «*ruses si savantes et si impitoyables*» (*R* I, 124), des tortures si raffinées, qu'à l'instar de la guêpe fouisseuse, Françoise fait subir pendant tout un été à la pauvre fille de cuisine enceinte. Peut-on alors encore parler de dénonciation ? Et ne doit-on pas alors se demander si cette désacralisation de Françoise est bien le fait du narrateur ? Sans doute celui-ci peut-il toujours justifier les bouleversements qu'il apporte au temps de son récit en arguant de tout le «savoir» qu'il a accumulé sur sa vie passée. Mais ce privilège narratif ne relève-t-il pas en réalité de l'omniscience du romancier auquel le narrateur s'identifie alors ? Et dans quel but le narrateur anticiperait-il sur le récit d'une enfance à laquelle, encore une fois, il cherche à donner la plus grande cohérence possible, en y incluant justement l'élément narratif qui vient miner cette cohérence ? Ici encore, il

---

22. *L'objectivisme* plaçant tout dans l'objet, les poulets de Françoise devraient normalement contenir la «vérité» du personnage !

23. TADIÉ, *P. roman*, p. 24.

nous semble possible d'affirmer que c'est le romancier seul qui décide d'introduire la prolepse révélatrice. Ainsi peut-il continuer cette entreprise de réorganisation de l'univers combraysien dont il éprouve la nécessité. Si, comme le veut M. Bardèche, il y a deux Françoise, ce n'est pas d'une part la «vraie» Françoise, celle qui apparaît dans la *Recherche*, et d'autre part la Françoise des brouillons ; mais d'une part, comme le dit encore M. Bardèche, la Françoise «*nourrie par la surimpression d'une allégorie*»[24], la «*sainte femme*» des Écritures, et d'autre part la Françoise complexe, multiple, imprévisible, qui fait des kilomètres à pied pour aller soigner son petit-fils mais sort à contre-cœur de son lit pour soigner la fille de cuisine. La première appartient à l'univers imaginaire du narrateur, la seconde à l'espace de l'œuvre sur lequel règne le romancier. La première est celle que métamorphose la métaphore médiévale, la sœur jumelle de la «Charité», la «sainte» sculptée au porche de Saint-André-des-Champs avec «*les joues pleines, le sein ferme* [...], *le front étroit, le nez court et mutin, les prunelles enfoncées, l'air valide, insensible et courageux des paysannes de la contrée*» (151), la divinité ménagère de Combray ; la seconde est celle dont justement la métaphore médiévale ne réussit pas à épuiser la réalité, la Françoise si riche en signes divergents que dans toute la *Recherche*, elle restera pour le héros une source inépuisable d'étonnement et de réflexion. Et dans *Combray*, c'est déjà ce rôle-là que joue Françoise. Pour le héros, la découverte de la «duplicité» de Françoise est, en effet, la découverte tout autant de la dualité des êtres en général que de l'hypocrisie bien particulière à un de ses dieux familiers. Cette découverte, le héros peut la faire lui-même car, à Combray, il n'éprouve finalement pour Françoise que la reconnaissance du ventre ! Cette découverte, le narrateur peut en retracer lui-même les étapes car Françoise n'a jamais occupé qu'une place de second plan dans sa vie affective. Mais s'il en est ainsi, c'est également parce que le romancier veut que cette découverte soit la plus directe et la plus convaincante possible car, dans la structuration de l'univers combraysien, Françoise est un artisan autrement important que le père ou la mère. Dans *Combray*, Françoise sera donc dénoncée ouvertement et, malgré les apparences, c'est bien le romancier qui en décide : c'est lui qui en choisit le moment et le

24. BARDÈCHE, *P. romancier I*, p. 343.

mode ; c'est lui qui en prolonge la portée pour mieux remettre en cause la cohérence de l'univers combraysien ; c'est lui qui introduit l'élément narratif anticipateur qui transforme cette dénonciation en désacralisation.

Cette désacralisation qui donne aux dieux de Combray leur grandeur tragique, on serait en droit d'attendre que la tante Léonie y soit aussi soumise si, comme le veut R. Girard [25], elle est bien ce dieu sans lequel l'univers combraysien ne peut exister. Or, dans *Combray*, tout semble mis en œuvre, au contraire, pour réduire la tante Léonie à la dimension d'un personnage de comédie. Et c'est bien ainsi qu'elle apparaît aux yeux de la critique [26], comme une vieille dame excentrique et maniaque dont le train-train médiocre suffit à remplir les journées, comme une malade imaginaire qui se ridiculise elle-même en ne réussissant même pas à soutenir la fiction de sa maladie. Car ayant pris la mauvaise habitude de causer toute seule à mi-voix, la tante Léonie ne peut s'empêcher de dévoiler la supercherie sur laquelle repose l'ascendant qu'elle a acquis, non seulement sur la famille mais sur tout Combray où, dit le narrateur, « *à trois rues de nous, l'emballeur, avant de clouer ses caisses, faisait demander à Françoise si ma tante ne « reposait pas »* » (*R* I, 109). À deux reprises, en effet — mais l'itération de la première scène lui donne un caractère de généralité qui lui fait dépasser de loin le cadre de son occurrence narrative —, la tante Léonie avoue sans la moindre équivoque la vanité de ses prétentions.

C'est ainsi que d'abord, le héros entend « *souvent* » (*R* I, 51) sa tante se dire à elle-même : « *Il faut que je me rappelle bien que je n'ai pas dormi* », paroles qui ne laissent aucun doute sur le double jeu auquel se livre la vieille dame pour faire croire à son entourage que le sommeil la fuit. À cette première révélation dont l'imparfait de répétition accroît le comique mais réduit aussi la portée, s'en oppose une seconde qui, par l'emploi du passé simple de singularité, prend une tonalité exceptionnelle et dramatique. Le héros surprend alors sa tante au sortir d'un « *rêve affreux* » (109) sous le coup duquel la vieille dame laisse échapper des paroles qui montrent bien que rien ne devrait l'empêcher de mener une vie normale si ce n'est son refus délibéré de le faire. Et ce

25. GIRARD, *Mensonge romantique...*, pp. 201-2.
26. BARDÈCHE, *P. romancier I*, p. 343.

cauchemar paraît si effrayant à la tante Léonie qu'il la bouleverse bien plus, dans sa réalité illusoire, que les «tracas», bien réels pourtant, que causent à la maison les souffrances de la fille de cuisine. Ce que révèle donc la tante Léonie dans cette scène, c'est sa hantise d'avoir à substituer au rêve claustrant que son hypocondrie a bâti autour d'elle, la réalité ouverte que lui propose le rêve qu'elle vient de faire.

Mais du point de vue adopté ici, l'intérêt de ces deux scènes n'est pas tant de démasquer la tante Léonie. Tout au long de *Combray*, le narrateur s'emploie d'ailleurs presque à plaisir à le faire, à dénoncer les prétentions d'ennui, de renoncement et de maladie qui animent le discours de ce personnage. Ce qui mérite surtout de retenir ici notre attention, en particulier dans la seconde scène, c'est la place et le rôle que le récit assigne au héros et à la tante Léonie. Le héros est en position de voyeur. Et on sait combien, dans la *Recherche*, cette position est significative de l'importance du spectacle contemplé. Dans *Combray*, le héros ne retrouvera qu'une seule autre fois cette position lorsqu'il sera le témoin invisible des ébats saphiques de Mlle Vinteuil et de son amie. À ce premier indice d'intensité de la scène s'ajoutent les éléments d'imprévu, d'invraisemblance, de clandestinité et de danger qui, selon le narrateur, accompagnent toujours les grandes découvertes de sa vie (*R* II, 608). Sans doute la première scène donne-t-elle l'impression d'être totalement dépourvue de ces éléments tant l'itération réussit à en supprimer les aspérités narratives et à l'intégrer à la trame répétitive des journées de Combray. Aussi ne peut-on véritablement parler de découverte à son propos. Ce qu'apprend le héros grâce à son indiscrétion – mais en est-ce encore une? – on peut penser que d'autres avant lui l'ont déjà appris. Par contre, la composition de la seconde scène est beaucoup plus suggestive d'une intentionnalité. C'est dans le cadre d'une porte ouverte – cadre auquel vient répondre le cadre de la fenêtre de Montjouvain et de Paris – que s'inscrit le spectacle de la tante Léonie endormie, en proie à son cauchemar, et de telle façon que le héros puisse l'observer sans être vu lui-même. C'est donc en spectateur clandestin que le héros assiste au réveil progressif de sa tante et lit, avec une singulière perspicacité pour un enfant de son âge[27], sur le visage de celle-ci la progression de ses sentiments.

27. Le héros fait preuve de cette même perspicacité singulière lorsqu'il «lit» les signes du snobisme chez Legrandin (*R* I, 128 sq.).

C'est «*à pas de loup*» (I, 110) que le héros quitte la chambre comme un voleur qui ne tient pas à se faire prendre sur le fait. C'est donc en récompense d'un «*acte plein de risques quoique en partie clandestin*» (II, 608) que le héros reçoit la révélation du «secret» de sa tante. Car il s'agit bien là d'un secret et le héros s'en rend si bien compte qu'il affirme n'en avoir jamais parlé à qui que ce soit. Comme l'enfant du conte, le héros est le seul à savoir que le Roi est nu. Mais si le Roi du conte pouvait parader au milieu de son peuple unanime à le trouver merveilleusement habillé, la tante Léonie, elle, comme on le sait, malgré le bon vouloir de Combray, ne réussit pas à maintenir la fiction d'un état qu'elle seule a pourtant voulu imposer. Pour remettre en question l'empire du souverain sur son peuple, il fallait dans le conte le doigt dénonciateur d'un enfant innocent. Dans *Combray*, l'enfant est là (quant à son innocence!) mais son geste devient superflu. Car c'est la tante Léonie qui se charge elle-même de consommer sa ruine en clamant sa nudité! La dénonciation se fait alors auto-dénonciation. Et ce qui cause la perte de la tante Léonie, c'est exactement ce qui lui a si bien servi à assurer sa domination : son discours qui dégénère en incontinence verbale, qui défait tout le travail si patiemment élaboré. La tante Léonie est châtiée là où elle a le plus péché!

Et c'est ainsi que la tante Léonie perd toute grandeur tragique. Au ridicule de l'hypocondrie elle ajoute, en effet, le mépris qu'inspire l'aveu d'une peur honteuse en contradiction totale avec sa toute-puissance affichée. En révélant sous le coup d'un cauchemar la mesquinerie de son secret, la tante Léonie s'avoue indigne de la considération et du respect que lui porte Combray. Et le plaid écossais dont le héros se couvre les épaules, alors que sa tante vient pourtant de mourir, n'est peut-être pas autant là dans le récit pour faire enrager Françoise que pour symboliser la fin d'une illusion. Il est le seul signe de deuil burlesque que Combray accorde à la divinité qu'il a cependant tant adorée.

Encore une fois, la tante Léonie fait donc problème. Pourquoi, en effet, faut-il qu'après s'être installée au centre même de la sphère combraysienne, qu'après s'être érigée en divinité ombrageuse de la circularité, qu'après avoir exigé de ses fidèles un culte de tous les instants, pourquoi faut-il que la tante Léonie détruise elle-même les fondements sur lesquels repose sa souveraineté? C'est que cette compulsion répond à un désir secret. On aurait tort de croire,

167

en effet, que les aveux de la tante Léonie ne sont que paroles inconsidérées. Ils sont, au contraire, comme les gaffes de son neveu[28], l'expression involontaire, et donc révélatrice, d'un désir que le subconscient cherche en vain à réprimer. Ne pouvant déserter la sphère combraysienne, sinon en imagination, la tante Léonie aspire au moins à en arrêter le mouvement; en se dénonçant elle-même, elle dénoncerait alors en même temps sa prétention à être le principe moteur de la sphère, à être le Dieu-Horloger de Combray. À Combray, dit R. Girard, «*le clocher est partout visible, mais l'église est toujours vide*»[29]. Ainsi en est-il de l'appartement de la tante Léonie; centre de l'univers combraysien aucune divinité ne l'habite; ce tabernacle ne renferme pas les Saintes-Espèces, tout au plus une contrefaçon. Aussi la main qu'y porte le héros ne peut-elle être sacrilège. La dénonciation de la tante Léonie n'est ni profanation, ni désacralisation, même si l'on accepte de tenir compte de la paralepse, notée par G. Genette[30], par laquelle le narrateur nous apprend que c'est dans la chambre même, et sur le canapé même, de la tante Léonie qu'il s'est initié au plaisir. Car cette initiation peut être considérée comme la contrepartie sexuelle de l'initiation spirituelle qu'apporte la petite madeleine. Loin de «*supplicier*» (*R* I, 578) les vertus qu'on respire dans la chambre de la tante Léonie, cette première expérience y ajouterait la «vertu» sexuelle qui y manquerait. Elle ne constitue donc pas un acte profanatoire, bien au contraire! Et sa censure dans le récit premier de *Combray* n'est pas destinée à épargner la tante Léonie.

Par contre, la tante Léonie et ses meubles souffrent terriblement de se voir intégrés au décor de la maison de passe où le héros, grâce à Bloch, continue son éducation sexuelle.

[...] dès que je les retrouvai dans la maison où ces femmes se servaient d'eux, toutes les vertus qu'on respirait dans la chambre de ma tante à Combray, m'apparurent, suppliciées par le contact cruel auquel je les avais livrées sans défense! J'aurais fait violer une morte que je n'aurais pas souffert davantage.   (*R* I, 578)

De l'aveu même du narrateur, il s'agit donc bien ici d'une véritable profanation, d'autant plus insoutenable qu'elle s'empreint de

28. Voir *supra*, pp. 144 sqq.
29. GIRARD, *Mensonge romantique...*, p. 218.
30. GENETTE, *Figures III*, pp. 93-4.

168

vénalité. Et c'est sans doute la raison pour laquelle le narrateur en éprouve une telle honte et un tel remords. De même, bien qu'il ne le ressente pas comme tel, on peut considérer que le héros profane encore sa tante — et toujours pour de l'argent — lorsqu'il vend l'argenterie ancienne et la potiche chinoise qu'il a héritée d'elle. Mais dans tous les cas, ce qu'il faut remarquer, c'est que ces actes de profanation ont lieu après la mort de la tante Léonie, donc après *Combray*, et qu'ils ne l'atteignent qu'à travers des objets lui ayant appartenu. Que la tante Léonie ne puisse être profanée de son vivant, dans *Combray*, la raison en est claire : sa duplicité l'entraîne à se dénoncer elle-même. Que cette profanation ne puisse se consommer que par le biais de ses objets, le chapitre de cette étude consacré à *l'objectivisme* rend superflu d'en faire ici la démonstration. La tante Léonie n'existe que par ses «œuvres», seuls ses biens peuvent la signifier. C'est donc en eux que la profanation doit avoir lieu. Mais curieusement, si le canapé finit bien par faire renaître le souvenir de la tante Léonie, s'il retient un peu de son «âme», les autres objets n'en gardent aucune trace, ils ne font aucun signe au héros. Ils ne sont plus que pure matérialité, et que le héros s'empresse sans le moindre regret de convertir en plaisirs sexuels et amoureux. Ainsi retourne-t-il contre sa principale inter-prète les postulats de *l'objectivisme* pour lequel l'objet peut être consommé par un tout un chacun, passer de main en main. Ayant une seule et même valeur pour tous, le même sens et la même signification, l'objet n'est qu'un terme d'échange pour la société. C'est donc à bon droit que le héros peut disposer de l'héritage de la tante Léonie, même si sa sensibilité le porte à croire qu'il viole ainsi «une morte»; viol d'une morte dans des objets morts eux-mêmes, la profanation de la tante Léonie se place sous le signe de l'inanité. Sans doute cette profanation n'est-elle pas aussi gratuite et inutile qu'elle peut paraître car si le héros dilapide la fortune de sa tante, cette fortune jouera un rôle, minime naturellement, dans la découverte de la vérité. «*Une chose curieuse*», dit le narrateur, «*que cette circulation de l'argent que nous donnons à des femmes, qui à cause de cela nous rendent malheureux, c'est-à-dire nous permettent d'écrire des livres*» (*R* III, 908). Ainsi s'opérera à partir d'une profanation en apparence inutile la transmutation en un «équivalent spirituel» de l'héritage *objectiviste* de la tante Léonie.

Mais dans *Combray*, la tante Léonie demeure une divinité sans majesté qu'il n'est ni besoin de profaner ni même de désacraliser car elle se dénonce elle-même. Et cette auto-dénonciation, si le héros en est le témoin, si le narrateur lui-même en fait le récit, c'est bien encore une fois au romancier que revient la décision d'introduire dans *Combray* ceux des éléments narratifs qui la constituent. Car cette auto-dénonciation éclaire le personnage de la tante Léonie d'un jour, lui fait acquérir un relief, que ni le héros ni le narrateur ne peuvent percevoir. Pour eux, la duplicité de la tante Léonie n'est qu'hypocrisie amusante ; pour le romancier, elle est dualité profonde en laquelle il retrouve l'image de la dualité de son œuvre. Nous avons dit précédemment qu'en se dénonçant, la tante Léonie révélait involontairement son désir de voir s'arrêter le mouvement qui anime la sphère combraysienne où sa vie est emprisonnée. On peut considérer, au contraire, que loin d'être une velléité plus ou moins imaginaire, cette auto-dénonciation relève, encore une fois, d'une volonté délibérée de réorganiser l'univers combraysien. Organisatrice d'un monde clos et sécurisant, la tante Léonie chercherait alors sciemment à en miner la circularité, à y introduire le drame ; initiatrice d'une vision du monde unitaire, elle en contesterait les prémisses et tendrait à retrouver le monde dans sa diversité. La praxis de la tante Léonie renverrait alors à la praxis de la *Recherche*, à la praxis de tout créateur pour qui l'œuvre est à la fois affirmation et négation, structuration et déstructuration. Mais la praxis du créateur l'amène à dépasser ce mouvement, à atteindre à sa vérité. Celle de la tante Léonie, au contraire, la laisse empêtrée dans ses contradictions. Encore une fois, la tante Léonie laisse le travail inachevé, elle reste à mi-chemin de son œuvre. Elle ne réussit à être que l'image avortée du créateur et c'est pourquoi elle ne peut susciter qu'ironie et pitié.

Ces sentiments, le héros ne les éprouve même pas pour sa tante. L'affection qu'il lui porte n'est finalement qu'une affection de commande ; sa soumission à son autorité, convention sans effet ; le culte qu'il accepte de rendre à cette divinité est uniquement formel. C'est sur Combray, et non sur le héros, que la tante Léonie exerce sa tutelle ; c'est à Combray, et non au héros, que s'adressent les enseignements de la tante Léonie ; c'est dans l'univers imaginaire du narrateur, et non dans l'espace de l'œuvre, que la tante Léonie joue un rôle de premier plan. Cette divinité − qui se veut et ne se veut pas − tutélaire de Combray, n'est pour le héros qu'une idole dont il perce rapidement le secret. Aussi, après

Combray, le héros l'oubliera-t-il encore plus vite qu'il ne dépensera l'héritage dont il aura été le bénéficiaire.

Contrairement à ce qu'affirme la critique et même s'ils demeurent toujours «*des êtres protecteurs, des compagnons privilégiés*»[31], les dieux de Combray sont donc bien désacralisés. Certains, sans doute comme les parents du héros, le sont à peine et toujours de façon détournée : la mère à travers l'inconduite de Mme Swann en tant qu'épouse et mère, à travers la faiblesse coupable de Vinteuil, père trop aimant; le père par la «mise en abyme» de son rôle naturel à partir de l'épisode de la visite à l'oncle Adolphe. D'autres dieux, au contraire, comme Françoise et la tante Léonie, ne sont pas épargnés; ils subissent de plein fouet l'impact d'une dénonciation qui met en pleine lumière leur duplicité. Malgré le comique des scènes, la cruauté de Françoise prend une dimension inattendue par suite de l'anticipation que le romancier introduit dans le récit. Le ridicule qui accompagne l'auto-dénonciation de la tante Léonie ne réussit pas à masquer l'ambiguïté profonde de la démarche de ce personnage pour qui la circularité combraysienne est à la fois refuge et prison, et son rôle de divinité tutélaire, vérité et mensonge. Cette différence dans la désacralisation des dieux semble tenir essentiellement, d'une part au rôle que chacun de ces dieux joue dans la structuration de l'univers imaginaire du narrateur, et d'autre part à la place qu'il occupe dans l'affectivité du héros. Plus les dieux participent activement à l'élaboration de la circularité combraysienne, plus ils sont directement dénoncés; plus ces dieux attirent la vénération du héros, moins ils sont désacralisés. De plus, il semble possible de dégager une relation inversement proportionnelle entre l'importance que détient chacun des dieux de Combray dans l'univers imaginaire du narrateur, et dans l'affectivité du héros. Ainsi en est-il par exemple, de la mère qui tient sans contredit la première place dans le cœur du héros mais qui existe à peine aux yeux de la communauté. Cette distribution des rôles, à qui l'attribuer si ce n'est au romancier? Et ne peut-on penser que si, malgré son autorité souveraine, le romancier hésite à désacraliser ouvertement certains dieux de Combray, c'est peut-être parce qu'ils appartiennent autant à l'univers affectif de l'homme qu'il ne peut s'empêcher d'être qu'à l'univers affectif de son héros?

31. MATORÉ & MECZ, *Musique...*, p. 107.

171

La désacralisation des dieux de Combray libère le héros de l'un des aspects les plus contraignants de la circularité combraysienne. Grâce à cette désacralisation, le héros peut abandonner «l'adoration perpétuelle» de ses dieux familiers. Ceux-ci ne peuvent plus le condamner à une imitation servile et sans espoir de leurs exploits; ils ne peuvent plus lui donner l'impression de ne vivre que par, et à travers, eux. Grâce à cette désacralisation, le héros va pouvoir se choisir de nouveaux «modèles» : Bloch, Swann, la duchesse de Guermantes, autant d'êtres qu'il va pouvoir maintenant diviniser mais qui lui resteront suffisamment proches pour qu'il puisse espérer un jour les rejoindre et même les dépasser. Grâce à cette désacralisation, le héros va pouvoir reporter son désir du monde sur de nouveaux objets : le sexe, l'amour, la société, autant de réalités dont il va pouvoir maintenant rêver mais sachant qu'il pourra un jour y accéder. Ainsi débute un processus qui va entraîner le héros de plus en plus loin du centre de la sphère combraysienne, qui va le porter jusqu'à ses limites. Sans doute, dans *Combray*, le héros ne dépasse-t-il pas ces limites, mais il en éprouve déjà le désir. Sa vie peut bien être soumise à la circularité, elle n'y est déjà plus irrémédiablement condamnée.

En désacralisant les dieux de Combray, en leur suscitant des rivaux, le romancier introduit dans *Combray* un élément de relativité. Il place, en effet, côte à côte des dieux qui ressortissent à deux types de médiation radicalement opposées. Les uns sont pour le héros des modèles dont il n'a rien à craindre, dont l'imitation est promesse de paix et de bonheur mais aussi de vie sans portée. Les autres, s'ils peuvent toujours être admirés, sont avant tout des concurrents dont la rivalité est cause de souffrances mais aussi de découverte de la vérité. C'est sur ces nouveaux dieux de la médiation interne que le héros va porter un regard de plus en plus fixe et douloureux. Les dieux de Combray, eux, vont ou bien disparaître, ou bien se figer dans une immobilité d'icônes. Après *Combray*, leur influence cessera d'être déterminante. Aussi, lorsque parvenu au terme de son apprentissage, le héros cherchera qui a été son véritable initiateur et guide, ce n'est pas vers les dieux de Combray, ces dieux de la médiation externe, qu'il se retournera, mais vers ce dieu de la médiation interne qu'aura été pour lui Swann. C'est à lui qu'il se sentira redevable non seulement de la matière de son expérience, c'est-à-dire de son œuvre, mais de la décision même d'entreprendre celle-ci. Aux dieux de Combray, au contraire, il ne reconnaîtra aucun rôle. Et il n'y a là rien qui doive étonner. Car les dieux de la médiation externe refusent à l'individu jusqu'à l'illusion de son autonomie ; ils n'admettent que des disciples se soumettant aveuglément à leur tutelle. En se limitant à leur culte, le héros n'aurait jamais réussi qu'à faire de sa propre vie l'image imparfaite de la leur ; il serait toujours resté prisonnier de la circularité combraysienne ; il n'aurait jamais pu découvrir sa vérité. Pour que sa vie devienne une quête, il faut que le héros se libère de l'emprise qu'exercent sur lui les dieux de Combray ; il faut qu'il quitte la sphère communautaire et passe par les multiples sphères où trôneront ses nouveaux intercesseurs. En plaçant ceux-ci au cœur même de la circularité combraysienne, en faisant perdre aux dieux de Combray leur infaillibilité, le romancier offre au héros cette possibilité.

Avec la désacralisation des dieux, l'univers combraysien devient le lieu d'un affrontement entre des forces d'attraction contraires ; sa cohérence interne s'en trouve affectée. Ce n'est plus cette circularité parfaite dont tous les rayons partent et ramènent à un seul centre, cette «figure» du paradis que cherche à recréer le narrateur. Mais ce n'est pas encore ce «carrefour» dont parlent G. Matoré et I. Mecz[32], carrefour ouvrant sur des chemins de liberté. La désacralisation des dieux et l'apparition de nouveaux «modèles» ne font encore que révéler au héros l'existence d'autres mondes de possibles ; elles ne lui permettent pas encore d'y pénétrer.

32. *Ibid.*

II

LES MYTHES EN QUESTION

À Combray, la lumière rassurante de la grosse lampe de la salle à manger ne se contente pas d'éclairer les dieux familiers du héros réunis pour le dîner ; elle les enclôt tous dans son cercle d'or et les constitue en famille. Les dieux de Combray ne sont pas des individualités isolées ; ils sont «pris» dans des réseaux de relations multiples, ils participent à des ensembles qui les socialisent. C'est donc à double titre qu'ils exercent une emprise sur l'enfance du héros : en tant que modèles individuels et en tant que modèles sociaux. Chacun de ces dieux représente, en effet, un des grands mythes à partir desquels se fonde l'univers social combraysien. Dans cet univers, les parents offrent l'image du couple idéal ; jusque dans leurs querelles, les grands-parents, la grand-tante, les deux vieilles filles vivent la famille comme un véritable groupe de fusion ; Françoise incarne les vertus de la communauté ; la tante Léonie, même dans ses mesquineries, exprime l'essence de ce «monde archétype de Combray»[1] que le narrateur cherche à retrouver. Dans Combray, ces mythes sont pour le héros autant de certitudes sociales mais ils sont aussi autant de représentations erronées d'une réalité dont la pesanteur sociologique risque de le retenir au bord de la circularité combraysienne.

Si de tous les mythes de Combray, le mythe de la famille est celui auquel le narrateur reste le plus longtemps attaché, c'est parce qu'à Combray il a pu croire le vivre dans toute sa vérité.

1. M. BUTOR, *Répertoire II* (Paris, Éditions de Minuit, 1964), p. 262.

Dans l'univers combraysien, la famille semble ne se présenter que sous son seul aspect mythique de groupe originel et essentiel; jamais, ou presque, elle ne paraît perçue dans sa réalité répressive de groupe socialement constitué. Et pourtant, si l'on en croit L.J.Hubbart[2], c'est à cet aspect de la famille que le héros de roman, au xxe siècle, est le plus sensible. Au xxe siècle, dit Hubbart, la famille est de moins en moins capable d'assumer le rôle privilégié qui était jusque-là le sien dans la formation morale et sociale de l'individu. Touchée à son tour par la crise qui marque la relation de l'individu à la société depuis le début du xixe siècle, la famille devient le premier lieu social où se manifeste cette tension. Tout en continuant à la considérer comme l'un des paramètres de son épanouissement, le héros de roman au xxe siècle en vient de plus en plus, selon L.J.Hubbart, à voir dans la famille un obstacle, une servitude dont il réussit d'autant moins à se dégager qu'il y reste attaché par toute son affectivité. Dans la littérature française du xxe siècle, conclut L.J.Hubbart, la famille apparaît pleinement dans son ambiguïté de mythe et d'artifice de contrainte et de conservation créé par la société. Or, dans *Combray*, le héros ne semble à aucun moment vivre cette dualité de la famille. Ce n'est que bien plus tard qu'il y deviendra sensible. Mais même alors, à l'encontre de *Jean Santeuil*, la *Recherche* ne recueillera que de très faibles échos de cette prise de conscience. De la famille, l'univers combraysien ne retient donc que sa représentation mythique; il ignore sa réalité d'institution sociale; il n'en discute jamais les dogmes. À Combray, tout commence et finit avec la famille : c'est à partir de la famille que chacun se définit, c'est la famille qui limite l'horizon de chacun, c'est la famille qui décide du devenir de chacun. La symbiose paraît donc totale. Mais alors, comment expliquer que ce mythe vécu comme une réalité idéale disparaisse de la *Recherche* après *Combray*? Comment expliquer que le désir de revivre ce mythe n'oriente pas plus la quête du héros? Comment expliquer que la famille ne soit plus dans la vie du héros un point d'ancrage privilégié? Comment expliquer, enfin, qu'à l'exception de la famille Bloch, la société de la *Recherche* n'offre plus jamais qu'une image dégradée de ce mythe? Comment l'expliquer sinon en admettant que déjà, dans *Combray*, la famille est démythifiée.

2. Voir L.J.HUBBART, *The Individual and the Group in French Literature since 1914* (Washington D.C., The Catholic University of America Press, 1955).

Le couple, on le sait, est le noyau de la cellule familiale. Dans *Combray*, c'est d'abord aux parents du héros qu'il revient de l'incarner. Leur union semble parfaite ; mais elle s'inscrit sur un axe vertical, le mari faisant figure de «dieu» aux yeux d'une épouse qui s'incline devant ses supériorités et qui respecte jusqu'à ses silences. C'est donc l'image du couple idéal selon la tradition et c'est pourquoi, au moment où se concrétise le plus intensément l'union des sexes, le moment du coucher, il est comparé au couple biblique d'Abraham et de Sarah. Mais dans *Combray*, c'est aussi le seul couple exemplaire : la relation de tous les autres est négative. Chez les grands-parents, par exemple comme le montre le petit drame du verre de cognac ; pour la tante Léonie à qui le simple souvenir de son défunt suffit à faire faire des cauchemars! Quant au couple Swann, ce n'est pas seulement l'union des sexes qui est niée, mais la supériorité du «mâle» qui est ridiculisée dans son attribut le plus élémentaire. Au couple modèle des parents, au mythe du mariage, répond alors le couple désuni, l'union démythifiée de Swann et d'Odette, couple où le mari est bafoué par sa femme qui ne cherche même pas à lui cacher ses infidélités. Avec le couple Swann, le mythe se dégrade en fiction légale, fiction suffisante, sinon pour Combray, du moins pour le monde qui n'en demande pas plus pour accueillir Odette. Mais c'est avec ce véritable «ménage à trois» que forment les habitants de Montjouvain que le mythe du couple est vraiment dénoncé. Sur tous les chemins de Combray triomphe alors le couple étrange et aberrant de Mlle Vinteuil et de son amie ; dans le cimetière de Combray vient pleurer Vinteuil, mâle émasculé, sur la faillite d'un mythe auquel il tient pourtant tellement.

Faut-il alors s'étonner que ces couples de Combray où le géniteur joue un rôle aussi lamentable procréent si peu? Dans le monde de la *Recherche*, dit E. Berl, «*on ne procrée pas*»[3] ; le petit monde de Combray fait à peine exception à la règle ; ses couples ne réussissent guère qu'à faire un seul enfant et, presque toujours, une fille[4]. Combray semble donc incapable d'assurer sa continuité ; l'impuissance de ses mâles le condamne à disparaître

---

3. E. BERL, *Sylvia* (Paris, Gallimard, 1952), p. 89.
4. Dans *Combray*, avec le petit Théodore, le héros est le seul garçon. Tous les autres enfants sont des filles : Gilberte, Mlle Vinteuil qui, curieusement, reste sans prénom (est-ce volonté de distanciation de la part du romancier?), la fille du jardinier, la fille naturelle de l'ancien professeur de dessin de la grand-mère

progressivement. À travers l'incapacité des familles à assurer leur descendance se dessine l'incapacité de Combray en tant que société bourgeoise à se perpétuer.

Déjà peu satisfaisants en tant que procréateurs, les parents de Combray le sont encore moins en tant qu'éducateurs. Swann attache si peu d'importance à ce rôle qu'il l'oublie au profit de son rôle d'homme du monde ; pour faire montre de plus de bienveillance envers Vinteuil déchu de sa respectabilité, il n'hésite pas à inviter Mlle Vinteuil à venir «*jouer*» (*R* I, 149) — étranges jeux ! — avec Gilberte à Tansonville. Et bien plus tard, dans *Le Temps retrouvé*, nous apprendrons que Gilberte était si peu surveillée à Combray qu'elle pouvait sortir seule et en profitait pour «*aller jouer avec de petits amis, dans les ruines du donjon de Roussainville*» (III, 694) — autres jeux ! Quant au père du héros, l'éducation de son fils le préoccupe à peine et il ne répond que par un grossier haussement d'épaules aux conseils et aux remontrances que prodigue la grand-mère. La mère, elle, cherche surtout à éviter que son fils ne lui crée des problèmes dans sa vie de ménage. Pour tous deux, finalement, le rôle d'éducateur se borne à essayer de contrôler chez leur fils les excès d'une sensibilité nerveuse qui les inquiète, mais uniquement pour sa santé. Et la portée de leur rôle est encore réduite par le pluralisme familial qui règne à Combray. Ce pluralisme familial qui répartit les fonctions d'autorité habituellement dévolues aux seuls parents, qui dilue les figures du père et de la mère dans la masse, on a pu le considérer précédemment comme bénéfique à la structuration de l'univers combraysien[5]. Mais du point de vue adopté à présent, le point de vue du romancier, ce pluralisme devient démythificateur de la famille en ce sens qu'il sous-entend à la fois un échec et une démission de la part des parents. En effet, en acceptant le dédoublement, en renonçant à leurs prérogatives, en abandonnant leur rôle «naturel», les parents, non seulement se reconnaissent incapables de diriger l'éducation de leur enfant, mais se laissent déposséder de leur statut d'instances privilégiées. L'enfant devient alors libre de se choisir d'autres guides. Et contrairement à ce qu'on pourrait attendre, ce n'est pas vers les autres membres de la famille qu'il va se tourner. Sans doute ceux-ci prétendent-ils participer à l'éducation du héros ; mais en réalité, ils ne font que lui transmettre leurs préjugés, depuis

5. Voir *supra*, p. 54.

le grand-père et sa «sentence» trop indulgente jusqu'aux deux vieilles filles et leur esthétique *objectiviste* qui ne consacre que de fausses valeurs. Dans *Combray*, ce n'est pas à ces parents-là que le héros demande de lui apprendre à vivre mais déjà à Bloch, à Swann et à Bergotte; ce sont eux ses véritables éducateurs.

Cependant, on peut considérer qu'à Combray, il y a au moins un père qui remplit son rôle et même qui le remplit trop bien! Mais les soins que Vinteuil rend à sa fille et dont celle-ci «*si robuste qu'elle a l'air d'un garçon*» (*R* I, 113) n'a d'ailleurs aucun besoin, sa sévérité envers les «*jeunes gens négligés*» (112), son «*culte*» (148) pour son enfant sont-ils vraiment encore d'un père? Ne faudrait-il pas plutôt voir en Vinteuil un mari jaloux ou un amant attentionné? Et dans la faillite de Vinteuil ne faudrait-il pas voir la faillite même du mythe de la famille? Vinteuil deviendrait alors la première victime malheureuse de cette loi de la *Recherche* qui veut qu'à la soumission des parents trop aimants réponde la revanche cruelle et triomphante des enfants[6]. Gilberte, la fille de la Berma, Saint-Loup même appliqueront cette loi; avec eux, le parricide Van Blarenberghe entre dans le roman.

Après *Combray*, la famille ne jouera plus qu'un rôle très secondaire dans l'univers social de la *Recherche*. D'abord en tant que mythe car de tous les parents de Combray, l'univers imaginaire du narrateur ne retiendra plus que la mère et la grand-mère, personnages d'ailleurs quasi interchangeables. Ensuite, en tant qu'institution sociale car même dans le milieu Guermantes, la famille n'a pas l'importance que lui attribue le narrateur, quand il écrit :

Désertée dans les milieux mondains, la famille joue, au contraire, un rôle important dans les milieux immobiles comme la petite bourgeoisie et comme l'aristocratie princière, qui ne peut chercher à s'élever, puisque, au-dessus d'elle, à son point de vue spécial, il n'y a rien.

(*R* II, 376)

Sans doute est-il vrai qu'un milieu comme celui des Verdurin ne pratique pas le respect de la «*parenthèse*» (*R* I, 53) si cher à Françoise. On connaît la haine féconde et agissante que voue la patronne non seulement aux familles de ses fidèles mais à la sienne propre avec laquelle elle a depuis longtemps cessé toute relation.

---

6. Gilberte renie son père et change de nom ; la fille de la Berma abandonne sa mère ; Saint-Loup quitte la sienne pour aller retrouver sa maîtresse.

Par contre, on peut douter que chez les Guermantes, la famille ait l'importance que le narrateur lui accorde. Leur orgueil nobiliaire peut certainement faire croire aux Guermantes qu'au-dessus d'eux «il n'y a rien», encore que la notice concernant leur famille n'apparaisse que dans la troisième partie du Gotha! Mais, «en-dessous» d'eux grouille tout un monde qu'ils peuvent bien prétendre ignorer alors qu'en réalité ils s'y intéressent suffisamment pour y repérer les riches héritières dont leurs fils ont besoin pour redorer leur blason. Le fameux «*génie de la famille*» (II, 440) si sensible au «*bon fond*» de certaines jeunes filles, l'est encore plus à leur fortune! Et les cent millions présumés de Gilberte, ou même ses vingt millions bien réels, feront plus pour que les Guermantes l'acceptent que toute la pureté de leur sang pour les Chaussepierre ou les Chanlivault. Immobile, le milieu Guermantes ne l'est qu'en apparence; il évolue comme toute la société. De plus, chez les Guermantes dont la grandeur, comme le remarque Françoise, se fonde en partie sur le nombre, le sens de la famille perd en intensité ce qu'il gagne en étendue. Pour les Guermantes, la famille n'est plus ce groupe de face à face qui vit des principes et des buts communs; mais un vague ensemble fluctuant et flexible auquel seule l'hérédité assure un semblant d'unité. Et dans la société de la *Recherche*, c'est finalement à ce seul lien biologique que se reconnaît la famille. À la matinée du prince de Guermantes, tous les invités reproduisent les traits de leurs parents; Saint-Loup vieillissant, les traits si particuliers à la «race» des Guermantes; le héros lui-même, les manies de sa tante Léonie. «*Nous devons recevoir, dès une certaine heure, tous nos parents arrivés de si loin et assemblés autour de nous*» (III, 79) écrit le narrateur. Que pour beaucoup, cette heure soit l'heure de la déchéance ou de la démission, il n'en reste pas moins que, dans la *Recherche*, elle est le seul moment où la famille reprend ses droits. Pourtant, il arrive que pour certains, cette heure ne sonne jamais, pour les «êtres de fuite» comme Albertine, par exemple, à l'horizon desquels la famille ne se profile jamais. Albertine, orpheline à l'enfance embrouillée, pour qui les Bontemps ne sont qu'une famille de complaisance, être changeant, être insaisissable; rien, pas même l'hérédité, ne peut ni ne doit la fixer. Dans la *Recherche*, seule la famille Bloch renvoie pleinement au mythe. Car malgré le portrait méprisant qu'en trace le narrateur, c'est la seule famille à «l'unisson», où le fils admire et imite ouvertement son père, les sœurs, leur frère ; la seule famille à connaître le bonheur d'un repas partagé ; la seule famille à se perpétuer. Sans doute, un jour, Bloch se donnera-t-il un nom ronflant, mais ce sera sa race et non sa famille qu'il cherchera ainsi à renier.

Dans *Combray*, le mythe de la famille est encore une réalité, mais une réalité que le romancier dénonce déjà indirectement : dans le couple dont l'homme est ridiculisé ou bafoué ; dans les parents à qui le pluralisme fait perdre leur position privilégiée ; dans les enfants dont la trahison et le reniement constatent l'échec du mythe. Et cette démythification de la famille, la mort de la tante Léonie n'en est-elle pas l'illustration? Rien ne viendra marquer le décès de la vieille dame si ce n'est la douleur sauvage d'une domestique ; ni les parents trop occupés à compter l'héritage, ni le héros trop attiré par Méséglise, n'auront une larme, un signe de deuil pour leur parente décédée. La grosse lampe de la salle à manger de Combray ne réunira pas la famille pour un dernier repas funéraire. Avec la tante Léonie, le mythe de la famille aura vécu ; comme elle, il tombera très vite dans l'oubli ; pas plus qu'elle, il n'aura d'influence sur la quête du héros.

Le mythe de la «communauté» combraysienne est si bien ancré dans l'univers imaginaire du narrateur que rien, pas même la destruction de la petite ville qui est censée le vivre, ne semble pouvoir le subvertir. Jusqu'à la fin de la *Recherche*, l'idéal de société qu'incarne Combray échapperait donc à la déréliction sociale dont le héros est le témoin ; les «vérités» que Combray enseigne et pratique depuis qu'existe le porche de Saint-André-des-Champs garderaient donc toute leur valeur ; dans un monde de plus en plus dégradé, Combray serait donc le seul grand mythe social que la *Recherche* conserverait intact jusqu'au *Temps retrouvé*, le seul petit monde que le kaléidoscope social ne réussirait pas à redistribuer. La «communauté» combraysienne serait alors la seule épiphanie sociale de la *Recherche* et comme l'affirme G. Brée, «*ce monde immobile, installé dans un éternel printemps, en dehors du temps*» dessinerait donc bien «*la forme même du bonheur*»[7].

Mais un mythe n'est jamais tout à fait innocent, et dans la *Recherche*, le mythe de la «communauté» combraysienne l'est sans doute encore moins que les autres. On sait[8] ce que recouvre la

7. BRÉE, *Du temps perdu...*, p. 93.
8. Voir *supra*, pp. 127–35.

prétention *unanimiste* de Combray ; non seulement la dépersonnalisation et le rejet du plus défavorisé, mais aussi la rivalité comme facteur essentiel de structuration de la relation sociale. À cela, il faut ajouter que cette rivalité, loin d'entraîner le dépassement, la surenchère, n'aboutit qu'à faire de l'échange strictement et tristement codifié la seule forme de contact humain que Combray connaisse. À Combray, tout est «donnant-donnant»; chacun doit «s'y retrouver» dans le partage des biens de la communauté. Les renseignements que Françoise recueille chez l'épicier profitent au commerce de celui-ci ; la distraction dominicale que fournit Eulalie à la tante Léonie est exactement tarifée. Dans le peuple, l'échange reste encore à son niveau le plus «vulgaire», celui de l'argent ; échange que l'œil envieux et vigilant de Françoise suit avec une acuité singulière [9]. Chez les bourgeois, il y a déjà un peu plus de raffinement ! l'échange devient chasses, bals, visites et surtout cadeaux dont Françoise, encore elle, tient un compte exact. Et n'est-ce pas parce l'échange est la seule forme autorisée de relation sociale à Combray, que les cadeaux de la grand-mère font pousser des hauts cris à la famille ? Parce que justement, ils ne tiennent aucun compte de la valeur d'échange. Même plus, ignorant jusqu'à la valeur d'usage des objets, la grand-mère en vient à faire de ses cadeaux de purs «dons», un peu comme ces objets du Potlach des Indiens d'Amérique qui se détruisent d'eux-mêmes avant de pouvoir servir.

On ne pouvait plus faire le compte à la maison, quand ma grand'tante voulait dresser un réquisitoire contre ma grand'mère, des fauteuils offerts par elle à de jeunes fiancés ou à de vieux époux qui, à la première tentative qu'on avait faite pour s'en servir, s'étaient immédiatement effondrés sous le poids d'un des destinataires. (*R* I, 41)

Éternelle altruiste, la grand-mère ne peut que susciter la risée de Combray. Car la «communauté» n'accepte que les bilans en équilibre ! Et le fameux «code» de Combray tend-il à autre chose ? Selon ce «code», on le sait, rien n'est pire que de ne pas faire «ce qui se doit» ; il faut toujours payer ses dettes ! Mais rien n'est pire aussi que de ne pas recevoir son «dû» ; il ne faut jamais faire crédit ! À Combray, l'échange ne laisse pas de place au désintéres-

---

9. On sait que Françoise possède un «sixième» sens qui lui permet de faire le compte exact des pourboires de son maître malgré le soin que celui-ci prend pour les remettre le plus discrètement possible (*R* III, 367).

sement, à la conduite d'un Bloch, par exemple, qui donne «*plus qu'il n'est convenu d'accorder à ses amis, selon les règles de la morale bourgeoise*» (93). Et c'est pour l'oublier que la grand-mère est ridiculisée, le pauvre Vinteuil si cruellement plaisanté. Sans doute l'échange est-il facteur de cohérence car il postule la réciprocité ; sans doute est-il aussi facteur de stabilité car il détermine exactement les droits et les devoirs de chacun. Mais il rend la relation sociale stérile et vaine, car il maintient strictement «*la juste balance des devoirs et des exigences*» (92), il réprime sévèrement «*les élans de notre sensibilité*», il condamne la relation sociale à se répéter indéfiniment sans jamais pouvoir innover. Et c'est ce que veut exprimer M. Bardèche que nous avons déjà cité lorsqu'il parle du «*monde lilliputien qu'on voit de la fenêtre* [*de la tante Léonie*], *trottinant mais répétant toujours le même geste comme des santons qui représenteraient les divers personnages de la paroisse*» [10]. À Combray, l'itératif est aussi social ; en lui s'enlise et se sclérose la petite société.

Que le «code de Combray» puise au passsé français le plus ancien ne sert en réalité qu'à poétiser le conservatisme des interdits de Combray. Car Combray vit dans le refus : refus de l'inconnu, refus de l'Autre dans son altérité. Roussainville et ses mystères sont soigneusement tenus à l'horizon ; la mondanité de Swann est purement et simplement niée ; la déviance sexuelle de Mlle Vinteuil est rendue inoffensive. À Combray, comme nous l'avons déjà indiqué, chacun reste éternellement pareil à lui-même, enfermé dans le cadre d'une entité socialement limitée et toujours définissable. Dans les premières ébauches de *Combray*, les habitants de la petite ville conservaient encore une certaine ambiguïté, une certaine profondeur, grâce à la dualité des fonctions. Mais déjà, «*le chanteur, le suisse et les enfants de chœur avaient, comme les dieux de l'Olympe, une existence moins glorieuse* [...] *comme le maréchal-ferrant, le crémier et le fils de l'épicière*» [11]. Dans *Combray*, à l'exception de Théodore, cette dualité disparaît et chacun s'en tient indéfiniment au même «geste» comme le «*petit jardinier en stuc*» du jardin du notaire, dans le *Contre Sainte-Beuve*[12], que le narrateur ne voit jamais que «jardinant». Ainsi est

10. BARDÈCHE, *P. romancier I*, p. 258.
11. *Contre Sainte-Beuve*, édition de B. de Fallois, p. 258.
12. *Ibid.*

assurée la pérennité de Combray, dans l'espace et le temps, mais c'est au prix de tout contact avec le monde extérieur, au prix de toute évolution. Dans le planétarium social de la *Recherche*, la sphère combraysienne poursuit sa carrière sur une trajectoire autonome, rien ne peut en corroder la surface entièrement lisse et hermétiquement close. Pour ceux qui acceptent sa loi, la «communauté» combraysienne est refuge ; elle les enferme dans sa circularité ; à vingt ans d'intervalle, ils se retrouveront pareils à eux-mêmes[13]. Pour ceux qui rejettent son «code», la «communauté» n'a pas un regard. Entre les certitudes de la grand-tante et l'exclusivisme des dames de la rue de l'Oiseau, il n'y a place que pour la relation sociale figée et pointilleuse d'une Françoise. La «communauté» combraysienne est un monde pour lequel le signe social est univoque. Il se peut, comme le veut G. Deleuze[14], que les signes mondains soient vides de sens, mais au moins, ils sont complexes et nombreux. Les signes qu'émet la «communauté» combraysienne sont, au contraire, rares et toujours explicites ; ils ne donnent rien à apprendre. S'en contenter, c'est récuser la polysémie du signe, c'est renoncer à découvrir par soi, et en soi, la signification du signe ; c'est appauvrir ou même nier l'intérêt de l'apprentissage social.

Comme la Françoise «*contemporaine* [...] *des figures sculptées des cathédrales*»[15], Combray «paradis social» de la *Recherche* peut se lire comme une allégorie, mais non comme un symbole. Car s'il est vrai que de l'allégorie au symbole, il y a la différence du mécanisme au vivant, de la symétrie à la souplesse, la «figure» sociale grâce à laquelle le narrateur croit pouvoir cerner la «vérité» de Combray, cette «figure» n'épouse pas plus les contours de la réalité que la «figure» de la Commune médiévale selon le XIXe siècle bourgeois ne reproduit les données de l'Histoire. Ce Combray allégorique immobilise le mouvant social ; pareil à «*une petite ville dans un tableau de primitif*» (*R* I, 48), il est sans perspective, sans profondeur. Il peut bien enchanter le narrateur et répondre à son désir de cohérence mais il n'est ni l'espace, ni le temps de Combray véritablement retrouvés. Il n'est que l'illustration d'un mythe.

13. Voir, en particulier, les réactions des «dames de Combray» lors du mariage de Gilberte (*R* III, 676) et les sarcasmes dont elles abreuvent Mme Verdurin devenue princesse de Guermantes (955).
14. DELEUZE, *P. signes*, p. 10.
15. GUTWIRTH, « La Bible de Combray », p. 422.

Après *Combray*, ce mythe de la «communauté» retournera se figer au porche de Saint-André-des-Champs. Il ne reprendra vie que lorsque le cataclysme de la guerre risquera d'anéantir tout l'univers social imaginé par le narrateur. Alors le mythe lui permettra de sauver l'essentiel ; les «bons» Français de Saint-André-des-Champs se porteront au secours de la patrie ; ils feront honte à ces «*embusqués*» (*R* III, 735) (dont fait d'ailleurs partie le héros) qui se précipitent dans les restaurants de Paris et que contemple avec «*un hochement de tête de philosophe*», «*un pauvre permissionnaire échappé pour six jours au risque permanent de la mort, et prêt à repartir pour les tranchées*». Ce «poilu», soldat mythique d'une guerre où combat un peuple «unanime», peut rassurer la conscience du narrateur, mais il lui cache aussi la réalité de cette guerre dont le romancier montre qu'elle sert avant tout les intérêts des Verdurin, la carrière d'un Brichot, l'égoïsme du maître-d'hôtel-jardinier, les plaisirs nocturnes d'un Charlus et de ses semblables.

Toute vision du monde se veut totalisante et totalitaire. Elle cherche à investir tous les aspects de la réalité et à leur imposer un ordre. On sait[16] que *l'objectivisme* à partir duquel Combray choisit d'expliquer le monde ne fait pas exception à cette loi : il tend à appréhender la réalité sous ses formes les plus variées, à en expliciter le sens, à en dégager la signification ; il tend à imposer sa hiérarchie, à transformer le monde en une totalité homogène. Et cet *objectivisme* trouve sa forme et son expression les plus convaincantes dans le mythe de la circularité.

Pour G. Deleuze, la *Recherche* n'est ni une robe, ni une cathédrale[17], mais «*une toile d'araignée en train de se tisser sous nos yeux*»[18] ; une toile d'araignée aux quatre coins de laquelle celui qu'il appelle «*le narrateur*» — et qui correspond à notre définition du «romancier» — projette inlassablement sa présence ; une toile d'araignée que ce narrateur «*fait, défait, refait*»[19] indéfiniment. Pour Deleuze, la *Recherche* est donc bien l'expression d'une vision du monde en perpétuelle expansion. On sait ce que valent en critique littéraire les analogies pseudo-scientifiques ; elles ont

16. Voir *supra*, pp. 71–89.
17. Ce sont là les images dont se sert le narrateur pour décrire la structure de son œuvre.
18. DELEUZE, in *CMP* (7), p. 91.
19. *Ibid.*, p. 90.

cependant une utilité par leur valeur d'illustration. Aussi peut-on évoquer à propos de l'univers combraysien, l'image de la termitière. De la termitière, l'univers combraysien reproduit l'organisation : «chaque colonie de termites», rapporte le Robert[20] « a une reine, des ouvrières et des soldats, et un mâle ailé». Il suffit de penser à la tante Léonie, aux parents, aux oncles et tantes, au héros lui-même, pour justifier la comparaison. De la termitière, l'univers combraysien possède aussi les qualités : à plusieurs années de distance, «l'esprit de Combray» garde toute sa force et sa résilience. Mais surtout, l'univers combraysien s'élabore à partir des mêmes principes que la termitière, par rejet et sclérose.

Paradoxalement, pour Combray, totaliser n'est pas additionner mais soustraire, non seulement en réduisant l'inconnu au connu, mais en niant l'existence des réalités qui contredisent les postulats de son *objectivisme*. Le monde où Swann passe ses soirées devient plus irréel que la caverne d'Ali-Baba ; le faire-part qui atteste l'appartenance de la marquise de Villeparisis à la célèbre famille des Guermantes n'existe que dans l'imagination de la grand-mère. Bien plus que des assimilations de la tante Léonie, c'est de ces rejets que l'univers combraysien est fait. Pour reprendre les définitions que P. Kuentz utilise dans un autre contexte[21], la frontière qui entoure l'univers combraysien n'est pas « *un front mouvant, l'enjeu d'un conflit* » − ce qui supposerait contact et échange −, mais « *une limite naturelle* » qui « *dé-finit* » et « *dé-limite* » l'objet auquel elle s'applique. Séparation et finitude sont donc bien les marques de cette frontière qui n'est plus alors rien d'autre, comme le note Kuentz, que « *l'émanation de l'objet lui-même* »[22], c'est-à-dire pour ce qui est de notre étude, l'univers combraysien. Celui-ci ne dessine en fait que la configuration immuable de sa propre réalité. Contrairement à la vision du monde du romancier qui gagne constamment sur l'inconnu, la vision du monde qui anime l'univers combraysien est affirmation de connaissance, affirmation d'autonomie, on pourrait presque dire, affirmation d'autarcie. Aussi ne renvoie-t-elle finalement qu'à l'objet qui la fonde ; loin d'être découverte, elle n'est que description du connu. C'est uniquement

20. P. ROBERT, *Dictionnaire alphabétique et analogique de la langue française* (Paris, S.N.L., 1973), p. 176.
21. P. KUENTZ, « Frontières de la rhétorique », *Littérature* [Paris], 18, 1973, (pp. 3−26) pp. 3, 20.
22. *Ibid.*, p. 20.

son propre inventaire que dresse Combray ; ce sont uniquement à ses propres catégories que renvoie l'ordre qu'il impose au monde ; c'est uniquement sa propre «figure» qu'il demande à la réalité de refléter. Ainsi Combray peut-il institutionnaliser la circularité ; ainsi peut-il l'ériger en vision du monde.

Contrairement à son ambition totalisante, la vision du monde de Combray est donc en fait «réduction» de la réalité ; contrairement à son ambition totalitaire, elle est donc en fait mise en ordre arbitraire. En fixant sa frontière, en limitant son territoire, en sacrifiant l'inconnu au connu, cette vision renonce à son ambition ; au lieu d'expliquer le monde, elle ne fait que le préjuger. Et c'est pourquoi elle ne sera d'aucune utilité au héros dans sa recherche ; bien au contraire, chaque fois qu'il aura recours à cette vision pour expliquer le monde, il s'enfoncera plus avant dans l'erreur. Mais non seulement la vision du monde de Combray ne peut expliquer le monde ; elle ne réussit même pas à épuiser la réalité de son propre objet. Car l'univers combraysien malgré sa prétendue circularité, reste inachevé. Si infime et si prosaïque qu'il soit, il reste toujours un élément de la réalité qui lui échappe : activité inexplicable du peintre, identité impénétrable du pêcheur de la Vivonne. La clôture n'est jamais parfaite. Inadéquate, la vision du monde de Combray est aussi peu satisfaisante pour l'esprit de ceux qui se soumettent à ses postulats. Seule la grand-tante les accepte sans restriction et c'est peut-être pour cela qu'elle paraît si puérile. Mais sans même parler de la grand-mère, la mère y réconcilie avec peine les élans de sa sensibilité, le père, son désir du monde. Quant à la tante Léonie, on sait combien son imagination peut vagabonder !

De tous les mythes à partir desquels s'organise l'univers combraysien, le mythe de la circularité est celui dont le romancier dispose le plus rapidement. Alors que le mythe de la famille n'est remis en question qu'avec de nombreux repentirs, alors que le mythe de la «communauté» n'est dénoncé qu'avec de multiples considérants poétiques, le mythe de la circularité est attaqué de front, miné dans ses fondements mêmes, et cela dès Combray. À l'exiguïté du petit monde clos de Combray, le romancier oppose l'immensité des deux «côtés» ; à la rareté et à la pauvreté des signes combraysiens, il oppose la multiplicité et la complexité des signes du monde sensible ; aux erreurs de l'objectivisme, il oppose les vérités que fait découvrir l'imagination.

«Chaque colonie de termites», rappelle encore le Robert, «a [...] un mâle ailé». Pour reprendre notre comparaison, ne peut-on voir là l'image du héros à qui son imagination «donne des ailes»! Dans *Combray*, il ne se livre encore qu'à de rares incursions dans l'inconnu et ce qu'il y découvre ne lui sert encore qu'à nourrir et à fortifier sa tentation du monde. Si le mâle ailé revient à la termitière, c'est sans doute par amour pour la reine; rien de tel à Combray. Aussi le héros n'hésitera-t-il pas un jour à prendre son essor. Il ne restera plus alors dans la termitière que les «ouvrières» et les «soldats» qui, toujours d'après le Robert, sont «stériles». Enfermés dans la circularité qu'ils ont pris tant de soin à créer, ils continueront à pratiquer la même vision du monde appauvrissante, restant irréductiblement «de Combray» jusqu'à la fin des temps de la *Recherche*. Parfois, le héros les retrouvera sur son chemin, personnages excentriques dont la vision du monde lui sera devenue totalement étrangère. Le mythe de la circularité aura alors perdu pour lui tout attrait.

C'est sur deux scènes familiales à la symétrie inversée que s'ouvre et se clôt *Jean Santeuil*[23]. Dans la première, c'est l'avenir incertain d'un enfant que sa nervosité empêche de trouver le sommeil qui suscite la préoccupation de ses parents; dans la seconde, ce sont les parents diminués physiquement et moralement qui deviennent à leur tour l'objet des réflexions de leur enfant devenu grand. Entre ces deux jalons, *Jean Santeuil* retrace l'histoire d'une vocation mais aussi, et peut-être surtout, l'histoire d'une vie indissociablement liée au destin familial dans lequel elle est venue d'abord s'inscrire. Car, dans *Jean Santeuil*, ce n'est pas finalement en fonction du monde ou de l'art, mais bien en fonction de la famille que se définit le projet existentiel du héros; pour lui, la famille garde toute sa valeur ontologique. Sans doute, comme le note E.L. Duthie[24], est-ce parce qu'au moment où Proust écrit ce premier roman, il est encore très proche d'un passé où la famille a joué un rôle prépondérant; mais surtout, parce que, dans *Jean Santeuil*, la famille est représentée et vécue dans sa réalité, dans sa dualité conflictuelle de mythe et d'institution sociale.

On peut retrouver une même symétrie inversée entre deux scènes de la *Recherche*. Dans l'une, le dîner de Combray, c'est

23. *JS*, 203 sq., 860 sq.
24. DUTHIE, « The Family Circle in Proust's Santeuil », pp. 224–8.

l'enfant qui se croit abandonné par sa mère ; dans l'autre, le goûter de la Berma, c'est la mère qui se voit abandonnée par son enfant. Mais la comparaison s'arrête là. Car si, de *Jean Santeuil* à la *Recherche*, la structure des scènes est la même, leur terme de référence ne l'est pas. Dans la *Recherche*, l'image de la famille que propose le narrateur renvoie uniquement au mythe, que ce soit dans sa propre vie, dans celle de Gilberte ou même de Saint-Loup[25]. Pour le narrateur, la famille reste uniquement le lieu d'une pratique affective. Mais la famille est aussi le lieu d'une pratique sociale contraignante qui démythifie la « figure » idéale de la famille comme « *cercle parfait* »[26]. Et cette pratique, le romancier la réintroduit dans l'espace de l'œuvre, dans l'espace de *Combray*, par le biais d'actes comme ceux d'Odette ou de Mlle Vinteuil. Sans doute, dans *Combray*, la famille ne devient-elle jamais ce foyer de tension qui fait de l'enfance de Jean Santeuil presque un enfer. Mais sa représentation mythique est suffisamment dénoncée pour que la famille ne puisse enfermer le héros dans sa circularité affective et le condamner à une pratique sociale indéfiniment répétée.

Paradis social d'abord vécu et ensuite transcendé, la « communauté » combraysienne est le seul mythe auquel le narrateur continue à donner valeur opératoire jusqu'au *Temps retrouvé*. De son voyage dans la société, le narrateur retient l'idée du kaléidoscope. Car contrairement à ce que la critique a souvent avancé, ce n'est pas dans une marche à la mort que le narrateur voit la société entraînée, mais dans un mouvement giratoire qui en redistribue indéfiniment les éléments, sans jamais altérer la structure d'ensemble. Aussi, pour le narrateur, l'apprentissage social ne peut-il conduire qu'à une seule découverte, celle de l'inanité de la société. Et c'est pourquoi G. Deleuze a pu affirmer que dans la *Recherche*, les signes mondains ne donnent rien à apprendre car ils sont vides de sens ; simplement, ils se propagent à une telle vitesse qu'ils peuvent d'abord faire illusion. Mais cette vision de la société comme circularité fermée n'est rien d'autre qu'une « figure » dégradée du mythe de la « communauté ». À preuve, ces moments de crise sociale qui font croire au narrateur que la société peut revivre le mythe dans

---

25. Voir, par exemple, la relation affective de Gilberte à son père (*R* I, 566) et celle de Saint-Loup à sa mère (II, 254).
26. DUTHIE, « The Family Circle... », p. 226.

189

sa «vérité», dernier recours d'une vision qui refuse de renoncer à l'illusion de *l'unanimisme*, l'illusion d'une cohérence sociale fondée sur un ordre hérité du passé. Mais cette vision du narrateur contredit trop la réalité sociale de l'époque à laquelle s'écrit la *Recherche*. Cette contradiction, seul le romancier peut la dominer; derrière *l'unanimisme* de Combray — comme au travers des «*proportions sociales*» (R I, 675) bouleversées de Balbec —, seul le romancier peut retrouver la structure authentique de la société que son œuvre doit décrire. Et dans *Combray*, comme nous l'avons vu [27], c'est à la fille de cuisine qu'il revient de témoigner, même silencieusement, de cette réalité.

Le but du romancier est d'amener son héros à la transcendance et quoi qu'on ait pu dire, à commencer par le narrateur, dans la *Recherche*, cette transcendance est aussi sociale. Libérer le héros de l'emprise du mythe de la «communauté» est l'un des buts que se donne le romancier et cela, dès *Combray*, afin que le héros ne conserve pas la nostalgie d'un âge d'or de la société qu'il chercherait alors en vain à retrouver dans le monde. Car son apprentissage se transformerait en un périple et le héros se trouverait ramené vers cette seule vérité sociale que son enfance aurait connue, la «communauté». Sa quête serait tournée vers le passé. Or, la *Recherche* n'est pas une exploration du passé mais de l'avenir; elle n'est pas destinée à faire retrouver au héros la «vérité» de son enfance, mais à lui faire découvrir le sens de toute une vie. Comme les autres mythes, le mythe de la «communauté» combraysienne doit être dénoncé. Ainsi le héros ne cherchera-t-il pas vainement à retrouver dans le monde la fusion d'un *nous* communautaire; ainsi ne se fera-t-il pas d'illusions sur l'importance à accorder à la relation sociale, à la conversation, à l'amitié; ainsi ne demandera-t-il pas au monde de l'aider à vivre les valeurs vers lesquelles il est attiré; ainsi comprendra-t-il un jour qu'il n'y a de «vérité» que dans l'œuvre d'art, qu'elle seule permet de communiquer.

Cette œuvre d'art, on sait qu'elle retracera l'histoire du lent et long apprentissage que le héros devenu narrateur de sa propre vie aura fait des signes de la réalité. Et cet apprentissage, c'est là justement ce que la vision du monde de Combray rend non seulement superflu, mais impossible. Car ramener toujours le signe à

27. Voir *supra*, pp. 127–35.

l'objet qui l'émet, faire de cet objet le seul détenteur du secret de ses signes, c'est rendre inutile l'effort de déchiffrement intérieur de la réalité. N'appréhender le monde que par la connaissance, c'est renoncer à découvrir intuitivement et en soi la vérité des êtres et des choses. N'admettre que des significations claires et définitives c'est limiter et finir le monde, l'enfermer dans une circularité. À cette vision stérile et sclérosée, le héros oppose la sienne : à *l'objectivisme*, l'imagination créatrice ; aux froides réponses de l'intelligence, l'anxieuse interrogation de son désir ; au contentement de soi, l'insatisfaction de la tentation du monde. Dans *Combray*, ces deux visions sont déjà juxtaposées ; l'une se perd en conjectures sur la conduite de Legrandin, l'autre découvre le snobisme caché ; l'une admire en passant les aubépines de Tansonville, l'autre cherche à en percer le secret ; l'une détaille les qualités et les défauts de la duchesse de Guermantes, l'autre rêve sur un nom aux sonorités mordorées ; l'une est un constat indifférent, l'autre une exploration passionnée de la réalité.

Le chapitre précédent cherchait à établir un certain nombre de rapports régissant la désacralisation des dieux de Combray. Il semble maintenant possible de retrouver ces mêmes rapports dans la démythification des archétypes combraysiens. Il ressort en effet de notre analyse que plus ces archétypes sont significatifs de l'univers combraysien, plus ils sont directement remis en question, alors que plus ils influencent l'affectivité du héros, moins ils sont dénoncés. Et ici encore, une même relation inversement proportionnelle semble exister entre l'importance que le narrateur et le héros, confèrent respectivement à ces mythes. Pour l'enfant de Combray, le seul amour véritable est celui qui naît au sein de la famille ; pour Combray, par contre, l'amour filial n'est qu'une question de convenances et ce qu'il condamne, par exemple, chez Mlle Vinteuil ce n'est pas tant son manque de cœur que son manque de discrétion. Dans *Combray*, le mythe de la famille n'est donc dénoncé que de biais, chez les Swann et chez les Vinteuil. Au contraire, le mythe de la circularité est l'expression la plus complète de la vision que Combray se fait du monde ; par contre, il n'est pour le héros qu'une abstraction. Dès la fin de *Combray*, ce mythe aura vécu. Comme la désacralisation des dieux, nous pensons donc que la dénonciation des mythes combraysiens est soumise à un double mouvement dont l'intensité et l'ironie sont déterminées par la place que ces mythes occupent dans l'univers imaginaire du narrateur et dans la vie affective du héros.

« *La stabilité* [...] *d'un groupe social* », écrit J. Baechler, « *repose sur la stabilité de ses institutions* [...] *et sur l'ordre qui régit les échanges* [...]. *Plus les échanges sont réglés et plus ces règles constituent un système cohérent, moins la stabilité risque d'être menacée* » [28]. En soumettant les archétypes combraysiens au mouvement de la démythification, le romancier remet en question la cohérence d'un univers immobile et fermé qui rend inutile la recherche personnelle du héros. Pour que cette recherche devienne possible, il faut que *Combray* s'ouvre sur un espace en continuelle expansion ; espace englobant non seulement l'univers combraysien mais aussi l'inconnu du monde qui l'entoure, et se prolongeant par deux « côtés » ; « côtés » à partir desquels s'élaborera la *Weltanschauung* du héros, et qui ouvrent sur de nouveaux chemins menant vers des mondes dont Combray récuse l'existence mais que le héros, lui, rêve d'explorer ; chemins qui, dans *Combray*, indiquent des directions encore imprévisibles, mais qui conduiront le héros vers la découverte de la vérité, de *sa* vérité ; vérité qui sera le terme d'un apprentissage que le héros ne peut entreprendre les yeux fixés en arrière, gardant la nostalgie de mythes dont il ne ferait alors que chercher la trace le long du chemin ; nostalgie qui le pousserait à revenir à son point de départ, inscrivant alors sa recherche dans une circularité aussi vaine et stérile que celle de Combray.

28. J. BAECHLER, *Les Origines du capitalisme* (Paris, Gallimard, 1971), p. 93.

III

LA DÉGRADATION DES VALEURS

POUR certains critiques[1], le double mouvement narratif qui, dans le *Côté de chez Swann*, conduit à la résurgence de Combray n'est pas succession mais substitution. Entre le «*Combray vertical de l'obsession répétitive et de la «fixation» du drame du coucher*»[2] et «*le Combray horizontal de la géographie enfantine et et du calendrier familial*»[3], il y a donc alors solution de continuité ; loin d'être jointure ou «*palier narratif*»[4], le «miracle» analogique de la petite madeleine devient alors coupure. Et coupure si profonde que, pour ces mêmes critiques, non seulement les deux évocations de Combray se trouvent totalement isolées l'une de l'autre, mais la première est rejetée hors de la narration de la *Recherche*, la seconde devenant alors le «vrai» point de départ du récit proustien[5].

Dissocier ainsi les deux résurgences de Combray, n'est-ce pas se donner le moyen idéal de faire baigner l'enfance du héros dans la clarté bienheureuse du paradis terrestre ? Mettre ainsi entre parenthèses la première résurgence «*nocturne et angoissée*»[6], n'est-ce pas se donner le moyen idéal de soustraire le Combray

---

1. Voir, en particulier, GENETTE, *Figures III*, TADIÉ, *P. roman*.
2. GENETTE, *Figures III*, p. 62.
3. *Ibid.*
4. ROUSSET, *Forme et signification*, p. 139.
5. GENETTE, *Figures III*, p. 62.
6. GUTWIRTH, « La Bible de Combray », p. 427.

«*diurne et heureux*»[7] à «*l'emprise du péché*»[8] et d'en faire le
seul lieu du texte où commence le récit d'une enfance alors «à
l'unisson» du monde, le récit d'une recherche de valeurs que, pour
un bref instant, le héros peut encore vivre dans sa «vérité». Rien
d'étonnant alors que cette enfance, réduite à la dimension de la
seconde évocation, apparaisse à la plupart des critiques comme une
«*époque paradisiaque*»[9], «*un merveilleux trésor d'images*»[10];
qu'elle devienne aux yeux du narrateur l'image même d'un état
d'innocence dont il gardera toujours la nostalgie «*de même que le
pécheur a la nostalgie du baptême*»[11]. Rien d'étonnant alors que le
narrateur cherche, comme le fait d'ailleurs tout adulte selon
J. Lacroix, «*la vérité de son enfance*»[12] et croit la retrouver dans
ce Combray magique qui sort soudain de sa tasse de thé.

C'est à dessein qu'on a accumulé ici les citations «mani-
chéistes» afin de mieux montrer combien le mythe de l'enfance
innocente[13] a la vie dure en littérature et comment il sert à la
critique à estomper les ombres qui obscurcissent le ciel de
Combray. On peut sans doute se poser la question, comme le fait
D. Fernandez[14], de savoir si l'auteur lui-même n'a pas cherché à
accréditer la version d'un Combray «paradis de l'enfance». Mais
il s'agit là d'un problème qui intéresse d'abord la psychanalyse et
qui déborde donc le cadre de cette analyse. Ce qu'il paraît
important de souligner ici, c'est qu'en considérant *Combray* comme
un état de symbiose parfaite entre le héros et le monde, on le
fait échapper à la dégradation qui marquera le récit dans sa suite,

7. *Ibid.*

8. *Ibid.*

9. FERNANDEZ, *L'Arbre...*, p. 333.

10. PICON, *Lecture...*, p. 179.

11. MATORÉ & MECZ, *Musique...*, p. 186.

12. J. LACROIX in *Le Monde*, 12-13 nov. 1972, p. 26.

13. «Vert paradis des amours enfantines», la littérature de l'enfance (avec
toutefois de multiples exceptions) semble vivre de cette affirmation de
G. Durand : «*Qu'il y a loin de cette conscience claire de la claire enfance à la
perversion polymorphe que la psychanalyse veut cacher au sein de l'inconscient de
l'enfant!*» (*L'Imagination symbolique* [Paris, P.U.F., 1968], p. 77). Et pourtant,
R. Girard a raison d'affirmer que «*l'enfance autonome, indifférente au monde des
adultes, est un mythe pour grandes personnes. L'art romantique de se refaire une
enfance n'est pas plus sérieux que l'art d'être grand-père*» (*Mensonge
romantique...*, p. 40).

14. FERNANDEZ, *L'Arbre...*, pp. 333 sq.

dégradation qui établit justement la *Recherche* comme un roman. On connaît le schéma qui, selon G. Lukács, L. Goldmann et R. Girard, régit le genre romanesque et qui veut que les valeurs qui organisent l'univers du roman soient vécues, par le héros et par le monde, à deux niveaux de dégradation, le roman étant alors l'histoire de cette inadéquation. Or, voir dans *Combray* l'image du paradis terrestre, c'est supprimer cette dégradation et cette inadéquation ; c'est postuler, au contraire, une seule et même pratique explicite des valeurs, un accord fondamental entre le héros et le monde. Ainsi envisagé, *Combray* quitte alors le domaine du roman — histoire d'une recherche dégradée de valeurs authentiques — et rejoint le domaine de l'épopée qui place le héros et le monde sous le signe de la communauté. Ce *Combray* de pleine lumière peut bien être l'origine du récit proustien, il n'est plus alors l'origine de l'histoire. Dans la *Recherche*, *Combray* fait alors figure de récit replié sur lui-même, de circularité narrative, et ce serait ailleurs qu'il faudrait chercher la naissance du roman.

Mais ce n'est que dans l'univers imaginaire du narrateur que *Combray* devient «*un cycle légendaire*»[15] à partir duquel s'élabore le mythe de l'enfance heureuse ; ce n'est que dans cet univers que les deux *Combray* apparaissent si différents «*si extérieurs l'un à l'autre, si dépourvus de moyens de communication entre eux*» (*R* I, 183) que, écrit le narrateur, «*je ne puis plus comprendre, plus même me représenter dans l'un, ce que j'ai désiré, ou redouté, ou accompli dans l'autre*». Mais dans l'espace de l'œuvre, il n'en est pas ainsi. Le héros vit intensément le passage d'un *Combray* à l'autre, la translation quotidienne de la zone de bonheur à la «zone de tristesse», ces deux zones entre lesquelles se partage son enfance. Aux yeux du narrateur ces deux zones peuvent bien paraître aussi distinctes l'une de l'autre que «*dans certains ciels une bande rose, est séparée comme par une ligne d'une bande verte ou d'une bande noire*». Mais d'une bande à l'autre passe l'oiseau qu'«*on voit voler dans le rose, il va en atteindre la fin, il touche presque au noir, il y est entré*» ; mais d'une zone à l'autre passe l'enfant qui vit douloureusement chaque minute qui le rapproche de la nuit. Moments contigus sans doute, mais actant unique dont la

---

15. *R* I, 110. C'est surtout à propos de *Combray* que G. Genette insiste sur «*la passion de l'itératif*» chez Proust, passion qui le conduit à transformer l'événementiel en non-événementiel et le roman en récit «*épique*» (*Figures III*, p. 156).

«*présence active*»[16], à Combray comme plus tard dans le train qui le conduit à Balbec, transforme la juxtaposition de mondes dissociés par l'imagination en une continuité. «Diurne et heureux», le Combray de la seconde résurgence n'en achemine pas moins inexorablement chacune des journées de l'enfant vers l'attente «nocturne et angoissée» du baiser maternel. Il ne faut qu'un coup d'aile pour que l'oiseau traverse la ligne qui sépare les bandes colorées du ciel; il ne faut qu'un instant pour que le héros passe du bonheur à la tristesse. Mais cet instant – dont l'intensité accroît démesurément la durée – suffit pour que les deux *Combray* se rejoignent et ne forment plus qu'un dans la conscience inquiète et insatisfaite du héros.

Conscience malheureuse, disons-nous, car déjà, dans *Combray*, le héros ne vit plus «à l'unisson» du monde. Sans doute le héros et le monde se retrouvent-ils dans l'affirmation de l'authenticité des mêmes valeurs mais leur pratique respective se place déjà à des niveaux différents. Communauté, opposition. Entre ces deux pôles de la *Recherche* que sont le héros et le monde, dès *Combray*, il y a déjà inadéquation, et si l'on accepte les thèses de la critique sociologique, dès *Combray*, il y a donc déjà roman. *Combray* n'est plus alors un cycle à part par la remémoration duquel s'enclenche le récit proustien, il est partie intégrante de l'histoire, la première étape du long itinéraire qui conduira le héros à la découverte de la vérité et à la rédaction de l'œuvre. Mais le «chemin» de cette œuvre ne pourra commencer que lorsque le «voyage» à travers la dégradation des valeurs aura été parcouru. Et ce voyage, c'est dès *Combray* que le héros l'entreprend. Loin de lui révéler les «essences», *Combray* ne lui en offre déjà plus qu'une image dégradée.

Avant d'être statufiés «*une fleur de lys à la main*» (*R* I, 150), les saints et les rois-chevaliers de Saint-André-des-Champs furent d'abord autant de «*visages populaires*» (151). Ainsi en est-il des dieux de Combray qui, mêlés à la foule des humains, prêchent d'exemple les valeurs à partir desquelles prétend s'organiser l'univers combraysien. Modèles individuels et modèles sociaux, les dieux de Combray sont aussi modèles éthiques pour le héros. Des valeurs combraysiennes, chacun lui offre l'exemple d'une pratique qui se

16. POULET, *L'Espace proustien*, p. 128.

veut authentique : l'amour que les parents se portent l'un à l'autre, l'amour qu'ils portent à leur enfant ; la fraternité qui unit Françoise à la communauté ; le respect de la «vérité» des êtres et des choses qui anime la lecture que la tante Léonie fait de la réalité. Pour échapper à la dégradation, il suffirait donc au héros de régler sa conduite sur celles de ces êtres absolument intacts que sont les dieux de Combray ; comme le sacrement du baptême, leur pratique des valeurs authentiques effacerait donc la dégradation à laquelle ces valeurs sont soumises dans un monde de conformisme et de convention. Mais autant que l'infaillibilité des dieux et la transparence des mythes, dans *Combray*, cette «vérité» de la pratique des valeurs est sujette à caution.

De toutes les valeurs qui organisent Combray, l'amour maternel et filial est sans aucun doute la valeur qui est vécue le plus intensément, la valeur dont la pratique reste, aux yeux du lecteur, la plus proche d'une perfection qu'elle n'atteindra plus jamais dans la *Recherche*, sinon peut-être en la mère du héros[17]. Mais déjà, dans *Combray*, cette valeur semble faire l'objet d'une quête problématique de la part de tous les personnages, à l'exception cependant de la grand-mère du héros.

Dans *Combray*, comme d'ailleurs dans toute la *Recherche*, la grand-mère est, en effet, le seul personnage à vivre l'amour au plan de l'explicite si bien qu'elle en est devenue

[...] si humble de cœur et si douce que sa tendresse pour les autres et le peu de cas qu'elle faisait de sa propre personne et de ses souffrances, se conciliaient dans son regard en un sourire où, contrairement à ce qu'on voit dans le visage de beaucoup d'humains, il n'y avait de l'ironie que pour elle-même, et pour nous tous comme un baiser de ses yeux qui ne pouvaient voir ceux qu'elle chérissait sans les caresser passionnément du regard. (*R* I, 12)

Mais c'est aussi pourquoi la grand-mère n'est pas à proprement parler un personnage de roman. Car si, comme le veut L. Goldmann : «[...] *les valeurs authentiques, dont il est toujours question, ne sauraient être présentes* [...] *sous la forme de personnages conscients ou de réalités concrètes*»[18], la grand-mère devient alors une allé-

17. Il s'agit ici naturellement de l'amour que la mère du héros porte à sa propre mère et qui, comme on le sait, l'amène après la mort de cette dernière à une véritable métamorphose.
18. L. GOLDMANN, *La Création culturelle dans la société moderne* (Paris, Denoël, 1971), p. 126.

197

gorie de l'amour maternel, une « *espèce de Christ de la maternité* », comme le dit M. Gutwirth, qui ne connaît que « *l'amour, la bonté, le pardon* »[19]. Et c'est aussi pourquoi, la grand-mère fait figure de Don Quichotte de la société. Car, la petite société de Combray n'apprécie pas beaucoup la grand-mère et sa pratique de l'amour ; originalité pour la grand-tante, bizarrerie pour la tante Léonie, extravagance pour le père, elle est crûment folie pour Françoise. Même le héros renie lâchement sa grand-mère malgré le chagrin que lui cause le spectacle de son abnégation bafouée. Et les remords qu'il éprouve lui font encore plus sentir l'insuffisance de sa propre pratique d'une valeur à laquelle il voit que sa grand-mère se donne tout entière.

Car, on le sait, dès *Combray* l'amour filial est pour le héros une valeur dont la recherche se fait sur un mode déjà dégradé comme le prouve ce «nœud de tension» qu'est le «drame» du coucher. Il n'est pas nécessaire de faire appel à l'arsenal freudien pour reconnaître que les sentiments qui agitent le héros chaque fois qu'il entre dans la « *zone de l'amour filial inassouvi* »[20], sont loin d'être clairs. Anxiété suscitée par l'absence de la mère ; ressentiment envers ceux qui la causent ; apaisement apporté par la présence maternelle, mais aussi profonde déception. Toutes ces réactions qui condamnent le désir du héros à « *osciller entre deux pôles également intolérables : l'absence (maternelle) qu'il ne peut supporter, et la présence (maternelle) qu'il désire mais qui est sa destruction* »[21], renvoient bien plus à l'amour-passion qu'à l'amour filial tel qu'il s'entend habituellement. Et c'est pourquoi le héros retrouvera ces sentiments lorsqu'il sera amoureux d'Albertine ; c'est pourquoi son désir d'Albertine lui rappellera son désir de sa mère, à Combray. Et ce désir passionné et coupable de la mère − bien que la narration cherche à en circonscrire avec soin le récit dans le temps et l'espace − est significatif d'une dégradation qui ne pourra plus aller qu'en s'accentuant jusqu'au «drame» de Venise qui en marquera l'aboutissement.

Pourtant, après *Combray*, il semble que l'amour filial ne soit plus pour le héros l'objet d'une quête aussi déchirante. À Paris, à Balbec, sa mère n'est plus pour lui qu'une simple présence à laquelle il ne prête que rarement attention. Mais cet amour s'est

19. GUTWIRTH, « La Bible de Combray », p. 419.
20. ZÉRAFFA, « Thèmes psychologiques... », p. 195.
21. WEBER, « Le Madrépore », p. 43.

reporté sur sa grand-mère devant laquelle s'efface alors la mère, pour des raisons que la critique n'a d'ailleurs pas souvent cherché à élucider[22]. C'est vers le «*grand visage*» (*R* I, 668) de sa grand-mère que le héros se penche pour calmer les angoisses de sa première nuit à Balbec ; c'est la voix de sa grand-mère qui lui donne «*un besoin anxieux et fou*» (135) de quitter Doncières ; c'est dans les bras de sa grand-mère qu'il éprouve un «*désir fou*» (756) de se précipiter lorsque son cœur, après une longue intermittence, lui apprend que sa grand-mère a disparu. C'est dans l'évolution de cet amour de plus en plus inquiet, plein de remords et de regrets, qu'il faut suivre l'histoire de la dégradation d'une valeur à laquelle, malgré les apparences, le héros reste toujours aussi attaché ; dégradation qui se lit même dans les rares occasions où la mère rentre dans le champ de la quête du héros. Car alors, en ces moments de crise, c'est l'égoïsme qui l'emporte et ce même besoin de la présence maternelle qui animait *Combray*. Par exemple, quand désespéré par la révélation d'une Albertine gomorrhéenne, le héros voit sa mère entrer dans sa chambre de Balbec, au petit matin. «*Depuis longtemps déjà, ma mère ressemblait à ma grand-mère bien plus qu'à la jeune et rieuse maman qu'avait connue mon enfance. Mais* JE N'Y AVAIS PLUS SONGÉ.» (1129), et s'il y songe soudain, ce n'est pas pour s'apitoyer sur sa mère vieillie par les ans et les soucis qu'il lui a causés, ni pour admirer la force d'un amour qui a pu produire une telle métamorphose ; c'est, égoïstement, pour trouver consolation dans l'apparition de cette femme qui avec «*ses cheveux en désordre*», «*ses yeux inquiets*», «*ses joues vieillies*», lui fait croire un instant que sa grand-mère est revenue et qu'il va pouvoir s'épancher sur son cœur. Ou encore, à Paris, lorsque le héros cloître Albertine dans l'appartement de ses parents. Il s'inquiète fort peu alors de savoir que sa conduite déçoit profondément sa mère, qu'il est la cause des constantes migraines dont elle souffre à Combray ainsi que de son hypertension, se félicitant au contraire de savoir sa mère loin de lui.

À Venise, cependant, le héros semble retrouver sa mère. Venise, écrit le narrateur, c'est Combray retrouvé mais sur «*un mode entièrement différent et plus riche*» (*R* III, 623) ; dans sa

22. Selon G. Sigaux, le dédoublement du personnage maternel répondrait au besoin d'étendre la durée de la vie du héros, de donner l'impression qu'elle dure bien plus longtemps qu'elle ne le fait en réalité, ce qui est un peu court comme explication (p. 65 in *Proust*).

réalité quotidienne mais métamorphosée par l'art ; dans sa réalité sociale mais enrichie par l'expérience mondaine ; dans sa réalité affective mais prolongée de tous les remords et de toutes les déceptions causées et du sentiment d'une durée menacée par le vieillissement et la mort. Aussi est-il tentant de poursuivre le parallèle et de voir dans le «drame» qui marque la fin du séjour vénitien, non pas un caprice enfantin comme le fait J. Nathan[23], mais la réplique du «drame» du coucher, la victoire revenant cette fois-ci à la mère. À Venise, comme l'affirme alors G. Brée[24], les «vertus» de Combray commenceraient à produire leur effet et de cette ultime crise, l'amour filial sortirait racheté de la dégradation. Or, il semble, au contraire, que loin d'être un retour à l'authenticité, le «drame» de Venise marque la fin de la recherche d'une valeur dont la dégradation s'était de plus en plus accusée.

Venise est la dernière tentation à laquelle succombe le héros avant de découvrir la «vérité» : la tentation de l'art. Faire d'une ogive, aussi belle soit-elle, le dépositaire de l'impression déchirante que cause la vue d'une mère vieillissante, c'est répéter la même erreur que Swann avec «la petite phrase» de Vinteuil ; éprouver «*un sentiment trouble* [...] *de désir et de mélancolie*» (*R* III, 647) en retrouvant les motifs des robes de Fortuny que portait Albertine dans un tableau de Carpaccio, c'est se laisser aller à la même facilité que Charlus s'attendrissant sur les tonalités balzaciennes des toilettes d'Albertine ; se donner l'illusion d'acquérir un «*vrai Titien*» (640) en possédant une Vénitienne de dix-sept ans, c'est verser dans le même snobisme sexuel que Saint-Loup «giorgionisant» la femme de chambre de la baronne Putbus. Sans doute cette tentation de l'art ne date-t-elle pas de Venise ; mais c'est à Venise qu'elle redevient le dernier recours et la dernière justification du désir sexuel, de ce désir diffus du sexe de la femme que le héros éprouvait pour les jeunes filles en fleur de Balbec et qu'il retrouve pour la jeunesse de Venise. Et c'est justement cette dernière tentative de sublimation que fait échouer le «*Baronne Putbus et suite*» (651) que le héros lit sur le registre des étrangers attendus à l'hôtel. «*Aussitôt*», écrit le narrateur, «*le sentiment de toutes les heures de plaisir charnel que notre départ allait me faire manquer éleva ce désir, qui existait chez moi à l'état chronique*» ; ce désir

23. NATHAN, *La Morale de P.*, p. 75.
24. BRÉE, *Du temps perdu...*, pp. 198-9.

qui soudain se lève, c'est le désir «*de ne pas perdre à jamais certaines femmes*», et c'est ce désir qui met fin à la fiction de l'art, ce succédané de l'amour qui sert au héros à ennoblir ses faciles aventures vénitiennes. La prochaine arrivée de la femme de chambre de la baronne Putbus n'est pas l'annonce d'une nouvelle répétition sérielle des amours du héros[25], mais d'une métamorphose de l'amour en pur désir sexuel. Désir que la *Recherche* laisse en suspens mais dont on sait, grâce aux *Textes retrouvés*[26] de Ph. Kolb et L. B. Price, quel devait en être l'aboutissement. C'est sur une fille défigurée par un incendie, «*atroce à voir*»[27], et non sur la grande blonde «*follement Giorgione*» (*R* II, 696) promise par Saint-Loup, que, dans ce «texte retrouvé», se jette le héros surexcité. Et ce qui fouette ainsi le désir du héros, ce n'est ni le souvenir d'une beauté perdue, ni l'espoir de ce double coït d'une femme et d'un paysage dont il rêve depuis ses promenades du côté de Méséglise et que la femme de chambre de la baronne Putbus pourrait lui faire connaître, puisqu'elle est justement «de Méséglise»; c'est le souvenir exaspérant de toutes les heures gaspillées à se masturber dans «*la petite tourelle de Combray*»[28] (qui deviendra la petite pièce sentant l'iris), tandis qu'à Brou (qui deviendra Roussainville) «*cette admirable fille ivre de désir se prostituait dans les granges aux paysans*». C'est cette révélation, ce sont ces souvenirs, qui rendent le héros fou de désir, c'est la remontée à la claire conscience d'un moment de sa vie où son désir de la femme ignorait encore les distorsions que lui feront plus tard subir l'amour-passion, tendait encore vers son essence. Car masturbation et prostitution sont, l'une et l'autre, l'expression la plus complète d'un désir qui ne renvoie alors qu'à lui-même, c'est-à-dire l'expression d'une sexualité à l'état pur. Comme Charlus jouissant de ses chaînes et des coups de ses faux bourreaux, le héros jouissant de la femme de chambre défigurée rejoint «*le rocher de la pure Matière*» (*R* III, 838). Sans doute la *Recherche* ne retient-elle pas cette conclusion, mais en annonçant l'arrivée de la femme de chambre de la baronne

25. «*La répétition amoureuse est une répétition sérielle*» affirme G. Deleuze (*P. signes*, p. 83). À Venise, c'est bien là ce qui risque de se produire avec la jeune Autrichienne et la marchande de verreries. Les mêmes traits caractéristiques aux amours du héros s'ébauchent à nouveau dans ces aventures.

26. KOLB & PRICE, *Marcel Proust, textes retrouvés*, pp. 198–202.

27. *Ibid.*, p. 199.

28. *Ibid.*, p. 200.

Putbus à Venise, elle indique une direction qu'il est permis de suivre jusqu'au «texte retrouvé», jusqu'à un épisode qui marque la fin de la recherche d'une valeur qui, de Gilberte à Albertine, s'était de plus en plus dégradée.

Si l'on accepte d'envisager sous cet angle l'épisode de la femme de chambre de la baronne Putbus, il n'est pas indifférent, alors, que ce retour à la sexualité soit la cause du «drame» de Venise. Car s'il est vrai, comme l'affirme G. Deleuze, que «*nos amours répètent nos sentiments pour la mère*»[29], ne devient-il pas normal que la remise en cause de l'amour-passion s'accompagne d'une même remise en cause de l'amour filial? Et s'il est aussi vrai, toujours selon G. Deleuze, que «*la mère apparaît plutôt comme la transition d'une expérience à une autre, la manière dont notre expérience commence, mais déjà s'enchaîne avec d'autres expériences qui furent faites par autrui*», ne peut-on considérer le «drame» de Venise comme la dernière étape sur le chemin de la dégradation, étape par laquelle il faut que le héros passe avant de retrouver la généralité de l'amour, avant d'accéder à la transcendance? Après Venise, l'amour ne sera plus pour lui l'objet d'une quête problématique. Mais pour cela, il faut que le héros se libère d'abord de cet amour de la mère, forme originelle d'une expérience à laquelle, malgré ses vicissitudes, à Venise, il n'a pas encore totalement renoncé.

C'est à Venise que le héros s'aperçoit qu'il est finalement «guéri» d'Albertine, qu'il est arrivé à «*l'indifférence absolue*» (*R* III, 623). À nouveau libre de son cœur, il cherche, ou plus exactement ce cœur même cherche à «se placer». Mais ni la jeune marchande de verreries, ni la jeune Autrichienne rencontrée à l'hôtel, ne réussissent à le fixer; l'impossibilité d'emmener la première à Paris, le départ de la seconde, font avorter dès leur début des aventures qui auraient pu donner naissance à une nouvelle «série» dans la vie amoureuse du héros. À Venise, le héros se retrouve donc seul; il ne lui reste que sa mère. Et c'est alors que celle-ci reprend une importance qu'elle n'avait plus connue depuis Combray. C'est grâce à sa mère que le héros fait ce voyage de Venise dont il rêve depuis toujours; c'est grâce à sa mère qu'il comprend que la présence d'un être cher peut ajouter au plaisir esthétique; c'est grâce à sa mère qu'il découvre la véritable

29. DELEUZE, *P. signes*, p. 87.

grandeur de Venise. Si, comme le veut G. Poulet[30], et comme le croit longtemps le héros lui-même, il existe un rapport essentiel entre les êtres et les lieux, alors, tout autant qu'Albertine appartient à Balbec, la mère du héros appartient à Venise. Et il ne serait sans doute pas difficile de le prouver en s'appuyant sur la symbolique de G. Bachelard pour laquelle l'eau est l'image de la mère. C'est à cette importance retrouvée de la mère, importance qui risque de ramener le héros à son point de départ de Combray, que le «drame» de Venise va mettre fin. Au risque d'être accusé de facilité, on peut établir un parallèle entre ces deux éléments principaux de cette scène que sont le coucher du soleil et le départ de la mère. L'un et l'autre s'inscrivent dans l'espace du chant du gondolier; l'un et l'autre métamorphosent Venise en un lieu «*étrange*» (652) dont le héros se sent exclu; l'un et l'autre sont signes de solitude et de désespoir; l'un et l'autre paraissent au héros aussi irrémédiables; l'un et l'autre font perdre à Venise tous ses attraits. Désertée par le soleil, par la mère, privée de lumière, d'amour filial, Venise devient un endroit pour lequel le héros éprouve une répugnance effrayée, l'antichambre symbolique d'un monde glacé par l'indifférence, comme autrefois les bains Deligny où il accompagnait sa mère apparaissaient au héros comme «*l'entrée des mers glaciales*» (653). La «déploration» de Venise que chante le gondolier, c'est aussi la déploration du héros qui reste seul dans un «*site solitaire, irréel, glacial, sans sympathie*», et à qui les êtres et les choses, privés de chaleur et d'amour deviennent indifférents. Le soleil qui se couche sur Venise, le *Sole mio* vulgaire et faussement pathétique qui n'en finit pas, la mère qui s'éloigne avec chaque minute qui passe; après la face obscure, c'est la face claire de l'amour filial qui disparaît de la vie du héros.

Sans doute le héros rejoindra-t-il finalement sa mère mais ce sera l'instinct, ou plus péjorativement selon le narrateur «*l'habitude invétérée*» (R III, 655), qui le poussera à se précipiter au dernier moment vers la gare de Venise. Il n'y retrouvera d'ailleurs pas sa mère mais une vieille femme «*rouge d'émotion, se retenant pour ne pas pleurer*» pour qui il n'éprouvera plus désormais que des sentiments prosaïques. Plus rien désormais ne viendra lui rappeler l'amour inquiet, insatisfait qu'il portait à sa mère. Cette vieille femme ne sera pour lui qu'une interlocutrice commode avec qui

30. POULET, *L'Espace proustien*, pp. 34 sq.

partager des «souvenirs» communs, fleurs séchées et sans parfum de la mémoire volontaire[31]. Sa véritable mère, le héros l'aura laissée derrière lui, à Venise. Pour la retrouver, il faudra qu'il bute un jour sur les pavés de la cour de l'hôtel de Guermantes. Alors il sentira de nouveau autour de lui la «*fraîche pénombre*» (646) du baptistère de Saint-Marc ; alors il sentira de nouveau à ses côtés la présence d'une femme «*aux joues rouges, aux yeux tristes, et dans ses voiles noirs*» ; alors il sentira de nouveau dans son cœur, et non dans sa mémoire, que cette femme «*drapée dans son deuil avec la ferveur respectueuse et enthousiaste de la femme âgée qu'on voit à Venise dans la Sainte-Ursule de Carpaccio*», c'est véritablement sa mère enfin retrouvée. Mais pour cela, il faudra qu'il connaisse le «miracle» du *Temps retrouvé*.

Si cette analyse est exacte, il apparaît donc, que loin de retrouver sa mère, à Venise, le héros la perd définitivement ; que loin de constituer un retour à une pratique authentique de l'amour filial, le «drame» de Venise marque, au contraire, l'aboutissement d'un processus de dégradation dont le «drame» du coucher à Combray avait été la première étape. Entre ces deux jalons, le tracé du chemin peut bien sembler se perdre ou donner l'impression de bifurquer vers la grand-mère, en réalité il creuse et prolonge inexorablement cette «*ride*» (*R* I, 39) que le narrateur s'accuse d'avoir tracé «*d'une main impie et secrète*» dans l'âme de sa mère dès Combray.

Mais, pour revenir à *Combray*, la quête problématique de l'amour filial n'est pas l'apanage du seul héros ; elle anime également le projet existentiel de Mlle Vinteuil. Qui plus est, *Combray* inscrit dans sa narration le tracé complet de la dégradation de cette recherche depuis le jour où Mlle Vinteuil commence à s'afficher avec son amie jusqu'à la scène de profanation de Montjouvain. Tracé schématique sans doute mais dans le filigrane duquel transparaît, identique, le tracé que suivra la propre quête du héros. On a trop insisté sur la «*double équation*»[32] qui existe entre Mlle Vinteuil et le héros, d'une part, Vinteuil et la mère, d'autre part, pour qu'il soit nécessaire d'y revenir ici. Ajoutons donc uniquement que, comme Mlle Vinteuil, le héros connaîtra ce désespoir qui accompagne la découverte de l'inanité de la recherche d'une valeur

31. Voir *R* III, 675.
32. MULLER, *Voix narratives...*, p. 150.

privilégiée entre toutes ; désespoir qui rend le «drame» de Venise si poignant. Mais ce désespoir restera passager car, à la différence de Mlle Vinteuil, le héros échappera à la dégradation en devenant le narrateur de sa propre vie, et pourra ainsi racheter sa conduite passée en réhabilitant sa mère, dans et par son œuvre. Et peut-être, après tout, est-ce pour cela que la quête du héros n'aboutit pas à un acte aussi désespéré et désespérant que ce crachat dont Mlle Vinteuil rêve de souiller le portrait de son père. Ce terrible «*salaire*» (*R* I, 163), le héros est seul à le connaître ; témoin involontaire et innocent, du moins le narrateur s'emploie-t-il à nous en convaincre, mais témoin quand même d'une scène que, dès *Combray*, le romancier choisit d'introduire dans l'espace de l'œuvre pour y signifier la dégradation des valeurs.

Le héros, vient-on d'écrire, est le seul témoin de la scène de Montjouvain et en est horrifié. Mais de la conduite «choquante» de Mlle Vinteuil et surtout des souffrances que cette conduite cause à son père, la petite société de Combray tout entière est aussi témoin. Et à l'encontre du héros, témoin consentant et même «*rigolard*»[33]. Car, pour Combray, l'amour, qu'il soit d'ailleurs paternel, maternel ou filial, est une valeur dont la pratique s'est tellement dégradée qu'elle finit par se confondre avec le simple respect des «convenances». Aussi, que ce soit dans un sens ou un autre, toute pratique «outrée» de cet amour semble déplacée à Combray : celle du héros ou de la grand-mère tout autant que celle de Mlle Vinteuil. Mais de cette pratique Combray se garde bien d'exagérer l'importance, se contentant d'en ridiculiser plaisamment les excès ou même, lorsque ceux-ci restent suffisamment discrets, de les ignorer comme le font, par exemple, les parents du héros qui feignent de croire hypocritement qu'à Montjouvain, il n'est pas contrevenu aux «*principes*» (*R* I, 149) ou aux «*convenances*». Et cette pratique dégradée de l'amour familial, c'est celle que le héros retrouvera ensuite dans le monde où les enfants pourront renier impunément leur père et mère pour s'élever dans la société[34] ; où les familles ne fraterniseront qu'au bal ou aux enterrements, et encore![35] ; où mari et femme ne s'apprécieront qu'en

33. Voir *R* I, 27 et les «grasses» plaisanteries du Dr Percepied.

34. La fille de la Berma, par exemple (*R* III, 1013).

35. Les deux sœurs de la grand-mère qui refusent de se déplacer pour assister à l'enterrement (*R* II, 325).

tant que faire-valoir réciproque[36] ; un monde d'où finalement l'amour sera inexistant.

Sans doute la petite société de Combray n'en est pas encore à ce niveau, mais déjà sa pratique de l'amour est déjà suffisamment dégradée pour qu'il y ait, dès *Combray*, cette inadéquation qui, dans tout univers romanesque, marque la relation du héros à la société. Pour Combray, l'amour apparaît comme une aberration ; sa recherche ne peut qu'amener le désordre : désordre familial avec les « *manifestations* [...] *ridicules* » (*R* I, 27) du héros ; désordre social avec des mariages « déplacés » comme celui de Swann ; désordre mental même avec les outrances de la grand-mère ou de Vinteuil. Comme don de soi, l'amour est la négation d'une relation sociale que Combray, on le sait, veut fonder uniquement sur l'échange ; comme valeur privilégiée, il est refus de la circularité. Dans l'univers combraysien, l'amour est donc facteur de déséquilibre, facteur de déstructuration. Aussi Combray cherche-t-il à déprécier sa pratique, limitant ainsi son rôle et sa portée. Mais c'est justement ce déséquilibre, cette insatisfaction qui pousseront le héros à en entreprendre sa quête ; c'est pour avoir été si sensible, dès Combray, à la dégradation de l'amour filial qu'il pourra vivre avec autant d'intensité ses amours successives. Le remords grandissant, l'acharnement à vouloir posséder totalement l'être aimé, seront alors les signes d'une prise de conscience de plus en plus désespérée de l'insuffisance de la pratique d'une valeur dont il avait compris, dès l'enfance, qu'elle ne pouvait être vécue au niveau de l'explicite.

On se presse en foule au porche sculpté de Saint-André-des-Champs, non seulement les saints, les patriarches, les rois-chevaliers, mais tout un menu peuple que le narrateur verra refleurir un jour dans les « *innombrables visages populaires* » (*R* I, 151) de Combray. Ils sont tous là, grands et petits, participant ensemble aux « mystères » de la vie médiévale, à ses travaux et à ses jours, unis par un même sentiment de fraternité que, des siècles plus tard, l'univers combraysien prétend revivre dans sa « vérité ».

Dans la petite « communauté » de Combray, comme dans ce moyen âge idéal dont le porche de l'église déroule la fresque naïve, tout se célèbre en commun, repas, promenades, soirées. Même la

36. Le couple Guermantes (*R* II, 464 sq.).

206

tante Léonie dans sa retraite vit au rythme des activités commu-
nautaires. À Combray, s'isoler, c'est se démarquer, c'est s'avouer
coupable. Pour Combray, les solitaires comme la grand-mère,
Vinteuil ou le héros ont toujours quelque chose à se reprocher :
sensibilité maladive du héros, romantisme déplacé de la grand-
mère, honte de Vinteuil. Partout présente, toujours reconnaissable,
jusque dans les animaux, à Combray, la communauté se vit comme
immanence ; chacun «communie» aux activités collectives. Partout
présente, toujours reconnaissable, jusque dans l'espace et le temps,
hors de Combray, la communauté se vit comme transcendance ;
elle est sentiment d'appartenance à une société privilégiée. Dans
l'univers combraysien, la communauté apparaît donc bien comme
cette « *intimité* » bienheureuse, cette « *vision commune* » dont
parle R. Girard[37]. Les habitants de Combray s'aiment fraternellement les uns les autres, ils aiment le «régime» qu'ils se sont
donnés, les héros et les saints qui le symbolisent. La communauté
est leur seule patrie. Partout dans le monde, ils sont toujours
prêts à se rallier au «drapeau» de Combray. Et ce drapeau, dans la
Recherche, personne ne le porte aussi haut que Françoise.

Ah ! si j'avais seulement du pain sec à manger et du bois pour me
chauffer l'hiver, il y a beau temps que je serais chez moi dans la pauvre
maison de mon frère à Combray. Là-bas on se sent vivre au moins,
on n'a pas toutes ces maisons devant soi, il y a si peu de bruit que la
nuit on entend les grenouilles chanter à plus de deux lieues.   (*R* II, 24)

Pour Françoise, tout ce qui «est» de Combray est irremplaçable,
tout ce qui «est» Combray, passé et présent, nourrit sa pensée.
Exilée à Paris, Françoise continue d'y vivre sa patrie perdue, elle
adhère à Combray par toutes ses racines. Les noms de Combray,
Méséglise ou Tansonville font si bien corps avec elle que lorsqu'elle
entend parler de ces lieux, c'est comme si elle entendait parler
d'elle. «*Tout au long du roman*», écrit M. Gutwirth, Françoise
«*figure l'authentique race terrienne de l'Île-de-France, humble et
fière à la fois, enracinée dans la glèbe dont elle est l'expression
la plus pure, contemporaine déjà des figures sculptées des
cathédrales, [...] chrétienne dont la religion se passe de toute
manifestation extérieure tant elle lui est consubstantielle*»[38]. Cette
«Françoise-archétype» d'une certaine critique hagiographique, n'est-

---

37. GIRARD, *Mensonge romantique...*, p. 197.
38. GUTWIRTH, « La Bible de Combray », pp. 422-3.

elle pas la sœur de la «sainte» qui se détache du porche de Saint-André-des-Champs avec son *«air valide, insensible et courageux des paysannes de la contrée»* (*R* I, 151) mais qui atteint à *«une stature plus qu'humaine»*? N'est-elle pas le symbole parfait de cette «communauté-archétype» de la même critique pour qui «Combray et ses habitants et ses occupations sont réfractés à travers un brouillard transparent et doré de bonheur»[39]? Mais aussi, ne peut-on se demander si cette critique ne voit pas, et Françoise, et la petite société combraysienne, dans ce même *«vague lointain»* (*R* II, 22) où, de Paris, Françoise envisage Combray? Et ne peut-on se demander si cette communauté fraternelle, patriotique, est bien la réalité qu'a vécue l'enfance du héros?

Pour citer à nouveau E. Berl, à Combray, «on ne procrée pas». Le héros est enfant unique (ni frères, ni sœurs), et unique enfant (ni cousins, ni cousines, ni camarades). C'est un enfant solitaire qui ne joue donc avec personne, à qui la fréquentation de Gilberte et de Bloch est interdite. À Combray, le héros vit uniquement parmi des adultes pour qui il ne peut naturellement éprouver aucun sentiment de camaraderie. Tout au plus peut-il éprouver à leur égard des sentiments de commande : respect plutôt irraisonné pour son père, tendresse souvent amusée pour son grand-père, et finalement indifférence indulgente pour tous les autres, à l'exception bien sûr de sa mère et de sa grand-mère. Solitaire, le héros l'est aussi au milieu du groupe familial[40]. On est loin de *Jean Santeuil* où Éteuilles fourmille d'enfants, où une chaude amitié unit le petit Jean à son oncle-jardinier. À Combray, si le héros rêve parfois de compagnie, c'est de celle des petites filles de Roussainville! Rarement à l'unisson de la famille, le héros ne l'est pas plus souvent de la communauté. Si G. Picon a raison d'affirmer que les lieux préférés du héros — cabinet sentant l'iris, petite guérite d'osier — sont autant de *«refuges»*[41] contre la réalité, encore faudrait-il ajouter que cette réalité est celle de Combray, réalité amenuisante de journées éternellement recommencées. Mais surtout, s'isoler est pour le héros l'occasion d'explorer une autre réalité bien plus attirante et dont Combray prétend justement lui interdire l'accès : le sexe, le monde, la rêverie intellectuelle. On sait

---

39. BRÉE, *The World...*, p. 149.
40. Voir *supra*, pp. 142-3.
41. PICON, *Lecture...*, p. 56.

que Combray[42] fait obstacle au désir du héros, qu'il ferme un horizon aux confins duquel se profilent les mystères de Roussainville, de Tansonville et de Guermantes. Aussi, lorsqu'il aura réussi à échapper à la circularité de Combray, le héros ne se retournera plus jamais pour contempler la petite ville grise et triste de son enfance ; il n'éprouvera aucune nostalgie pour la petite société fermée où il aura fait son premier apprentissage du monde. Au contraire, il sentira une certaine gêne à s'entendre rappelé ses origines. Alors que jusqu'à la fin de leur vie, la mère et ses amies resteront irréductiblement «de Combray» le héros n'aura pas cette fidélité à la patrie perdue, car, à l'exception peut-être du «samedi asymétrique», il ne se sera justement jamais senti patriote ! Et si c'est un Combray clair et joyeux qui sort de la tasse de thé du narrateur, c'est un tout autre Combray qu'à partir d'un «*rayon oblique du couchant*» (*R* III, 880) conjure le romancier. Ce Combray-là appartient à la «*pré-histoire*» du héros. La crainte de la fièvre typhoïde y fait le vide autour de la tante Léonie et sépare l'enfant de sa famille pour l'enfermer dans la chambre d'Eulalie. C'est un Combray que traverse le soir le «*hululement*» des trains ; qui ajoute «*une longue étendue*» à la vie que le narrateur cherche à retrouver. Mais c'est aussi un Combray sur lequel le narrateur évite de revenir, car à la différence du Combray de la «communauté», il ne peut être médiévalisé.

À Combray, on n'oublie jamais que «*c'est samedi*» (*R* I, 119). On l'oublie d'autant moins qu'on attend avec impatience l'arrivée du visiteur malchanceux qui viendra se ridiculiser pour le plus grand plaisir de la famille. Alors de petit événement intérieur, local, presque civique qu'on célèbre entre soi, le samedi dégénère en manifestation de «*chauvinisme étroit*» (111) ; alors de «*noyau tout prêt pour un cycle légendaire*» (110), le récit de ce samedi mémorable avorte en épopée burlesque qu'on laisse le soin à la cuisinière de raconter. Car si on en rit, on est aussi un peu gêné par la vulgarité triomphante de la récitante, à preuve l'intérêt exceptionnel qu'y porte la grand-tante dont on connaît le manque de tact et de délicatesse ! Alors, de «*thème favori des conversations, des plaisanteries*», l'occurrence hebdomadaire devient prétexte à inventions, additions plus ou moins méprisantes sur la

42. Voir *supra*, p. 150.

«barbarie» des gens de l'extérieur à qui on fait, d'ailleurs, comprendre bien plus rudement qu'ils sont loin d'être les bienvenus à Combray quand ils refusent de s'abaisser aussi obligeamment que le «barbare» du samedi. Alors, c'est la grande offensive! Le grand-père à l'humeur guerrière crie : «*À la garde!*» (91, 194) et c'est la déroute d'un Legrandin pris en flagrant délit de ce «*péché sans rémission*» (129) qu'est le snobisme. Mais l'ennemi ne s'avoue pas toujours aussi facilement vaincu. Comme on l'a vu, Bloch met vraiment la patrie en danger! C'est alors que Combray recourt à l'arme ultime : Juif, Bloch sera condamné dans sa race. On est loin du patriotisme souriant, indulgent et plein de gaîté du samedi. Société assiégée, Combray devient aussi raciste que la société conquérante des Verdurin. Bloch, par Combray, Charlus, par le petit clan, sont tous deux rejetés au nom de leur «tare originelle».

Le chauvinisme affirme une supériorité que le patriotisme ignore : Saint-Loup respecte les Allemands, les jusqu'auboutistes de 14 rêvent de les asservir. Le patriotisme vit la différence, le chauvinisme, l'identité ; l'un ignore tranquillement le monde, l'autre ne pense qu'à lui. C'est que le second a besoin d'un rival pour exister, pour assurer son unité. «*Le ferment de l'unité*», écrit M. Muller à propos de Combray, «*c'est la nécessité pour un groupe de se resserrer en face de l'étranger*»[43]. Ce rival, le chauvinisme le hait, il rêve de l'anéantir. Mais paradoxalement, il l'admire aussi, il aspire à s'y identifier, à le remplacer. Le chauvinisme ne vit que de guerre, la paix lui est fatale : il perd sa raison d'être, il redevient divisé en lui-même. Et n'est-ce pas pour cela que le père du héros, le plus chauvin de tous les combraysiens, toujours prêt à combattre, est celui qui a le plus le sens de sa supériorité, qui accepte le moins l'autorité du groupe, qui se plie le moins aux us et coutumes de Combray? «*Pour une raison toute contingente, ou même sans raison*», rapporte le narrateur, «*il me supprimait au dernier moment telle promenade si habituelle, si consacrée qu'on ne pouvait m'en priver sans parjure*» (*R* I, 36). Sans «principes» et donc sans «intransigeance», toujours prêt à se déjuger! le père n'est certainement pas le législateur dont a besoin le petit monde clos de Combray où tout est «*rituel et cérémonie*»[44]. Mais Combray a-t-il besoin d'un législateur? Pour R. Girard, la réponse est négative car

43. MULLER, *Voix narratives...*, p. 28.
44. BRÉE, *Du temps perdu...*, p. 140.

selon lui, Combray est un régime «*dont on ne saurait dire s'il est autoritaire ou libéral car il fonctionne tout seul*»[45].

Pourtant que d'interdits! que de refus! De la mondanité, du cœur, de la sensibilité, de la sexualité! La liste est longue car Combray n'admet aucune déviation à sa norme. À Combray, la répression existe bien comme le prouvent Legrandin torturé dans sa chair de snob, Vinteuil dans son cœur de père. Loin de fonctionner «tout seul», le régime combraysien fait sa police, a ses gardiens vigilants comme le père, la grand-tante et même le grand-père un peu falot mais toujours prêt à montrer les dents quand il sent le Juif! Et Combray ne réprime-t-il pas aussi durement que le clan Verdurin? Bloch aussi «proprement» mis à la porte que Saniette. Mais ne sait-il pas aussi, quand ses intérêts sont en jeu, pratiquer la même tolérance hypocrite, préférant le mensonge à la vérité? Mensonge du père admirant secrètement Legrandin; mensonge de la tante Léonie qui détruit tout Combray en imagination; mensonge du héros qui rêve en cachette à un monde interdit. Trahisons secrètes et souterraines mais qui éclateront plus tard au grand jour de la *Recherche*. Alors le père rejoindra Norpois, le héros, les Swann et les Guermantes. Seules resteront fidèles au «régime» de Combray, les fameuses «amies de ma mère», les dames de la rue de l'Oiseau, épigones démodés d'une idéologie qui les conduit aux pires aberrations sociales et à la pratique d'un exclusivisme aussi intransigeant que celui du clan Verdurin.

Patriotisme que la moindre provocation exaspère; fraternité que la moindre velléité d'indépendance fait tourner à l'aigre; agressivité, intolérance. Si ce n'est chez la famille du héros, où faut-il alors chercher cette pratique authentique des valeurs de la «communauté»? Chez Françoise, répond la critique déjà citée, chez cette paysanne médiévale, cette sœur de la Félicité d'*Un Cœur simple*[46]. Or, on a suffisamment vu qu'il n'en est rien. On sait suffisamment ce que le patriotisme de Françoise peut avoir d'étroit et de sectaire, ce que sa relation à autrui peut avoir de mesquin et même de «fratricide», pour qu'il soit nécessaire d'y revenir encore ici. À travers le «brouillard transparent et doré» qu'étendent sur *Combray* certains critiques, Françoise peut bien

45. GIRARD, *Mensonge romantique...*, p. 207.
46. H. LEVIN, *The Gates of Horn* (New York, Oxford University Press, 1963), p. 405.

paraître incarner le peuple du moyen âge, ses actions peuvent bien se lire comme autant d'illustrations des règles immémoriales du «code de Combray». Mais en réalité, Françoise est une domestique du XXe siècle, intéressée, sournoise, aliénée à ses maîtres; en réalité, comme le remarque J. Murray[47], s'il existe bien un «code» de Combray, ses lois sont si énigmatiques que la conduite de Françoise en devient un véritable rébus. Tout au plus, ajoute J. Murray, ce «code» peut-il donner un semblant de consistance aux multiples inconsistances de Françoise, à la faire accepter sinon à la comprendre. Françoise, écrit-il «est l'ange annonciateur du monde qui attend Marcel hors des limites de son domaine familial chaudement abrité»[48]. Dans le «*vague lointain*» (*R* II, 22) où Françoise «*avec la fatigue de ses yeux de femme âgée*» voit tout de Combray, la vie de la petite société peut bien sembler idyllique, apparaître comme un âge d'or de la condition servile comparé à l'enfer domestique de Paris. La République a toujours été si belle sous l'Empire! Mais Eulalie métamorphosée en «*une bonne personne*» (26), la tante Léonie en «*une bien sainte femme*», relèvent de l'illusion!

L'amour de la patrie et l'amour du prochain peuvent donc bien s'incrire au fronton séculier de la «communauté», la morale que pratique Combray n'en offre qu'un pâle reflet. À ces valeurs, dans *Combray*, le héros n'attache déjà plus très grande importance; dans le monde, elles n'orienteront sa quête que de façon très intermittente. Il se convaincra vite que la fidélité à un pays, à un ami, à une femme ou à une œuvre ne peut être que passagère. Ce n'est qu'au moment de la guerre qu'il se remettra à croire avec ferveur à ces valeurs de la communauté. Mais le grand élan patriotique qu'il croira voir chez les Français, le dévouement qu'il admirera chez les Larivière, ne seront que de faibles contreparties à l'égoïsme de Mme Verdurin savourant ses croissants, ou au patriotisme «dévoyé» des habitués de l'hôtel de Jupien.

C'est avec une telle fidélité à ses modèles que l'artiste médiéval sculpta le porche de Saint-André-des-Champs que même les feuillages pariétaires qui ont poussé à côté des feuillages sculptés des chapiteaux viennent attester la «vérité» de son œuvre. C'est

47. MURRAY, « The Mystery of Others », p. 66.
48. *Ibid.*

212

avec un même respect de la réalité que Combray veut lire l'univers qui l'entoure ; c'est à une même «vérité» que Combray demande aux œuvres d'art d'atteindre. Et pourtant, que d'erreurs commises malgré toute l'attention que Combray porte à la réalité ! Que de fausses valeurs esthétiques consacrées malgré le soin qu'apporte Combray à vérifier dans les faits la «vérité» des œuvres d'art ! C'est, comme on le sait, que Combray pratique un *objectivisme*, qui, privilégiant l'observation et la description, ne peut dépasser le niveau des apparences ; c'est que cet *objectivisme*, en admettant uniquement des significations explicites, ne peut apprécier finalement que la littérature de notations, l'art réaliste. Si Combray se trompe du tout au tout sur Swann, c'est qu'il s'en tient à ce qu'il «voit» ; si les deux vieilles filles passent à côté de Saint-Simon, c'est qu'elles croient qu'il existe une «vérité» morale.

Mais sans même parler de ces omissions, de ces erreurs, à quoi aboutit finalement *l'objectivisme*? À ne considérer que la valeur d'échange des œuvres de l'esprit. Sans doute le grand-père du héros est curieux des petits faits de l'Histoire parce qu'il pense pouvoir ainsi «*entrer par la pensée dans la vie privée*» (*R* I, 21) des grands hommes, et découvrir ainsi, à l'instar de Sainte-Beuve, la «vérité» des êtres qu'il admire. Sans doute les deux vieilles filles ne veulent discuter que de «grands sujets» parce qu'ainsi elles espèrent vivre plus explicitement les valeurs artistiques qui à leurs yeux sont les seules authentiques. Mais ces considérations sur la valeur d'usage des œuvres restent malgré tout très secondaires. Ce qui rend le savoir du grand-père si précieux, c'est qu'il est peu répandu, que sa possession accroît le prestige de celui qui le possède, et qu'en l'échangeant judicieusement, celui-ci peut augmenter d'autant ce «capital» intellectuel. Le grand-père est de «*ces gourmets-là, ces amateurs-là*» (*R* III, 962), dont parle le narrateur dans *Le Temps retrouvé*, qui savent «*que Gilberte [n'est] pas Forcheville, ni Mme de Cambremer Méséglise, ni la plus jeune, une Valentinois. Peu nombreux* [...] *mais se retrouvant avec plaisir, faisant la connaissance les uns des autres, donnant de succulents dîners de corps*». De même, si les deux vieilles filles apprécient tant les «*séances d'excellente musique de chambre*» (II, 325) d'un certain artiste rencontré à Combray au point de refuser de se rendre au chevet de leur sœur mourante, c'est parce que cette musique leur permet soi-disant d'atteindre «*un recueillement*», de ressentir «*une élévation douloureuse*» qu'elles sont incapables d'éprouver par elles-mêmes en face d'une réalité qui devrait pourtant susciter de tels sentiments. Il ne faut pas s'étonner si de toutes les activités humaines, *l'objectivisme* valorise avant tout la vie en commun, l'amitié, la conversation, activités entièrement fondées sur l'échange, mais aussi, de ce fait, pratiques tellement dégradées des valeurs auxquelles elles se réfèrent, qu'elles restent presque entièrement stériles. Il ne faut pas s'étonner si *l'objectivisme* ne réussit jamais à découvrir la « vraie » réalité et ne fait que retrouver un monde de conventions, de préjugés. Pour *l'objectivisme*, l'œuvre d'art est d'abord terrain de rencontre, moyen de communication. *L'objectivisme* n'est pas création, mais répétition.

Dans *Combray*, à cette croyance *objectiviste*, le héros oppose déjà la sienne : à l'observation, l'impression ; à l'intelligence, la sensibilité ; à la communication, l'expression ; à la valeur d'échange, la valeur d'usage. Sans doute le héros ne comprend-il pas encore ce que sa démarche peut avoir d'enrichissant et de créateur ; sans doute regrette-t-il amèrement de ne pas savoir observer, de ne pas savoir communiquer, de ne pas avoir de « dispositions » pour ce que *l'objectivisme* appelle la littérature. Mais déjà il connaît des bonheurs qui seront toujours refusés à Combray : bonheur de découvrir l'essence même de l'œuvre de Bergotte, de ressentir la « vérité » de cette œuvre en une « *région* » (*R* I, 94) si profonde de lui-même qu'il est certain de ne pas se tromper ; bonheur de réussir à exprimer « *sous forme de mots* » (181) qui lui font plaisir et qui l'assurent de la vérité de sa création, ce qui est caché derrière les clochers de Martinville. Ces bonheurs, il les retrouvera chaque fois qu'il oubliera les postulats de *l'objectivisme* et qu'il acceptera de faire cet effort d'intériorisation de la réalité qui, seul, peut amener à la découverte de la vérité. Ces bonheurs, après avoir été vécus, deviendront la substance même de la *Recherche*. Et cette œuvre ne sera pas comme l'œuvre *objectiviste*, l'enfant « *du grand jour et de la causerie* » (*R* III, 898) mais « *de l'obscurité et du silence* » ; elle ne sera pas le « *déchet de l'expérience, à peu près identique pour chacun* » (890), mais « *la vraie vie, la vie enfin découverte et éclaircie, la seule vie par conséquent réellement vécue* » (895) ; elle ne sera pas une espèce de téléphone permettant à l'écrivain et à « son » lecteur de communiquer entre eux avec des mots de tous les jours, mais « *une espèce d'instrument d'optique que* [*l'écrivain*] *offre au lecteur afin de lui permettre de discerner ce que, sans ce livre, il n'eût peut-être pas vu en lui-même* » (911). Et si le héros pourra ainsi découvrir un jour la vérité de l'Art, s'il pourra décider de consacrer ce qu'il lui reste de vie à exprimer cette vérité, c'est parce que, dès Combray, il aura pressenti que *l'objectivisme* ne pouvait lui apporter que des déceptions ; c'est parce qu'il aura dès Combray, ressenti l'insuffisance d'une pratique qui rabaisse au niveau de l'échange les œuvres en lesquelles doit s'incarner la valeur la plus haute ; c'est parce qu'il aura lui-même déjà succombé à cette tentation et qu'il aura cru pouvoir trouver chez d'autres écrivains ce qu'il ne pouvait découvrir qu'en lui-même.

C'est sur deux évocations fortement contrastées de l'enfance du héros que s'ouvre la *Recherche*. La première ne retrouve jamais qu'un seul pan du passé, toujours le même, dans une fixité spatio-temporelle qui accroît d'autant l'intensité de la scène remémorée ; la seconde, au contraire, ramène à la surface de la claire conscience un univers entier. Entre ces deux évocations, la coupure semble profonde. Non seulement parce qu'elles sont nettement séparées dans le temps, la seconde n'intervenant dans la vie du héros que lorsque, dira le narrateur, *« il y avait déjà bien des années que, de Combray, tout ce qui n'était pas le théâtre et le drame de mon coucher, n'existait plus pour moi »* (*R* I, 44) ; non seulement parce que la première évocation ne quitte jamais le champ perceptif du héros tandis que la seconde s'en éloigne progressivement ; non seulement parce que ces deux évocations sont chacune le fruit d'un type de mémoire différent. Mais surtout, parce que la narration s'emploie à les séparer en insistant sur le caractère dramatique, imprévu et soudain de la «découverte» qui conduit à la résurgence de tout le Combray de l'enfance. Ce Combray-là ne semble rien retenir du Combray angoissé où tous les soirs, à sept heures, le héros vit inexorablement le calvaire de son coucher ; il baigne au contraire dans la clarté bienheureuse de l'amour filial comblé, de la vie partagée, de la réalité intimement vécue ; il apparaît comme le temps de la plénitude, le temps de l'unisson, le temps de la «vérité».

Mais l'enfance du héros ne peut se répartir ainsi entre deux mondes entièrement distincts ; la cloison qui sépare les journées de Combray en deux moments n'est pas étanche ; chaque soir, le héros la traverse péniblement et dans sa conscience, ces deux moments se rejoignent alors pour ne faire plus qu'un. Et ce Combray vécu dans sa totalité constitue la première étape de la recherche du héros car loin de lui apporter «la révélation des essences», il lui fait toucher du doigt l'impossibilité de vivre dans leur vérité les valeurs qui tout autant que son propre univers, organisent l'univers combraysien. Dans cet univers, l'amour maternel ou filial n'est rien de plus qu'une question de principe ; on s'indigne de voir Odette imposer son «amant» à sa fille, mais on se moque des soins exagérés que Vinteuil prodigue à la sienne. La petite société de Combray se veut fraternellement unie, heureuse de son sort et indifférente à celui d'autrui ; mais les rivalités empoisonnent la vie de la communauté ; mais le patriotisme combraysien se fait soupçonneux, hargneux et agressif. À Combray, on ne veut rien laisser dans l'ombre, tout doit être reconnu, nommé, classé, expliqué ; mais on s'enferre dans ses erreurs. Combray, enfin, prétend exprimer la réalité dans toute sa «vérité» ; ce qu'il demande aux œuvres de l'esprit, c'est de l'aider à y parvenir. Mais ce respect de la «vérité» n'est pas désintéressé ; il procure à Combray l'agréable sentiment de «tout» savoir ; il sert en fait à renforcer ses préjugés ; il condamne l'œuvre d'art à n'être qu'un objet d'échange et de consommation. À l'encontre de Combray, le héros vit l'amour filial comme une déchirure ; non seulement l'amour qu'il éprouve pour sa mère, mais l'amour qu'il voit Mlle Vinteuil dégrader comme à plaisir. Ce sentiment passionné laisse peu de place à une vie affective plus mesurée ; à de rares exceptions, le héros vit dans un univers où la famille, la communauté tiennent peu de place. À une lecture «fidèle» de la réalité, le héros préfère le plaisir de la rêverie, l'excitation joyeuse de l'impression, les ondes toujours plus étendues que provoquent en lui les significations qu'il découvre dans les œuvres d'art.

Si Combray et le héros se rejoignent pour affirmer l'authenticité des mêmes valeurs, dans leur univers respectif, ces valeurs s'ordonnent donc différemment et leur pratique se place à des niveaux de dégradation différents. Et encore une fois, il semble possible de retrouver la double équation établie à partir de la désacralisation des dieux et de la remise en question des mythes[49]. D'une part, on peut avancer que pour Combray et pour le héros, la hiérarchie des valeurs est inversée : l'amour filial, par exemple, qui n'est pour Combray qu'une valeur très secondaire, et que le héros place au premier plan. D'autre part, il apparaît que plus ces

49. Voir *supra*, pp. 155–73 et 175–92.

valeurs sont prônées par Combray, plus l'insuffisance de leur pratique est ouvertement dénoncée ; alors que plus ces valeurs orientent la recherche du héros, moins leur pratique est soumise à la dénonciation. Ainsi en est-il de ce respect de la réalité auquel Combray attache tant d'importance mais que les postulats *objectivistes* de sa vision du monde l'amènent à tourner en dérision. Ces relations qui peut les imposer, sinon le romancier ? Car il est le seul à pouvoir imprimer à la quête de son héros ce caractère problématique qui crée le roman et cela, dès *Combray*, dès l'enfance. Sans doute, dans *Combray*, le voyage à travers la dégradation commence-t-il à peine, mais il est déjà amorcé ; sans doute, dans *Combray*, l'inadéquation entre le héros et le monde est encore imperceptible mais elle est déjà inscrite dans les faits. Et il faut bien qu'il en soit ainsi pour que le héros ne reste pas indéfiniment enfermé dans la circularité combraysienne, pour qu'il ne reste pas éternellement attaché à des modèles de conduite qu'il ne pourrait jamais qu'aspirer à reproduire. Dans *Combray*, dès *Combray*, les dieux de l'enfance se révèlent imparfaits ; leurs défaillances forcent le héros à se rendre compte qu'il ne peut s'en remettre à eux pour conduire sa vie et sa recherche. D'autres dieux viendront les remplacer, encore plus faillibles, encore plus décevants, porteurs d'autres mythes et d'autres valeurs, jusqu'au jour où le héros comprendra que seul l'Art peut justifier sa vie, peut l'amener à la transcendance.

CONCLUSION

L'UNIVERS romanesque de la *Recherche* naît de la découverte d'une forme narrative que *Jean Santeuil* ignore et qui fait du Je à la fois le sujet de l'énoncé et de l'énonciation. Instance productrice du récit, ce Je en est également l'instance focalisatrice. Sa conscience est lieu de convergence : c'est à travers elle que la réalité est perçue, c'est en elle que se regroupent les points de vue. Sa conscience est vision : c'est elle qui structure le monde, c'est elle qui l'organise en une totalité. L'univers romanesque de la *Recherche* appartient donc d'abord au narrateur ; c'est son imaginaire qui en assure la cohérence ; c'est son imaginaire qui en crée la forme.

L'univers combraysien sur lequel ouvre la *Recherche* est circularité. Circularité géographique qui délimite un espace à l'intérieur duquel s'organise la vie de la cité ; circularité familiale qui rassemble les êtres et les soude en un seul groupe où chacun joue un rôle donné, où chaque rôle est complémentaire de ceux de tous les autres ; circularité mentale, enfin, qui «finit» le monde dont la réalité est «objectivée», le sens et la signification rendus intelligibles, la «vérité» formulée. La circularité combraysienne est donc circonscription. Mais elle est aussi clôture : par son refus du dehors, de l'étranger, de la connaissance intuitive, de la valeur séminale des mots. Limite et séparation, la circularité enferme Combray dans un univers dont la «figure» est celle de la sphère parfaite gravitant uniquement sur elle-même et dont le centre est marqué par ces deux «fédérateurs» de la réalité que sont le clocher de l'église et la tante Léonie.

L'univers combraysien instaure la «communauté». Il socialise l'affirmation des volontés et des individualités ; il intègre l'individu à un ensemble et l'amène à s'y fondre de sorte que chacun se trouve être la vie et le but commun du groupe ; il fait du *nous* l'expression privilégiée de la solidarité qui lie les êtres les uns aux autres. L'univers combraysien est donc un univers «à l'unisson» : dans ses activités (promenades, repas, soirées) ; face au danger ; dans sa conception du monde ; dans l'affirmation de son existence.

Ce monde consistant, résistant, protégé, ce monde de la certitude, ce monde du vécu en commun, cet univers combraysien que le «miracle» de l'analogie permet de retrouver, n'est-il pas naturel que, dans la *Recherche*, il apparaisse comme le seul monde «archétype», le seul «paradis» qu'ait jamais connu le héros ?

Combray est la seule et unique patrie que connaissent les habitants. Ils vouent une loyauté sans défaillance à la «communauté» qu'instaure Combray et qui, refusant les distinctions de classes, les intègrent et les constituent en un «tout» social. *L'unanimisme* de Combray offre ainsi à chacun la possibilité de s'identifier pleinement à la totalité sociale, tout en conservant son originalité, son individualité.

Combray est un petit monde fermé, heureux, indifférent à l'extérieur ; plus encore, Combray écarte volontairement de son horizon les villes des environs qui cherchent à attirer son attention. Se méfiant de ces cités avoisinantes aux mœurs si différentes, Combray se méfie encore plus de la grande «patrie» à laquelle il est censé appartenir et ne montre que peu d'enthousiasme à se soumettre à ses volontés. En temps de guerre, comme en temps de paix, Combray ne connaît guère ces élans qui poussent les «bons» Français de Saint-André-des-Champs à se dresser comme un seul homme pour défendre la patrie.

Tant sur le plan externe que sur le plan interne, Combray apparaît donc bien comme un univers clos, centré uniquement sur lui-même et dont la pratique de ces valeurs sociales que sont l'égalité, la liberté et la fraternité, est telle qu'aux yeux du narrateur, déçu par la versatilité du monde et cherchant un point d'ancrage social, l'univers combraysien devient l'image même du paradis de la société.

Dans l'univers imaginaire du narrateur, toute cohérence sociale appelle la métaphore. C'est, en effet, une des constantes de l'imaginaire du narrateur que de chercher à métaphoriser ceux des mondes qu'il a traversés et en lesquels il a cru trouver une cohérence faisant défaut à ce kaléidoscope social qu'est le monde. Et c'est également une constante de l'imaginaire du narrateur que de choisir comme référent métaphorique celui qui peut le mieux inscrire l'objet de la métaphore dans le Temps, objet dont la cohérence sociale se trouve ainsi d'autant renforcée. Ainsi en est-il de Doncières et de Venise ; ainsi en est-il de Combray qui devient petite cité du moyen âge. La Commune médiévale, cet âge d'or de l'Histoire sociale de la France, devient alors, dans le Temps, ce miroir où vient se refléter Combray, où vient s'inscrire le mirage d'un «peuple» *unanimiste*, clé de voûte de toute la «mythologie» sociale du narrateur. La métaphore médiévale produit *Combray* en tant que texte, dans sa totalité.

Mais, dans la *Recherche*, la métaphore appartient à l'univers imaginaire du narrateur. Elle permet non seulement de protéger le héros contre le choc de la réalité, mais aussi de créer une réalité nouvelle. En effet, en dégageant la qualité commune aux deux termes qu'elle réunit, la métaphore ne retrouve pas tant la «vraie» réalité des choses et des êtres qu'elle ne la métamorphose. Ainsi, grâce à la métaphore médiévale, Combray peut-il être retrouvé dans le passé comme une «cohérence salutaire».

Mais le narrateur ne règne pas seul sur l'univers romanesque de la *Recherche*. Le romancier y affirme également sa présence, d'abord et avant tout comme témoin de son temps. Dans *Combray*, c'est lui qui réintroduit dans le tissu narratif ceux des éléments de la réalité que le narrateur cherche à réduire au nom de la cohérence de son univers imaginaire. Dans *Combray*, c'est à lui qu'il revient de dénoncer l'illusion d'un Combray unique paradis social du monde de la *Recherche*.

Pas plus qu'un paradis social, *Combray* n'est un paradis de l'enfance. Déjà, dans *Combray*, le héros n'est plus «à l'unisson» du monde. Les dieux de son enfance ne sont pas exempts de défauts, depuis la mère, vers laquelle converge toute la vie affective du héros, jusqu'à la tante Léonie, cette souveraine incontestée de Combray. Les mythes qui fondent la *Weltanschauung* du héros se révèlent mensongers, depuis le mythe de la famille, lieu supposé d'une pratique pure et désintéressée de l'amour, jusqu'au mythe de la circularité, «figure» soi-disant idéale de l'univers combraysien. La pratique des valeurs que Combray reconnaît comme authentiques laisse beaucoup à désirer, depuis l'amour maternel ou filial jusqu'à ce respect de la réalité qui est censé sous-tendre la lecture *objecti-viste* que Combray fait des signes.

Cette réorganisation de l'univers combraysien n'est pas l'effet du hasard ; elle tend à suivre certaines lois. Qu'il s'agisse de la désacralisation des dieux, de la remise en question des mythes ou de la dégradation des valeurs, il semble possible de dégager certaines relations. Tout d'abord, il apparaît que plus les dieux, les mythes et les valeurs ont d'importance dans l'univers imaginaire du narrateur, plus ils sont directement et ouvertement dénoncés alors que plus ils ont d'importance dans l'univers affectif du héros, moins ils sont soumis à la dénonciation. D'autre part, il semble qu'on peut dégager une relation inversement proportionnelle entre l'importance que possèdent les dieux, les mythes et les valeurs dans l'univers imaginaire du narrateur, et l'importance qu'ils ont dans la vie affective du héros.

Ces relations, qui peut les établir sinon le romancier ? Lui seul, peut, en arguant de ses privilèges narratifs, y soumettre le tissu narratif de *Combray* ; lui seul peut intégrer le Combray imaginaire du narrateur dans un ensemble plus vaste qui tend à rendre compte de toute la réalité. Alors, dans cet espace de l'œuvre sur lequel règne le romancier, *Combray* n'est plus un monde à part mais partie intégrante de l'histoire que déroule la *Recherche* ; histoire qui n'est plus faite de souvenirs d'un passé revécu dans l'imaginaire mais qui raconte la quête d'un héros déjà problématique ; quête qui débute dès *Combray* et qui conduira le héros à devenir le narrateur de sa propre vie ; narrateur, enfin, qui en accédant à la transcendance deviendra ce romancier de la *Recherche* proposant à la littérature, dans sa cohérence mais aussi dans sa complexité, une vision du monde jusqu'alors inconnue.

RÉFÉRENCES BIBLIOGRAPHIQUES
des œuvres de Proust citées

À la recherche du temps perdu. Texte établi et présenté par P. Clarac et A. Ferré. Paris, Gallimard, 1954 (« Bibliothèque de la Pléiade »). Vol. I : 1003 p. Vol. II : 1224 p. Vol. III : 1323 p.

Contre Sainte-Beuve, précédé de *Pastiches et mélanges* et suivi de *Essais et articles*. Édition établie par P. Clarac avec la collaboration de Y. Sandre. Paris, Gallimard, 1971 (« Bibliothèque de la Pléiade »). 1022 p.

Contre Sainte-Beuve, suivi de *Nouveaux mélanges*. Préface de B. de Fallois. Paris, Gallimard, 1954. 448 p.

Jean Santeuil, précédé de *Les Plaisirs et les jours*. Édition établie par P. Clarac avec la collaboration de Y. Sandre. Paris, Gallimard, 1971 (« Bibliothèque de la Pléiade »). 1123 p.

Textes retrouvés, établis par Ph. Kolb et L. B. Price. Chicago, University of Illinois Press, 1968. 304 p. N^{lle} éd., Paris, Gallimard, 1973. 432 p.

Correspondance générale, présentée et annotée par Ph. Kolb. Paris, Plon. T. I : *1880–1895* (1970. 486 p.). T. II : *1896–1901* (1976. XXI-526 p.) …

Bulletin de la Société des amis de Marcel Proust. Illiers-Combray. N°s 1 à 27 (1951–1977).

Cahiers Marcel Proust. Paris, Gallimard, 1927–1935. N^{lle} série 1970– (*Études proustiennes I*, 1973–).

RÉFÉRENCES BIBLIOGRAPHIQUES
des études citées dans les notes de manière abrégée

ABRAHAM (P.), « Proust ou Marcel », *Europe* [Paris], no 496-497, août-sept. 1970, pp. 3–7.

ADAM (A.), « Le Roman de Proust et le problème des clefs », *Revue des Sciences Humaines* [Lille], nlle série, fasc. 65, janv.–mars 1952, pp. 49–90.

ALBARET (C.). *Monsieur Proust.* Paris, Laffont, 1973.

BARDÈCHE (M.). *Marcel Proust romancier.* Tomes I et II. Paris, Les Sept Couleurs, 1971.

BATAILLE (G.), « Marcel Proust et la mère profanée », *Critique* [Paris], no 7, déc. 1946, pp. 601–11.

–, « Marcel Proust », *L'Arc* [Aix-en-Provence], no 47, 4e trim. 1971, pp. 3-4.

BERSANI (J.) ed.. *Les Critiques de notre temps et Proust.* Paris, Garnier, 1971.

BERSANI (L.), « Déguisements du moi et art fragmentaire », pp. 43–65 in *Cahiers Marcel Proust (7). Études proustiennes II.* Paris, Gallimard, 1975.

BLANCHOT (M.). *Le Livre à venir.* Paris, Gallimard, 1959.

BOLLE (L.). *Marcel Proust ou le complexe d'Argus.* Paris, Grasset, 1967.

225

BRÉE (G.). *The World of Marcel Proust*. Londres, Chatto & Windus, 1967.

—. *Du temps perdu au temps retrouvé*. Paris, Les Belles-Lettres, 1969.

BUTOR (M.). *Répertoire II*. Paris, Éd. de Minuit, 1964.

—, « Les Sept femmes de Gilbert le Mauvais », *L'Arc* [Aix-en-Provence]. no 47, 4e trim. 1971, pp. 33–45.

CATTAÜI (G.). *Marcel Proust*, précédé de « Vie et survie de Marcel Proust », par P. de Boisdeffre. Paris, Éditions universitaires, 1958.

CURTIUS (E. R.). *Marcel Proust* (traduit de l'allemand par A. Pierhal). Paris, La Revue Nouvelle, 1928.

DELEUZE (G.). *Proust et les signes*. Paris, P.U.F., 1971.

DONZE (R.). *Le Comique dans l'œuvre de Marcel Proust*. Neuchâtel, Attinger, 1955.

DUTHIE (E. L.), « The Family Circle in Proust's Santeuil », *The Contemporary Review* [London], Oct. 1953, pp. 224–8.

Entretiens sur Marcel Proust. Paris–La Haye, Mouton, 1966.

FERNANDEZ (D.). *L'Arbre jusqu'aux racines*. Paris, Grasset, 1972.

FEUILLERAT (A.). *Comment Marcel Proust a composé son roman*. New Haven (U.S.A.), Yale University Press, 1934. Nlle éd., New York, AMS Press, 1973.

GENETTE (G.), « Métonymie chez Proust ou la naissance du récit », *Poétique* [Paris], no 2, 1970, pp. 156–73.

—. *Figures III*. Paris, Éd. du Seuil, 1972.

GIRARD (R.). *Mensonge romantique et vérité romanesque*. Paris, Grasset, 1961.

GUTWIRTH (M.), « La Bible de Combray », *Revue des Sciences Humaines* [Lille]. fasc. 143, juill.–sept. 1971, pp. 417–27.

—, « Le Narrateur et son double », *Revue d'Histoire Littéraire de la France* [Paris], no 5-6, sept.–déc. 1971, pp. 924–32.

HOUSTON (J.P.), « Literature and Psychology: the Case of Proust », *Esprit créateur*, Spring 1965, pp. 3–13.

KING (A.). *Proust*. Londres, Oliver & Boyd, 1968.

KOLB (Ph.), « Historique du premier roman de Proust », *Saggi e ricerche di letteratura francese* [Torino], n. IV, 1963, pp. 215–277.

LEVAILLANT (J.), « Notes sur le personnage de Bergotte », *Revue des Sciences Humaines* [Lille], nlle série, fasc. 65, janv.–mars 1952, pp. 33–48.

LÉVINAS (E.), « L'Autre dans Proust », *Deucalion* [Paris], no 2, 1947, pp. 117–23.

226

Lowery (B.). *Marcel Proust et Henry James, une confrontation.* Paris, Plon, 1964.

Magny (Cl.-Ed.), « Finalement... », *Preuves* [Paris], no 20, 2e année, oct. 1952, pp. 19–27.

—. *Histoire du roman français depuis 1918.* Tome I. Paris, Éd. du Seuil, 1950.

Marc-Lipiansky (M.). *La Naissance du monde proustien dans Jean Santeuil.* Paris, Nizet, 1974.

Matoré (G.) & I. Mecz. *Musique et structure romanesque dans la* Recherche du temps perdu. Paris, Klincksieck, 1972.

Mauriac (Cl.), « *Jean Santeuil* de Marcel Proust », *La Table Ronde* [Paris], no 5, août 1952, pp. 107–27.

Milly (J.). *Proust et le style.* Paris, Lettres Modernes, 1970.

Muller (M.). *Les Voix narratives dans la* Recherche du temps perdu. Genève, Droz, 1965.

Murray (J.), « The Mistery of Others », *Yale French Studies* [New Haven (Conn.)], no. 34, June 1965, pp. 63–72.

Nathan (J.). *La Morale de Proust.* Paris, Nizet, 1953.

Paraf (P.), « L'Univers de Marcel Proust », *Europe* [Paris], no 496-497, août-sept. 1970, pp. 27–37.

Pfeiffer (J.), « Proust et le livre », *L'Arc* [Aix-en-Provence], no 47, 4e trim. 1971, pp. 74–83.

Painter (G.). *Marcel Proust.* Londres, Chatto & Windus, vol. I : 1959 ; vol. II : 1965.

Picon (G.). *Lecture de Proust.* Paris, Mercure de France, 1963.

Pierre-Quint (L.). *Proust et la stratégie littéraire,* avec des *Lettres de Marcel Proust à René Blum, Bernard Grasset et Louis Brun.* Paris, Corrêa, 1954.

Plantevignes (M.). *Avec Marcel Proust. Causeries-souvenirs sur Cabourg et le Boulevard Haussmann...*Paris, Nizet, 1966.

Poulet (G.). *L'Espace proustien.* Paris, Gallimard, 1963.

Proust. Paris, Hachette, 1965 (Coll. « Génies et réalités »).

Richard (J.-P.), « Proust et l'objet alimentaire », *Littérature* [Paris], no 6, mai 1972, pp. 3–19.

—. *Proust et le monde sensible.* Paris, Éd. du Seuil, 1974.

Rousset (J.). *Forme et signification.* Paris, Corti, 1962.

Tadié (J. Y.). *Proust et le roman.* Paris, Gallimard, 1971.

Taylor (R.), « The Adult World and Childhood in Combray », *French Studies* [Oxford], Vol. XXII (1), Jan. 1968, pp. 26–36.

Vallée (Cl.). *La Féerie de Marcel Proust.* Paris, Fasquelle, 1958.

VINCENOT (Cl.), « Les Procédés littéraires de Marcel Proust et la représentation du monde chez l'enfant », *Revue des Sciences Humaines* [Lille], n^{lle} série, fasc. 129, janv.–mars 1968, pp. 5–28.

WEBER (S. M.), « Le Madrépore », *Poétique* [Paris], n° 13, 1973, pp. 28–54.

ZÉRAFFA (M.), « Thèmes psychologiques et structures romanesques dans l'œuvre de Marcel Proust », *Journal de psychologie* [Paris], n° 2, avril–juin 1961, pp. 193–216.

—. *Personne et personnage*. Paris, Klincksieck, 1969.

—. *Roman et société*. Paris, P.U.F., 1971.

—, « La Poétique de l'écriture », *Revue d'esthétique* [Paris], n° 4, 1971, pp. 384–401.

ZIMA (P. V.). *Le Désir du mythe? Une lecture sociologique de Marcel Proust*. Paris, Nizet, 1973.

TABLE

ACHEVÉ D'IMPRIMER
EN DÉCEMBRE 1981
SUR LES PRESSES
DE
L'IMPRIMERIE F. PAILLART
À ABBEVILLE
Dépôt légal : 4ᵉ trimestre 1981.
Nᵒ d'imp. : 5195.